D1460187

Elsie Altmann-Loos

Mein Leben mit Adolf Loos

Elsie Altmann-Loos

Mein Leben mit Adolf Loos

Mit einem Nachwort von
Adolf Opel

Amalthea

Bildnachweis
Loos-Archiv, Albertina (1, 3, 8, 18, 27)
Bildarchiv der Österr. Nationalbibliothek (3)
Nachlaß Lina Loos (4, 5)
Sammlung Max Beck (28)
Alle übrigen Bilder aus den Sammlungen Altmann-Loos,
Opel und Valdez.

© 1984 by Amalthea Verlag
Wien München

Alle Rechte vorbehalten

Schutzumschlag: Wolf Bachmann, München,
unter Verwendung eines Fotos von d'Ora

Satz: Ludwig Auer, Donauwörth

Druck und Binden: Wiener Verlag,
Himberg bei Wien

Printed in Austria 1984

ISBN 3-85002-193-9

Vorwort

Dieses Buch ist für Menschen geschrieben, die fühlen, wenn
etwas schön und bedeutend ist, ohne erklären zu können,
warum. Es ist kein Buch für Fachleute. Die »Loos-Bücher«
für Fachleute sind schon geschrieben, Fachleute haben sie
für andere Fachleute geschrieben.

Ich weiß nicht, ob es mir in meinem Buch gelungen ist,
Adolf Loos den Menschen näherzubringen. Dies war jeden-
falls meine Absicht. Deshalb ist dieses Buch voll von kleinen
Dingen, scheinbar unbedeutenden Geschehnissen, vergesse-
nen Augenblicken, kleinen und großen Schmerzen und
Freuden. Wie eben das Leben der Menschen ist. Auch der
Genius ist ein Mensch. Auch er leidet, wie die gewöhnlichen
Sterblichen, an vielem Unbill: an Liebe, Krankheiten, kalten
Füßen, Geldsorgen und Schlaflosigkeit. Blicke ihn darum
mit verständnisvollen Augen an. Die Hülle, die den größten
Geist umgibt, ist aus Fleisch und Blut. Ein Mensch wie wir.

Buenos Aires
Januar 1984   *Elsie Altmann-Loos*

1.

Die Mutter

Der kleine Junge steht auf seinen unsicheren Beinchen in der großen, sauberen Küche. Hier riecht es gut, und es gibt viel zu sehen. Der Herd, in dem das Feuer flackert, die Kupferkessel und Pfannen, die an den Wänden hängen, der große weiße Tisch, die blauweißen Kaffeetassen, alles ist schön und vertraut. Die Mutter spricht mit der Köchin, sie sprechen über den Gänsebraten für den kommenden Sonntag. Mutters Stimme klingt scharf und kalt, die der Köchin falsch und schmeichlerisch. Der kleine Junge steht zwischen den beiden. Er ist noch nicht zwei Jahre alt. Er möchte schon so gerne allein laufen können, aber jedesmal, wenn er es versucht, fällt er hin, und alle sind böse. Nur der Vater nicht, der ist nie böse.

Der Vater steht auf dem großen Werkplatz, der sich hinter der Küche ausdehnt, und spricht mit seinen Arbeitern. Jetzt lachen diese, und man hört die tiefe Stimme des Vaters, sanft und ermahnend. Auch der kleine Junge in der Küche hört diese Stimme. Und jetzt erfaßt er, er müsse nur dem Lichtstrahl, der in dem kleinen Gang, der von der Küche ins Freie führt, eingefangen ist, nachgehen, und dann findet er den Vater. Die Händchen lösen sich vorsichtig von Mutters Rockfalte, und der kleine Junge geht unsicher zum Küchenausgang. O Wunder, diesmal fällt er nicht. Jetzt steht er im Freien. Er hält sich am Türrahmen fest. Die grelle Sonne fällt auf den Platz, der von großen und kleinen Steinblöcken besät ist. Nach dem Halbdunkel der Küche tut das helle

Sonnenlicht den Augen weh. Jetzt sieht er den Vater. Er ist unbeschreiblich weit weg, beinahe unerreichbar, mindestens zehn Schritte. Die kleine Hand löst sich vom Türrahmen, die Beinchen beginnen zu gehen, zu laufen, zu stolpern, und der kleine Junge fällt hin. »Adolf«, ruft der Vater und läuft, um ihm zu helfen. Er hebt den kleinen Jungen vom Boden auf und trägt ihn in die Küche. »Adolf«, sagt die Mutter mit Ärger in der Stimme, »ist er schon wieder hingefallen?« »Laß ihn doch«, sagt der Vater, »er wollte zu mir laufen, und diesmal ist es ihm beinahe gelungen. Er ist mindestens vier Schritte allein gegangen.« Der kleine Junge weint nicht, obwohl er sich beide Knie aufgeschlagen hat. Er sieht mit ernstem Gesicht auf die kleinen Steinstückchen, die er beim Fallen vom Boden aufgehoben hat. Grüne, rote, weiße Steinstückchen, ganz glatt auf der einen Seite und ungeschliffen rundherum. Die Händchen schließen sich um den kühlen Marmorschatz. Adolf Loos hat sein erstes Spielzeug und den Hauptteil seines Lebensinhaltes gefunden: das edle Material. Bald nimmt ihn der Vater so oft wie möglich auf den Bauplatz mit. Während er arbeitet, spielt Adolf mit den Marmorabfällen, baut kleine Häuser aus Holz und Stein. Wenn es regnet, sitzen Vater und Sohn in der Werkstatt. Der Vater meißelt an einem Marmorkreuz oder schleift Blöcke glatt, und Adolf sieht das Wunder der glatten Marmorplatte vor sich entstehen. Er streichelt die glatte Fläche, legt seine kleine Stirn daran und fährt mit der Zunge darüber. Der Vater lacht, hebt ihn vom Boden auf und herzt ihn. Das ist mein Sohn, denkt er – Adolf Loos ich, Adolf Loos er.
Im Hause herrscht die Mutter. In der Zwischenzeit hat sie eine kleine Schwester für Adolf geboren und ein Jahr später noch eine. Hermine und Irma. Die Schwestern sind bei der Mutter im Haus, aber Adolf ist der Sohn, sein Vater will ihn immer bei sich haben. Er lebt in der Werkstatt, auf dem Bauplatz und ist glücklich. Bis hierher dringt weder die

scharfe, strenge Stimme der Mutter noch ihre harte Hand. Einmal regnet es so stark, daß man den Bauplatz nicht überqueren kann, und Vater und Sohn bleiben viele Stunden in der Werkstatt. An diesem Tag macht der Vater einen Gipsabdruck von Adolfs kleiner Hand, und am nächsten Tag sieht der Junge seine Hand in Gips unter Glas. Diese kleine Gipshand, eine Photographie vom Vater und zwei alte Stehuhren sind das einzige, was Adolf Loos in späteren Jahren aus seinem Vaterhaus mitnimmt.

Der kleine Junge wächst heran, er kann schon gehen, laufen, springen, sprechen und lachen. Er weint fast nie. Er ist ein Junge, ein Junge weint nicht, und außerdem hat er auch keinen Grund zum Weinen. Er hat seinen Vater, er liebt und verehrt ihn, der Vater ist gut zu ihm, er darf ihm bei der Arbeit helfen, er erklärt ihm alles, wozu die Werkzeuge da sind, wie man sie anwendet, wie die Steinblöcke heißen, aus welchen Ländern sie kommen, wie man sie behandelt und wozu sie dienen. Alles ist interessant, leidenschaftlich interessant. Der Junge spielt nicht wie andere Kinder, er will kein Holzpferdchen, keinen Kreisel, keinen runden Reifen, der über den Rasen läuft. Er ist glücklich mit seinem Vater, mit dem Marmor und dem edlen Holz. Daß man hin und wieder ins Haus zurück muß, mit Mutter und Schwestern bei Tische sitzt, muß eben mit in Kauf genommen werden.

Trotzdem liebt der Junge sein Vaterhaus. Es ist ein großes schönes Bürgerhaus, alles ist rein und ordentlich, und alles ist vertraut: sein Bett, Mutters Fußschemel, Vaters Lehnstuhl. Aber er liebt es, auf dem Bauplatz zu stehen und das Haus hinter sich zu fühlen. Die Sicherheit seines Hauses hinter sich und die Freiheit des Arbeitsplatzes vor sich, so muß das Leben des Mannes gestaltet sein.

Die Schule ist ein unvermeidliches Übel. Adolf ist ein schlechter Schüler. Er ist nicht dumm, nicht ungezogen, aber er ist nicht interessiert an all der Weisheit, die Lehrer und

Erzieher vor ihm ausbreiten. Er sitzt in sich versunken da und denkt an seine Welt. An seine eigene Welt. Der Vater, der Bauplatz, fremde Länder, warum hat der Neger auf dem Bild einen Ring durch die Nase gezogen? Endlich ist der Schultag zu Ende, und wenn man sich beeilt, bleibt noch Zeit, um auf den Bauplatz zu laufen und Vater zu helfen.

Trotz aller Gleichgültigkeit in der Schule lernt Adolf doch im Laufe der Zeit lesen, schreiben und rechnen. Jetzt steht er vor dem Tor der Werkstatt und liest zum erstenmal: Adolf Loos, Grabsteine und Kreuze. Er ist ganz erstaunt, wie leicht es ist, diese Worte zu lesen, und nun macht ihm das Leben auf dem Werkplatz doppelte Freude. Er geht von einem Arbeiter zum anderen, sieht beim Schaffen zu, bewundert die Sicherheit der arbeitenden Hände und den Rhythmus der Arbeit. Vor allem aber bewundert er die Meisterschaft des Vaters und die Fügsamkeit des Materials. Die Hämmer klingen, die Räder surren, die Männer schaffen, das Werk entsteht. Adolf Loos sitzt auf einem Marmorblock und ist glücklich.

Eines Tages stehen die Räder still. Auf dem Bauplatz lastet eine drückende Schwüle. Die Arbeiter stehen in kleinen Gruppen vor der Küchentüre, die Mützen in der Hand. Sie atmen schwer. Adolf steht in seiner Stube und sieht auf den leeren Werkplatz hinaus. Er kann das Unglück gar nicht fassen, aber die Stille und Leere da draußen bestätigen, was man ihm gesagt hat: Vater ist gestorben. Ganz plötzlich und unerwartet. Vater ist tot. Vater ist tot, und er ist allein.

Jetzt beginnt ein schweres Leben. Alles ist anders. Die Mutter, diese schweigsame, kleine Frau, nimmt mit Strenge und Energie die Zügel in die Hand. In *eine* ihrer Hände. In der anderen hält sie die Peitsche.

Adolf Loos ist zehn Jahre alt, als sein geliebter Vater stirbt. Mit ihm sterben die glücklichen Kindertage. Und zwischen Mutter und Sohn entsteht ein Haß, so tief, so unauslösch-

lich, wie er sonst nur in griechischen Tragödien zu finden ist.
Das Geschäft leidet nicht durch Vaters Tod. Es wird ein
Werkmeister angestellt, und die Mutter nimmt die Verwaltung in ihre Hände. Sie, die immer streng und sparsam
gewesen ist, übertreibt diese beiden Eigenschaften nach Vaters Tod bis zur Grausamkeit. Den Kindern wird alles versagt, was nicht unbedingt zur Erhaltung des Körpers und
des Geistes notwendig ist. Nahrung und Kleidung für den
Körper, Kirchgang für den Geist. Aber es gibt weder Spiel
noch Vergnügen, nicht die kleinste Zärtlichkeit. Die Mutter
spricht die Kinder in der dritten Person an – »Er hat sich
schlecht benommen, er gehe auf sein Zimmer« –, und schon
deshalb kann keine innige Beziehung zwischen ihr und den
Kindern entstehen. Und mit Grausamkeit tötet diese arme
Frau das einzige, was ihr geblieben war: die Liebe ihrer
Kinder.
Hermine und Irma passen sich in allem der Mutter an, und
bald sind die drei Verbündete. Verbündet gegen den einzigen Rebellen in der Familie. Für Adolf ist jeder Tag eine
Schlacht. Die Mutter verlangt von ihm strenges Studium und
eine makellose Lebensführung. Sie erklärt ihm, daß er, als
einziger Mann in der Familie, schon von klein an nur an
seine Schwestern und ihr Wohlergehen zu denken habe. Er
sei verpflichtet zu studieren, das Geschäft zu übernehmen
und für sie alle zu sorgen. Wie gern hätte er all das getan,
wenn Vater es von ihm verlangt hätte.
Im Gymnasium ist er der schlechteste Schüler. Er liest alle
möglichen Bücher unter der Bank während der Schulstunden und kümmert sich überhaupt nicht um die Ermahnungen und Strafen, die nur so auf ihn herabregneten. Trotzdem
wiederholt er kein Jahr, gegen Schulschluß studiert er immer
sehr eifrig, um aufsteigen zu können. Sitzenbleiben bedeutet, ein Jahr länger Schule und Heim ertragen zu müssen.
Sein Taufpate, der sich ein wenig für ihn interessiert, rät der

Mutter, ihn doch ein Jahr nach Melk in die Klosterschule zu schicken. Als das Jahr um ist, atmen die Patres in Melk auf. Sie senden den jungen Loos mit den schlechtesten Noten (diese hatte er in Zeichnen und Betragen) zurück und weigern sich, ihn im nächsten Schuljahr wieder aufzunehmen. Er muß also in Brünn weiterstudieren und absolviert dort das Gymnasium bis zur Reifeprüfung.

Die Mutter schaltet und waltet im Haus. Sie ist eine vorzügliche Hausfrau, eine gute Verwalterin. Die Dienstboten gehorchen, ihr Wort ist Gesetz. Die Schränke sind bis oben gefüllt mit Linnen und Hausrat, das Silber ist immer blitzblank, nichts fehlt in der Vorratskammer, der Tisch ist tadellos gedeckt und an Festtagen überreich bestellt. Den Kindern mangelt nichts im Haus, wenn sie sich ganz den Geboten der Mutter fügen. Adolf beobachtet die Mutter ununterbrochen, und alles, selbst das Gute, das sie tut, erzeugt in seinem Herzen Haß. Seine gute Kleidung, der Wohlstand im Haus können das Verständnis und die Zärtlichkeit, nach denen sein junges Herz verlangt, nicht ersetzen. Er ist ein Junge, er wächst heran, er fühlt sein Anrecht auf Fröhlichkeit und Freundschaft. Aber alles ist ihm versagt – er darf keinen Freund haben, es gibt kein Taschengeld, kein Zirkus oder Theater wird besucht. Während der Woche gibt es nur den streng bewachten Gang zur Schule und zurück. Sonntag früh geht man in die Kirche, und nach dem Mittagessen wird der große Landauer angespannt und die Familie fährt spazieren. Wenn sich Adolf während der Woche gut benommen hat, darf er beim Kutscher auf dem Bock sitzen. Die Mutter stammt von einer kleinadeligen Familie, den Baronen Wekker von Roseneck, ab. Einmal im Jahr wird diese Familie, die auch in Mähren lebt, besucht. Adolf ist schon ein großer Junge, er möchte sich gerne den Mädchen nähern, der Mann ist in ihm erwacht. Aber die Mutter hat scharfe Augen. Kein junges Dienstmädchen ist im Haus, und wenn der Taufpate bei seinen spärlichen Besuchen einen Gulden springen läßt, muß dieser sofort in die Sparbüchse geworfen werden.

Adolf ist ein Gefangener. Er liegt auf seinem Bett und grübelt. Die Mutter ist sein Kerkermeister, wie haßt er sie. Die Schwestern sind ihm gleichgültig, zwei dumme Mädchen, aber sie gehören irgendwie zum Hausrat. Sie sind nicht besonders hübsch, aber er, der Junge, ist schön, hochgewachsen, mit einem edlen Gesicht. Haßt ihn die Mutter deswegen? Oder haßt sie sich selbst, weil sie ein Genie geboren hat? Ist sie so kleinbürgerlich, daß sie Genie mit Monstrum verwechselt? Oder ist es wirklich Angst vor der Zukunft, die sie für die beiden Töchter fühlt? Vielleicht ist es ein Vorgefühl, das sich in späteren Jahren auch wirklich bestätigt. Denn beide Töchter, die so sehr bevorzugten und befürsorgten, sterben jung. Adolf jedoch, der Verfolgte und unerbittlich Gestrafte, überlebt die Mutter um zwölf Jahre. Wenn Loos in späteren Jahren von seiner Kindheit spricht, erzählt er nie etwas anderes. Der Tod des Vaters, der Haß gegen die Mutter. Er, der ein sehr gutes Gedächtnis für Menschen und Ereignisse besitzt, nennt nie den Namen eines Freundes, weder in noch außerhalb der Schule, erwähnt niemals ein heiteres Ereignis. Seine einzigen Freunde sind die Arbeiter auf dem Bauplatz, die er nach der Schule besuchen geht. Die Mutter bewacht den Werkplatz vom Hause aus und sieht Adolf, wie er mit den Leuten spricht, ihnen bei der Arbeit zusieht und hilft. Dagegen ist nichts einzuwenden, er lernt eben alles, was dazu gehört, um bald das Geschäft übernehmen zu können. So klug sie ist, sie kann Adolfs Gedanken nicht lesen. Und seine Einsamkeit hat ihn schweigsam werden lassen. Wozu mit diesen drei weiblichen Wesen von seinen Träumen sprechen, sie würden ihn noch mehr verfolgen und ans Haus fesseln wollen. Er liegt allein in seinem Zimmer, schweigt und denkt. Der Haß ist schon so stark geworden, daß er nicht mehr weh tut. Im

Gegenteil, er ist sein Gefährte, er schläft nachts mit ihm und wacht am Morgen mit ihm auf. Ohne diesen Haß könnte er gar nicht mehr leben, und vielleicht war er der Dünger für das Ackerland, auf welchem Loos' Charakter und Talent wuchsen. Denn jeder, der Loos gut gekannt hat, weiß, daß sein Charakter und sein Genie unzertrennlich waren.

Endlich ist die Schulzeit um. Jetzt muß Loos an den Militärdienst denken. Da er das Gymnasium absolviert hat, gebührt ihm das sogenannte »Einjährig-Freiwilligen-Jahr«, das heißt ein Jahr Militärdienst. Die Einjährigen haben den Weg zum Offizier vor sich, während die übrigen Jugendlichen, die nur die Bürgerschule besucht haben oder die vom Land kommen und kaum lesen und schreiben können, drei Jahre Militärdienst machen müssen und nur den Grad eines Unteroffiziers erreichen können. Adolf wird sein Einjährigenjahr in Wien bei den Kaiserjägern abdienen. Kein junger Mann freut sich auf den Militärdienst. Aber Adolf ist glücklich. Endlich, endlich öffnet sich die Kerkertür, und gegen den Kaiser kann selbst die Mutter nichts unternehmen. Für ein ganzes Jahr gehört Adolf dem Kaiser Franz Joseph: »Lang lebe unser Kaiser!«

Die Mutter und der Pate bringen den künftigen Soldaten nach Wien und erledigen alle Einzelheiten: das Bestellen der Uniform, das Beschaffen der Papiere und alle übrigen Formalitäten. Die ärztliche Untersuchung fällt gut aus, obwohl Adolf schon etwas schwerhörig ist, aber dieses Übel ist kaum merkbar. Er hat einen wunderbar gebauten Körper, ist groß und stark, hat gute Augen. Tauglich.

Adolf kann die Rückreise der Mutter kaum erwarten. Die Mutter selbst will sobald wie möglich nach Hause fahren, das Haus und die Töchter sind allein. Und so kehrt sie denn sehr rasch nach Brünn zurück, mit dem beruhigenden Gefühl im Herzen, daß Adolf in der großen Armee schon parieren lernen werde. Ein Jahr ist bald vorbei, dann kommt der Sohn nach Hause zurück, und weder der Kaiser noch sonst jemand hat ein Anrecht auf ihn. Nur sie, die Mutter, die ihn für sich erzogen hat. Sie sitzt ruhig in ihrem Abteil 1. Klasse im Zuge nach Brünn und blickt auf die Getreidefelder, die vorüberfliegen. Es scheint eine gute Ernte zu werden. Ihr Herz ist ruhig, sie hat das Gefühl, daß das Schwierigste schon hinter ihr liegt.

Endlich ist Loos mit dem Paten allein. In drei Tagen muß er in die Kaserne übersiedeln. Der Pate führt ihn in den Prater, ins Restaurant, ins Theater und endlich, endlich in ein Bordell. Während die Mutter ruhig in ihren großen Eiderdaunen schläft, liegt er zwischen den Beinen einer Frau. Endlich ist er ein Mann.

Der Militärdienst ist für Adolf nicht das Schlimmste. Er ist an eine strenge Disziplin gewöhnt und fühlt sich in der Kaserne viel freier als zu Hause. Er ist unter jungen Menschen, und wenn er sich auch nur mäßig für diese interessiert, sie stören ihn nicht. An den freien Tagen macht er es wie alle anderen, er steigt den Mädchen nach und sucht Abenteuer. Er mietet ein kleines Zimmer, wo er die freien Nächte verbringen kann. Der Pate borgt ihm Geld, und außerdem macht er Schulden wie alle jungen Leute aus gutem Haus. Wenn die Mutter die Schulden bezahlen muß, gibt es jedesmal einen kleinen Weltuntergang. Und gerade das macht Adolf Spaß. Endlich hat er die Möglichkeit, der Mutter weh zu tun. Außerdem ist es seine größte Freude, Geld auszugeben. Geld ist für ihn nur ein Stück Papier, das man ausgibt und das immer wieder zurückkommt. Geld hat keinen wirklichen Wert, aber was kann man alles damit kaufen – schöne Lederstiefel, Zigaretten, Silberdosen. Man kann einen freien Tag auf dem Land verbringen, man kann nach Klosterneuburg fahren und »Faßlrutschen«, man geht in den Wurstelprater und zahlt den Mädchen unzählige Fahrten auf Ringelspiel und Schaukel, die Mädchen schreien und heben die Beine, man sieht ihre Unterröcke und Schnürstiefel, und alles das ist sehr aufregend. Natürlich kostet das Geld, 100 Kronen, 200, 300 Kronen, die Mutter wird recht wütend sein, und gerade das ist das Lustigste daran.

Einmal entschließt sich die Mutter, nach Wien zu fahren, um mit dem Hauptmann zu sprechen. Doch dieser kann nichts unternehmen. Adolf Loos ist ein braver Soldat, er ist schon Fähnrich, er ist sauber, pünktlich und liebt das Exerzieren. Im Frieden ist es nicht besonders schwer, Soldat zu sein, außerdem betrinkt er sich nie, ist sehr gut erzogen, höflich, der Hauptmann versteht die Mutter nicht recht. Weiß sie nicht, daß ihr Sohn ein junger Mann ist? Und an seinen freien Tagen kann er machen, was er will. Die Mutter fährt verärgert nach Brünn zurück. Der Kaiser Franz Joseph ist stärker als sie. Die Männer überhaupt, sie einigen sich und sind dann stärker als eine Witwe mit zwei unverheirateten Töchtern. Aber es dauert nur noch sechs Monate, tröstet sie sich, dann werden wir ja sehen, wer stärker ist.

Die sechs Monate vergehen, der Militärdienst ist beendet. Loos ist ein fescher Leutnant mit einem kleinen blonden Schnurrbart, der sehr gut zu dem goldenen Stern auf seinem Kragen paßt. Als er die Uniform ablegen muß, bleibt ihm nur der kleine Schnurrbart und der feste Entschluß, nicht mehr ins Elternhaus zurückzukehren.

Die Mutter ist verzweifelt. Sie bestürmt ihn mit Briefen, mit Drohungen. Sie kommt selbst nach Wien, um ihn zur Heimkehr zu bewegen. Aber alles gleitet an ihm ab. Mutter und Sohn haben den gleichen Charakter, keiner von beiden gibt jemals nach. Die Mutter fährt schließlich nach Brünn zurück, aber sie ist sehr böse auf den ungeratenen Sohn. Adolf bleibt in Wien und weiß noch nicht recht, was er anfangen soll. Natürlich will er bauen lernen. Dazu muß er vor allem

zeichnen lernen, denn Zeichnen ist sein schwächster Punkt, und er weiß, daß er für das Architekturstudium zeichnen können muß, wenn auch nur, um anderen verständlich zu machen, was er bauen will. So inskribiert er an der Akademie der bildenden Künste. Er beginnt natürlich mit Aktzeichnen, mischt sich unter die Maler und bildenden Künstler, befreundet sich mit den weiblichen Aktmodellen und verbringt so viele Stunden in der Akademie, ohne einen Strich zu zeichnen. Er lebt von wenig und von nichts, so wie er es von den Malern lernt, und entdeckt, daß die Freiheit mehr wert ist als die Sicherheit. Er fährt von Zeit zu Zeit nach Brünn, um etwas Geld zu erbitten, aber die Mutter wird immer geiziger, immer unerbittlicher. Der Haß zwischen den beiden wächst und wuchert. Die Töchter sind verbittert und auf dem besten Weg, alte Mädchen zu werden. Loos hält es einfach nicht aus bei ihnen. In Wien ist er frei – arm, hungrig, aber frei. Immer gibt es etwas zu sehen, die Breughel-Gemälde im Museum, die Schatzkammer der Habsburger, die blühenden Kastanien im Prater, die Ostermesse in der Hofkirche mit dem gesamten Hochadel in Galauniform. Und die Spanische Reitschule, »Tristan und Isolde« in der Hofoper, und wenn man sehr müde ist, den Stephansdom, um sich zu erholen und zu erbauen.
Und nachts gibt es die Mädchen. Sie gehen auf und ab und schauen einen an und manchmal hat man das Geld, um mitzugehen.
Und dann kommt ein schwarzer Tag, wo man fiebrig aufwacht und rasch zum Arzt laufen muß. Der schwarze Tag, an dem man erfährt, daß man eine schwere Krankheit hat. Aber eine Syphilis war damals nicht nur ein Unglück, ein Todesurteil auf Raten, es war auch die größte Schande, die ein junger Mann über seine Familie bringen konnte.
Adolf tut alles, was ihm der Arzt anrät. Aber das Leiden ist schon sehr stark vorgeschritten, eine Hodenentzündung ist

17

die Folge. Der Arzt rät dem jungen Patienten, nach Hause zu fahren, da er einer guten und strengen Pflege bedürfe. Und da schluckt Loos seinen Stolz herunter, fährt nach Hause und gesteht der Mutter die Wahrheit. Die Mutter ist fassungslos, sie starrt ihn an – ist das ihr Sohn? Sie kann die Schande kaum ertragen, denn für sie ist das kein Unglück, nur Schande, Schande, Schande. Aber sie nimmt den verlorenen Sohn auf, gibt ihm sein Bett und läßt ihn pflegen und kurieren. Vielleicht, denkt sie, sieht er jetzt ein, daß er zu Hause bleiben, für sie und die Schwestern sorgen und das Geschäft führen muß. Diese leise Hoffnung glimmt in ihrem Herzen und treibt sie dazu, keine Kosten zu scheuen, um den Sohn gesund zu machen.

Viele Monate vergehen, und Loos verbringt sie im Bett, mit unsagbaren Schmerzen und großer Niedergeschlagenheit. Aber nach und nach wird er gesund. Eines Tages erklärt ihn der Arzt für geheilt, vollkommen geheilt, die Krankheit ist schon nicht mehr übertragbar, aber sie hat eine Möglichkeit zerstört: Loos kann niemals mehr Kinder zeugen, die Vaterschaft ist ihm für immer versagt. Aber er ist, Gott sei bedankt, wieder gesund. Daß er nie Vater sein wird, bedrückt ihn nicht, im Gegenteil. Er hat nichts gegen kleine Kinder, aber er haßt alle verliebten Eltern, die mit Erzählungen über ihre Wunderkinder alle Welt belästigen. Außerdem behagt ihm die Sicherheit, niemals ein unschuldiges Mädchen schwängern zu können oder gar die Vaterschaft eines fremden Kindes auf sich nehmen zu müssen. Seine Unfruchtbarkeit ist für ihn ein Fingerzeig Gottes. Er ist vollkommen frei und sieht seinen Weg vor sich. Ebenso wie der katholische Priester kein Weib nehmen darf, damit er keine Kinder zeuge und sich nur Gott und seinen Gläubigen widmen kann, so muß er, Adolf Loos, der Menschheit dienen. Ein Mann, der selbst Kinder hat, kann das nicht. Er wird immer und unter allen Umständen zuerst an das Wohl seiner Kinder denken. So wie der Priester den Menschen den Weg zum ewigen Leben vorbereiten muß, so muß er, Adolf Loos, den Menschen zeigen, wie man leben muß, um den Himmel schon auf Erden zu finden. In seiner Kindheit hat er diesen Himmel entbehrt, aber er weiß, das Leben und die Welt sind eine wunderbare Gottesgabe, man muß nur lernen, sie richtig zu nutzen. Er blickt um sich und sieht das Leben seiner Landsleute. Und obwohl Österreich damals noch ein reiches Land war, eine mächtige Monarchie, findet Loos plötzlich alles kleinlich und unerträglich. Die Sehnsucht nach einem großen, fernen Land erwacht in ihm: Amerika. Aber vorderhand ist daran nicht zu denken.

Zunächst fährt er nach Dresden auf die Technische Hochschule. Er will dort alles lernen, was man braucht, um bauen zu können und auch um das Geschäft des Vaters zu übernehmen. In Dresden studiert er fleißig, aber er fühlt sich in Deutschland nicht wohl. In der Technischen Hochschule wird er angefeindet, weil er sich keiner Studentenverbindung anschließen will. Ihm graut vor den Studenten mit Schmissen im Gesicht, und man behandelt ihn wie einen Feigling, weil er selbst keine Schmisse haben will. Er verbringt zwei Jahre in Dresden, und als er merkt, daß er nichts mehr dazulernen kann, kehrt er nach Hause zurück.

In Chikago wird 1893 die Weltausstellung eröffnet. Adolf Loos beginnt von Amerika zu träumen. Tag und Nacht denkt er an das ferne Paradies. Er bestürmt die Mutter, ihn nach Amerika fahren zu lassen, um die Weltausstellung besuchen zu können. Doch die Mutter will nichts davon wissen. Adolf soll zu Hause bleiben und das Geschäft des Vaters übernehmen. Hat er noch nicht genug Unheil angerichtet? Hat sein Militärjahr noch nicht genug Geld gekostet? Jetzt will er gar noch reisen! Aber Loos erklärt, daß er auf keinen Fall zu Hause bleiben würde und das Geschäft würde er auch nicht übernehmen. Er will bauen lernen.

Der Kampf mit der Mutter dauert viele Wochen. Wieder greift der Taufpate in das Leben Adolfs ein, und nach endlosen Unterredungen gelingt es ihm, die Mutter zu überzeugen. Der wichtigste und überzeugendste Punkt bei der endlichen Entscheidung, Adolf nach Amerika gehen zu lassen, war die Tatsache, daß man damals beinahe alle Taugenichtse nach Amerika schickte. Die wohlhabenden Leute in Europa wurden auf diese Weise für wenig Geld ihre unangenehmen Verwandten los. Die Rückreise bezahlten sie nicht, und wenn die europäischen Vagabunden auch nicht alle Millionäre in Amerika geworden sind, die meisten haben wenigstens gelernt, sich ihr Brot selbst zu verdienen, haben Familien gegründet und sind heute schon die Vorfahren der neuen Generationen.

Die Mutter willigte also ein. Sie gab den Kampf auf, aber sie stellte eine Bedingung: Sie bezahlt die Reise und gibt ihm etwas Geld für den Anfang. Adolf jedoch muß unterschreiben, daß er auf das Erbe und das Geschäft seines Vaters verzichtet, daß alle seine Rechte auf die Schwestern übergehen, daß er niemals mehr Ansprüche an seine Mutter stellen und sein Vaterhaus nie mehr betreten wird. Loos unterschreibt alles. Er hält sein Versprechen, bis auf einen Punkt. Das Vaterhaus mußte er noch zweimal betreten, und in beiden Fällen auf Wunsch der Mutter. Das aber war viele Jahre später, als zuerst Hermine und dann auch Irma starben. Adolf Loos hatte über die Mutter gesiegt, er fuhr nach Amerika, mit wenig Geld und einem Brief an Verwandte seines Vaters, eine wohlhabende Familie in Philadelphia, in der Tasche.

Nur wer Loos auf Reisen gekannt hat, kann sich annähernd vorstellen, was diese erste große Fahrt für ihn bedeutet haben muß. Die überschäumende Lebensfreude, die er immer fühlte, ob es ihm gut oder schlecht ging, überstieg dabei alle Grenzen. Er kannte keine Müdigkeit, hatte kein Nahrungsbedürfnis, es gab keine Unbequemlichkeit, die ihn am vollkommenen Genuß einer Reise hindern konnte. Mit offenen Sinnen genoß er das neue Land, die Einwohner, ihre Sitten, ihre Wohnstätten, ihre Werkzeuge, ihre Kleidung, ihre Nahrung und ihre Künste. Er begeisterte sich für alles, was das neue Land von Österreich unterschied. Ob es sich nun um geräucherten Aal oder Käse, um Klosettpapier, um Kleider, Bilder, Schmuck oder Menschen handelte – immer war alles Fremdländische viel wertvoller, schöner und erstrebenswerter. Und trotzdem bin ich fest davon überzeugt, daß Loos der typischste Wiener war, der beste Österreicher, daß er Wien und Österreich innigst geliebt hat und daß eben nur Wien der Ort war, wo sein Schicksal sich erfüllen konnte: das tragische Schicksal aller wirklich großen Wiener Geister.

Über sein Leben in Amerika hat Loos selbst viel Wertvolles geschrieben. Ich fühle mich jedoch nicht berufen, über Loos als Künstler zu berichten. Nur den Menschen Loos habe ich gut gekannt.

Was ich wohl nie recht begriffen habe, war, wieso Loos, der in Amerika in größter Armut lebte, trotzdem so viel lernen, so viel vom neuen Geist des neuen Landes erfassen konnte. Anfangs lebt er in der YMCA (Young Men's Christian Association), wo er ein Zimmer mit zwei anderen jungen Männern teilt, von denen einer, ein Rumäne, nach kurzer Zeit verhaftet wird, weil er Canthariden verkaufte. Loos ist sehr verärgert, daß der Zimmergenosse nie etwas von den Canthariden erzählt hat, denn, so sagt er, diese seien sehr schwer zu beschaffen und es müsse doch interessant sein, ihre Wirkung an einem widerspenstigen Mädchen zu erproben.

Nach kurzer Zeit verläßt er die YMCA und wohnt mit zwei Maurern zusammen, die ihm Gelegenheitsarbeit verschaffen. Wenn er keine Arbeit hat, steht er stundenlang Schlange vor einem der großen Geschäftshäuser, die in Notzeiten Brot an die Arbeitslosen verteilen. Eine andere Firma gibt an zwei bestimmten Tagen in der Woche Kaffee und Zucker aus. Das Brot ist wunderbar, ebenso der Kaffee, und man gibt ihm immer genug für zwei bis drei Tage. Er kocht mit den Zimmergenossen in ihrem gemeinsamen Wohnraum auf einem Spirituskocher die herrlichsten Mahlzeiten. Meistens arbeitet er nachts als Tellerwäscher. Später übersiedelt er zu einem jüdischen Schneider in der Bowery, wo man ihn auf einem alten Sofa schlafen läßt. Hie und da verbringt er einige Tage mit den reichen Verwandten in Philadelphia oder auf Long Island. Er besucht die Ausstellung in Chikago und sieht sich alles genau an.

Aber er findet keine Arbeit. Trotzdem, als er nach drei Jahren aus Amerika zurückkehrt, ist er schon der große Adolf Loos, der alles gelernt hat, der seiner selbst vollkommen sicher ist, der weiß, wie man baut, wie man lebt, der große Adolf Loos, den so wenige verstehen und die meisten hassen und bekämpfen werden und dessen Werk doch alle überleben wird.

Wenn er von Amerika erzählt, spricht er nie von Frauen. Nur ganz allgemein lobte er ihre Lieblichkeit, ihre Anmut und Freundlichkeit: Die Amerikanerin spricht nicht, sie zwitschert wie ein Vögelchen. Sie kleidet sich mit hellen, waschbaren Kleidern, und auf dem Land verkleidet sie sich nicht als Dirndl, wie es die Österreicherin tut. Sie kocht in zehn Minuten das herrlichste Mahl und in ihrer Küche riecht es nie nach Zwiebel. Sie ist, alles in allem, eine Halbgöttin. Sie lächelt immer und ist ewig jung. Aber kein Name klingt in seinen Erzählungen, keine bestimmte Erinnerung scheint auf. Die Vögelchen haben wahrscheinlich nicht für den armen Tellerwäscher gezwitschert.

Aber alle amerikanischen Lieder, die um die Jahrhundertwende in Amerika modern waren, singt Loos sein Leben lang mit seiner dünnen Gesangsstimme: »East Side – West

Side«, »Rosy, Rosy«, »In the Bowery« und »On a bicycle built for two«.

Eines Tages kehrt Loos nach Österreich zurück. Der äußere Vorwand ist eine Einberufung zu den Manövern. Er ist Reserveleutnant, und falls er der Einberufung nicht Folge leistet, gilt er als Deserteur. Jedoch glaube ich, er kam zurück, weil seine Zeit in Amerika um war. Er hatte alles gelernt, was zu lernen war. In Amerika ist nichts mehr für ihn zu tun. Seit seiner Abreise sind drei Jahre vergangen.

Hermine ist inzwischen ein kränkliches Mädchen geworden, aber Irma hat mehr Glück, zumindest scheint es so. Sie hat einen Mann gefunden und geheiratet. Und obwohl der Mann kein guter Ehemann war, sondern ein richtiger »Haderlump«, wie Loos sich ausdrückte, gebar sie ihm 1897 einen Sohn, den kleinen Walter. Dann überstürzen sich die unglückseligen Ereignisse. Walters Vater verläßt seine Frau Irma, nicht ohne vorher ihren Vermögensanteil vergeudet zu haben. Kurze Zeit darauf stirbt Hermine, die lungenkrank war. Die Mutter läßt Loos verständigen und zum Begräbnis rufen, und dieser folgt dem Ruf der Mutter, spielt seine Rolle als Haupt der Familie und begleitet die tote Schwester zur Familiengruft. Am selben Abend aber fährt er nach Wien zurück, ohne mit der Mutter auch nur ein Wort gewechselt zu haben. Bald muß er den Besuch wiederholen, Irma folgt ihrer Schwester nach kurzer Zeit. Jetzt ist die Mutter ganz allein mit dem kleinen Walter. Der aber gehört ihr, nur ihr, und den erzieht sie ganz nach ihrem Willen.

Walters Vater ist verschwunden, aber Walter ist sein Sohn und trägt seinen Namen. Es ist ein tschechischer Name, der nie genannt wird. Wieder beginnt die Mutter an das Geschäft zu denken, das jetzt für den kleinen Walter bestimmt ist. Und nun ist es an ihr, um etwas bitten zu müssen. Sie will den fremden Namen nicht über dem Geschäftstor sehen. So wendet sie sich an den verhaßten Sohn und bittet ihn, Walter zu adoptieren, damit dieser berechtigt sei, den Namen Loos zu führen. Adolf willigt ein. Er adoptiert den Neffen, gibt ihm seinen Namen, damit der Name Loos bestehen bleibt, wenn Walter nach dem Tode der Mutter das Geschäft erbt.

Es vergehen Jahre, Mutter und Sohn leben getrennt, die Mutter in Brünn erzieht ihr Enkelkind und führt das Geschäft, der Sohn in Wien baut, kämpft, wird bekämpft, heiratet, läßt sich scheiden, reist viel in der Welt herum, ist ein berühmter Mann, aber keiner von beiden will etwas vom anderen wissen. Der große Haß liegt wie ein Granitblock zwischen ihnen.

Die Mutter ist schon mehr als 80 Jahre alt, Loos mehr als 50. Im Jahre 1921 erscheint eines Tages bei uns ein blonder junger Mann. Es ist Walter. Er kommt mit einer Botschaft. Die Mutter ist sehr krank. Sie hat keine Angst vor dem Tod, aber sie hat Angst zu sterben, ohne Walter und sein Erbe sichergestellt zu haben. Sie hat ihren Sohn wohl enterbt, aber er könnte doch das Testament anfechten, wenn sie einmal tot ist. So bietet sie denn eine Abstandssumme, 10 000 tschechische Kronen, wenn Loos unterschreibt, daß er Walters Erbe nicht anfechten wird. Die Mutter will den Sohn nicht sehen. Eine Reise nach Brünn wäre vergeblich. Und so unterschreibt Loos die Verzichterklärung. Kurze Zeit darauf stirbt die Mutter und nimmt ihren Haß mit ins Grab. Loos fährt nicht zum Begräbnis. Er sprach nie mehr von seiner Mutter.

2.

Es begann 1917

Wir liegen auf dem großen Ruhebett, der »Couch«, im dunkel getäfelten Wohnzimmer in Loos' Wohnung. Wir liegen eng aneinandergeschmiegt unter dicken Plaids, vollkommen angezogen, denn alles geschah so plötzlich, ich betrat das Zimmer, von der Straße kommend, wir wollten ins Dorotheum gehen, um einen japanischen Wandschirm anzusehen, den ich kaufen wollte, Loos hatte schon seinen Hut aufgesetzt – aber plötzlich umarmte er mich und trug mich auf das Ruhebett. Und jetzt liegen wir ganz still und wissen nicht, was uns geschieht. Wenigstens ich weiß es nicht.
Ich bin 17 Jahre alt und noch ganz unerfahren. Mein Herz klopft zum Zerspringen. Auch sein Herz klopft stark, ich spüre es durch seine dicke Homespunjacke; aber er spricht kein Wort, sondern schließt nur die Augen und drückt mich zart und vorsichtig an sich. Ich weiß nicht, wie lange wir so bleiben, ohne zu sprechen, ohne uns zu bewegen. Durch das Fenster scheint ein grauer Septembernachmittag, es ist ein früher, naßkalter Kriegsherbst. Im Zimmer ist es kalt, aber unter der dicken Decke fühlen wir keine Kälte.
Plötzlich springt Loos auf und schnürt seine beiden Schnürschuhe mit den verhaßten Papiersohlen auf, zieht mir die Schuhe und die feuchten Strümpfe aus und sagt »Armes Kind« und reibt mir vorsichtig die Füße warm. Dann legt er sich wieder neben mich, umarmt und küßt mich. – »Warum legst du die Arme nicht um meinen Hals?« fragt er, »bin ich dir zuwider?« Um Gottes willen denke ich, spürt er denn

nicht, wie verliebt ich bin? Aber ich bin ganz unerfahren, ich kenne die Spielregeln nicht. Folgsam lege ich die Arme um seinen Hals, sein Kopf ruht in meinen Händen, ich spüre das feine, schon etwas schüttere Haar zwischen meinen Fingern, ich sehe das geliebte, schöne Antlitz mit den geschlossenen Augen dicht vor mir, mein Herz zerspringt fast vor Zärtlichkeit. Langsam beginnt es ganz dunkel im Zimmer zu werden. Die weißen Wände leuchten zwischen den dunklen Holzbalken. Der Straßenlärm, das Klingklang der Straßenbahn tönt so ferne hier im 5. Stock. Alles ist wie in einem Traum.

Loos küßt mich wieder, aber jetzt fühle ich Gefahr in seiner Umarmung. Ich mache mich los und springe auf. Auch er erhebt sich und jetzt folgt die notwendige, wenn auch etwas peinliche Erklärung. – »Ja, ich bin noch eine Jungfrau. Ich bin einem jungen Mann versprochen, aber er ist im Feld und ich war noch nie mit ihm allein.«

Meine Mutter hat mich mit diesem jungen Mann verlobt, als ich eben 14 Jahre alt geworden war, gerade als der Krieg begann; meine Mutter arrangiert alles in meinem Leben, aber sie gibt auch gut acht auf mich, nie hat sie uns allein gelassen. Im Grunde bin ich froh darüber, denn ich liebe den jungen Mann nicht. Aber jetzt ist Krieg, er ist im Feld und kommt nur alle sechs Monate auf ein paar Tage nach Wien, und so ist alles leichter zu ertragen.

Loos denkt nach. Er schüttelt den Kopf. »Was die Bürger nur für einen Wahn mit der Jungfrauenschaft haben«, sagt er. »Aber hab keine Angst, ich tu dir nichts. Du wirst deine Unschuld nicht verlieren. Ich habe kein Recht, dich unglücklich zu machen«, sagt er. Wir legten uns wieder auf die Couch, es war zu kalt im Zimmer, um zu sitzen. Loos lag jetzt ganz still, und ich konnte sehen, daß er nachdachte. Wenn er dachte und überlegte, hatte sein Gesicht einen ganz besonderen Ausdruck, er sah durch alle Dinge hindurch und vergaß die Umwelt. Vielleicht trug auch seine Schwerhörigkeit dazu bei. Ich lag also ganz still und wartete, was jetzt passieren würde, aber ich fühlte mich ziemlich unglücklich. Plötzlich erschrak ich. Loos hatte seine Hand auf mein Geschlecht gelegt, und wenn ich auch vollkommen angezogen war, spürte ich doch den Druck und Magnetismus der ersten Männerhand, die mich berührte. »Erschrick nicht«, sagte er, »ich tu dir nichts. Ich will nur etwas sagen, etwas, das sehr wichtig ist, und ich bin es dir schuldig. Ich weiß ja nicht, ob du wiederkommen wirst, aber das mußt du lernen. Siehst du, DAS«, und er drückte sanft auf meinen empfindlichsten Teil, »das ist das Wichtigste auf Erden. Um das dreht sich die ganze Welt. Wenn es das Geschlecht der Frau nicht gäbe, würde niemand arbeiten, denn niemand würde es interessieren, Geld zu verdienen, wozu, wenn man es niemandem geben kann? Wer würde sich etwas kaufen wollen, wenn er damit keinen Eindruck auf eine Frau machen könnte? Wen würde es interessieren, ein größeres Auto, eine schönere Krawatte zu besitzen? Die Fabriken würden stillstehen, die Erfinder nichts mehr erfinden wollen, selbst die Dichter hätten nichts zu besingen, wenn es keine Mädchen gäbe. Und die Arbeiter, die Bauern, würden sie etwa trachten, Geld zu verdienen, wenn sie niemanden hätten, kein Mädchen, das man mit einem schönen Halstuch oder einer färbigen Schleife erobern kann? Nein, ohne DAS wäre die Welt schon längst still gestanden. Natürlich sind wir zu kultiviert, um uns das einzugestehen. Aber die Wilden malen ihre Totems überall hin, sie schämen sich nicht, die Wahrheit einzugestehen. Sie leben noch im Paradies. Wir, wir schämen uns. Weißt du, warum die Männer auf der Jungfrauenschaft der Frau bestehen? Damit die Frau keine Vergleichsmöglichkeit hat. Wenn die Braut nicht als Jungfrau ins Brautbett steigt, kann sie vielleicht herausfinden, daß ihr Mann gar nichts Besonderes ist, aber die Jungfrau hat keine Vergleichsmöglichkeit, denn sie kennt nichts anderes. Das ist der springende Punkt.« – Wieder spürte ich den sanften Druck seiner Hand. – »Vergiß das nicht, darum dreht sich die ganze Welt. Und jetzt ist es Zeit, daß du nach Hause gehst.«

Obwohl Loos schon 47 Jahre alt war, wurde er gerade in dieser Herbstwoche zum Militärdienst einberufen. Er war schon sehr taub, aber der Staat brauchte alle Männer, alte, junge, taube und halbblinde, alle wurden gerufen. Loos war Reserveoffizier, und sein Kader befand sich in Sankt Pölten. Er rückte somit in diese kleine Stadt ein. Da er Kurse und Vorträge in Wien hielt, wurde ihm gestattet, nur dreimal in der Woche Dienst zu leisten. Es handelte sich natürlich um Bürodienst, ich konnte aber nie herausfinden, was er eigentlich in diesem Büro machte. Die übrigen drei Wochentage verbrachte er in Wien, und an den Nachmittagen waren wir immer beisammen. Die ganze Woche hindurch hatte ich Tanzstunde bei den Schwestern Wiesenthal, außerdem gab ich selber schon Tanzunterricht, und wenn ich um neun Uhr abends zu Hause war schöpfte niemand Verdacht. Unsere Glückseligkeit begann dreimal in der Woche um drei Uhr nachmittag und endete um acht Uhr abends.

An diesen Nachmittagen durchlebte ich mit Loos sein ganzes bisheriges Leben. Es gab nichts zu essen und außer Wasser nichts zu trinken. Es gab kein Stückchen Kohle, um das Zimmer zu heizen. Es gab kein Theater, kein Kino, nichts. Radio und Fernsehen waren noch lange nicht erfunden. In den Kaffeehäusern gab es keinen Kaffee und zu viele Bekannte, wir aber wollten allein sein.

Für uns gab es nur »die Couch«. Bald fand ich heraus, daß die Couch nicht ins Wohnzimmer gehörte, sondern ins Schlafzimmer, daß sie das Bett war, das Loos aus Feingefühl ins Wohnzimmer transportiert hatte, um mich nicht im Schlafzimmer zu empfangen. Wir schleppten unser Lager also ins Schlafzimmer zurück, das berühmte Schlafzimmer, das Loos für Lina, seine erste Frau, eingerichtet hatte. Es muß sehr schön gewesen sein, als es neu war, mit weißen Piquée-Vorhängen rundherum, die Mauern und Kästen versteckten. Placards gab es damals noch nicht in Wien. Auf dem Ruhebett war eine Unmenge weißer Felle ausgebreitet, die auch den Boden bedeckten. So war das Zimmer, als es neu war. Jetzt waren die Felle schmutzig und von Motten zerfressen und die Vorhänge zerschlissen. Ich wusch die Vorhänge und die Felle räumten wir weg.

Im großen und ganzen war Loos kein Freund von Änderungen in seiner Wohnung, und jedesmal, wenn ich ein wenig saubermachen wollte, sträubte er sich dagegen. Auf den Büchern im Kaminzimmer lag der Staub fingerdick. – »Laß das doch«, sagte Loos, »es hat keinen Sinn, den Staub aufzuwirbeln. Er legt sich ja doch wieder hin. Komm unter die Decke, es ist so kalt, komm.«

Und so kam es, daß er mir nach und nach sein ganzes Leben erzählte. Er liebte die vergangenen Jahre, die Gegenwart war ja so hart und unschön. Hunger, Kälte, Tod und keine Hoffnung. Wir gingen manchmal ein bißchen spazieren. Die Mauern der Häuser waren voll von Plakaten: 4. Kriegsanleihe, 5. Kriegsanleihe. »Schau«, sagte Loos, »eine Kriegsanleihe beißt die andere in den Schwanz.« Wir lachten, aber es war uns nicht zum Lachen zumute.

> 's ist Krieg, 's ist Krieg, o Gott im Himmel wehre
> und lindere die Pein.
> 's ist leider Krieg, und ich begehre,
> nicht schuld daran zu sein.

So schrie Karl Kraus in seinem Vortrag im Kleinen Konzerthaussaal, das »Gebet des Kaisers« vortragend. Wir standen da und zitterten, und innerlich weinten wir. Dann gingen wir in die Schankstube im Hotel Imperial und aßen eine dicke Suppe. Loos war sehr magenkrank, er hatte Magenge-schwüre, und die Suppe war das einzige, was er vertrug.

Als Loos einrücken mußte, ging er zu Kniže, seinem Lieb-lingsschneider und guten Freund, und bestellte sich eine Uniform, die er selbst entwarf. Statt des vorschriftsmäßigen Feldgrau wählte er die braune Farbe der amerikanischen Uniformen. Die Hose war glatt und gewöhnlich wie eine Zivilhose, die Jacke der Uniform war der der amerikani-schen Offiziere nachgemacht, mit vielen großen Taschen und einem hochgeschlossenen Kragen, auf dem die zwei Sterne, die ihm als Oberleutnant gebührten, glänzten. Die Uniform stand ihm wunderbar, nur war es keine österreichi-sche Uniform. Trotzdem trug er sie immer unbekümmert und ließ sich in ihr bei Selzer photographieren. Ich fragte mich oft, was wohl die hohen Offiziere in St. Pölten zu dieser sehr hübschen Maskerade sagten. Aber sie nahmen Loos als Soldat anscheinend nicht ernst und ließen ihn in Ruhe.

Durch die Kriegskost wurde er immer kränklicher. Bald bekam er einen längeren Krankenurlaub, den wir zu Hause verbrachten.

3.

Die Freudenmädchen

Unermüdlich wandern die Freudenmädchen die Straße auf und ab. Unermüdlich klappern ihre vertretenen Stöckelschuhe über das Straßenpflaster. Die müden Augen werfen rasche, abschätzende Blicke auf die Vorübergehenden. An den Straßenecken ruhen sie ein bißchen aus, manchmal bildet sich eine kleine Gruppe, und sie sprechen leise und schnell miteinander. Eine zündet eine Zigarette an und raucht rasch ein paar Züge. Dann trennen sie sich, laufen auseinander und wieder beginnt das Geklapper über das Straßenpflaster. Die Jüngeren sind meistens sehr mager, tragen dünne Kleidchen und schiefe Mützen. Die Haare durch vieles Färben verdorben, die Zähne verfault, das Gesicht mit Schminke verschmiert. Die Älteren sind gepflegter, sauberer, meistens recht dicklich, in Samt und Seide gekleidet, mit großen Federhüten auf dem Kopf. Im großen ganzen ist es ein rechter Karneval, der da auf und ab geht. Und immer gibt es mehr und mehr Mädchen, die dieses Gewerbe ergreifen. Sie behaupten, es sei weniger anstrengend als Wäsche waschen oder Böden scheuern. Ich glaube, sie machen einen Rechenfehler.

Die Kärntnerstraße reicht vom Stephansplatz bis zur Oper, beide Gehsteige mit herrlichen Geschäften besäumt, in den Auslagen gibt es alles, was das Herz begehrt. Die Wiener gehen den ganzen Tag spazieren, sehen die Auslagen an, kaufen in allen Geschäften auf beiden Seiten der Straße. Während des Tages sind beide Seiten der Straße gleichberechtigt, es gibt keinen Unterschied. Aber sowie es dunkel wird, ändert sich das Bild. Die Freudenmädchen nehmen von der linken Straßenseite Besitz. Nur die linke Seite ist ihnen erlaubt, wehe wenn sie die Straße überqueren würden. Aber keine versucht es, sie wissen genau, es wäre unmöglich und sie würden auf der Polizeistation enden. So kommen sie dann vorsichtig aus der Annagasse, aus der Johannesgasse und stellen sich an die Ecken. Und wenn die Geschäfte schließen, beginnt ihre Wanderung.

Warum habe ich vor diesen Mädchen Angst? Ich bin doch kein Kind mehr, ich weiß, wozu sie da sind. Ich weiß, sie können mir nichts tun, und doch habe ich Angst. Nicht die schrecklich große Angst, die man vor einem wütenden Stier fühlt, nicht einmal diese komische Angst, die man vor den Naschmarktweibern hat, die einen manchmal beschimpfen, wenn man mit Hut und Einkaufstasche auf den Markt geht oder es wagt, zu handeln. Nein, es ist eine kleine dunkle Angst, so wie man sie vielleicht vor Fledermäusen hat. Ich kenne keinen lebenden Menschen, der jemals irgendeinen Zusammenstoß mit einer Fledermaus hatte. Trotzdem erzählt man Jahr und Tag das alte Märchen von der Fledermaus, die sich einem ins Haar verwickelt.

Und alle glauben es.

Jetzt habe ich plötzlich Mut und sehe den Mädchen ins Gesicht. Sie haben leere Augen, bekümmerte Gesichtszüge, sie sehen mich gar nicht und gehen auf und ab. Loos hält meinen Arm, und wir gehen ruhig durch die nächtliche Kärntnerstraße, auf der linken Seite.

Plötzlich passiert etwas. Alle Mädchen beginnen verzweifelt zu laufen, sie überrennen uns fast, sie verstecken sich in den Seitengassen, unter den Haustoren, hinter den Plakatsäulen. Dadurch, daß sie hin und her laufen und ein Versteck suchen, scheinen es plötzlich viel mehr zu sein als vorher. Sie sind verzweifelt, sie stoßen einander und eine fällt hin. Wir

biegen rasch in eine Seitengasse ein, schon nahe beim Ring.
»Eine Razzia«, sagt Loos, »die Polizei.« Jetzt klappern die
Absätze schon hinter uns. Einige Mädchen rennen vorbei.
Plötzlich bleibt eine stehen und sagt: »Herr Loos, Herr
Loos, um Gottes willen helfen Sie mir!« Loos sieht sie an,
nimmt ruhig ihren Arm und sagt zu mir: »Häng dich in sie
ein und sprich mit ihr.« »Guten Abend«, sage ich, »wie geht
es Ihnen?« »Nein, nein, so nicht, sprich natürlich mit ihr,
sprich von deiner Tante, erzähle etwas«. Er zerrt uns weiter,
die Polizei kommt schon um die Ecke. Jetzt gehen wir
ruhigen Schrittes weiter. Das Mädchen zittert zwischen uns.
Ich habe zwar sieben Tanten, aber es gibt nichts von ihnen
zu erzählen. Da fällt mir etwas anderes ein und ich sage:
»Weißt du, daß ich Mumps gehabt habe? Ich war soooo
geschwollen!« Jetzt lachen wir alle drei, und die Polizei ist
schon an uns vorübergegangen. Das Mädchen bleibt stehen
und atmet auf. Loos führt sie zu einer Laterne, und sie
sprechen ein paar Worte miteinander. Schließlich gibt er ihr
etwas Geld, das sie nicht annehmen will, aber Loos sagt:
»Geh lieber zurück, wenn du dich beeilst, erwischst du noch
die Elektrische.« Das Mädchen sieht mich an und sagt:
»Danke, Fräulein, vielen Dank.« Dann dreht sie sich um und
geht weg. Sie sieht aus wie ein altes, müdes Pferd.
Zu Hause erzählt Loos: »Ja, sie war ein Mädchen, das vor
vielen Jahren ins Café Museum an den Stammtisch von Peter
Altenberg kam. Sie war nie besonders hübsch, aber ein so
guter Kerl, ein wahrer Kamerad. Dann kam sie immer seltener.« Einmal traf Loos sie auf der Straße und sie hatte keinen
heilen Fetzen auf dem Leibe und ganz zerrissene Schuhe. Er
nahm sie nach Hause und schenkte ihr alte Kleider und
Schuhe, die Bessie zurückgelassen hatte, und sie weinte vor
Dankbarkeit. Nun begann ich zu fragen: »Warum macht sie
nicht etwas anderes. Warum arbeitet sie nicht?« Alle diese
dummen Fragen, die man im Leben stellt, wenn man noch

sehr jung ist und sich sehr sicher fühlt. Wenn man noch nicht weiß, daß es etwas gibt, das »Schicksal« heißt und das stärker ist als wir.

Loos schweigt und sieht mich an. Dann beginnt er langsam zu erklären. Die Armut, die Einsamkeit, die Zuhälter, die Polizei – ich beginne zu verstehen. »Warum liefen denn die Mädchen vor der Polizei davon, wenn sie doch ihre Prostitu- iertenkarten haben?« »Erstens, weil die meisten in einen anderen Distrikt gehören. So hatte unsere Freundin nur die Erlaubnis, beim Westbahnhof zu arbeiten, da aber die Klien- ten der Kärntnerstraße besser zahlen, trachten alle Mädchen, dort einen Mann zu erwischen. Eine von ihnen steht Wache und verständigt alle anderen, wenn Gefahr droht. Deswegen begannen sie alle auf einmal zu laufen.«

Loos erzählt ruhig, so wie man vielleicht das Leben der Bienen im Bienenkorb beschreiben würde. »Arme Teufel«, sagt er, »immer auf der Straße, immer gejagt, oft ohne einen Bissen Brot im Magen. Überhaupt jetzt, wo alle Bordelle geschlossen sind; erst werfen sie sie auf die Straße hinaus und dann jagen sie sie wie Hasen.«

Nach einer Weile erinnert er sich an seine erste Liebesnacht im Bordell. »Was für ein gutmütiges Weibsbild war das«, sagt er. »Mein Pate hatte ein großes Zimmer verlangt, wir waren drei, mein Pate, ein Freund von ihm und ich. Er bestellte ein richtiges Bankett und das Mädel mußte uns servieren. Wir setzten uns also an den Tisch und dann kam sie herein. Sie war vollkommen nackt, hatte nur lange schwarze Strümpfe und hohe Stöckelschuhe an. Sie war schon nicht mehr jung und ziemlich dick, aber sie war das erste nackte Weib, das ich gesehen hab'. Sie kam und ging mit Schüsseln und Tellern und trug einen Gang nach dem anderen auf. Ich wollte nicht zeigen, daß ich ein Neuling war und sah sie so wenig als möglich an, aber ich konnte kaum schlucken vor Aufregung. Endlich war das Essen zu Ende und sie ging hinter den Wandschirm, wo das Bett stand. Zuerst kam der Freund meines Paten dran, denn er war ein Gast, dann mein Pate, zum Schluß kam ich an die Reihe. Mein Gott, was für eine Arbeit hatte die Arme mit mir. Ich war vom langen Warten so erschöpft, daß ich dalag wie ein Toter. Aber die gute Frau hatte eine so unglaubliche Geduld mit mir, daß die Sache schließlich doch zum gewünschten Erfolg führte.«

Er schüttelte den Kopf und lachte. »Wie lange ist das alles her«, sagte er. »Was macht man alles, wenn man jung ist. Heute könnte ich mich nicht mehr mit so einer Frau ins Bett legen. Man wird sehr delikat, wenn man älter wird. Man will seine eigene Frau und die muß einem gefallen, man muß sie lieben und sie muß einen wieder lieben.« Ich finde auf alles das keine Antwort, es ist zu neu für mich, aber Loos scheint auch keine Antwort zu erwarten. Er grübelt weiter. »Früher waren die Huren viel hübscher«, sagt er. »Die heutigen sind greulich. Aber in meiner Jugendzeit hättest du sie sehen sollen. Sie rannten auch nicht so viel auf der Straße herum, sie gingen in den Prater, in die Kaffeehäuser oder spazierten langsam zu zweit im Stadtpark auf und ab. Das alles natürlich, bis man sie einfing und in die Bordelle sperrte.«

»Da war eine«, sagte er, »wie bin ich der nachgelaufen. Sie wollte nichts von mir wissen. Sie verlangte zehn Kronen, und ich hatte nur fünf, und es war nichts zu machen. Ich ging ihr tagelang nach, aber es war alles umsonst, sie wollte nicht nachgeben. Dann sah ich sie lange Zeit nicht und eines Tages, ganz plötzlich, stand sie vor mir auf der Straße, elegant gekleidet und sehr gut aufgelegt. Ich hatte sie gar nicht gesehen, aber sie hielt mich an und erzählte mir, sie hätte einen reichen Freund gefunden, der hätte ihr eine Wohnung eingerichtet und jetzt müßte sie nicht mehr auf den Strich gehen. Und so froh war sie, daß sie mich einlud, sie zu besuchen und – ganz umsonst. Ich ging natürlich mit ihr in ihre Wohnung, sie war lieb und reizend zu mir, erst gab es ein gutes Essen und dann durfte ich die ganze Nacht mit ihr in ihrem neuen Himmelbett zubringen. Es war das Paradies auf Erden.« Jetzt folgt eine lange Pause. Dann sagte er: »Und die hat mich angesteckt. Wer hätte das wissen können. Gerade die.« Pause. Und dann sagte er noch: »Aber mein Gott, wie hübsch sie war, sie war die hübscheste Hure, die ich je gesehen habe.«

4.

Der Senftiegel

Immer wenn Loos von seiner ersten Frau Lina spricht, riecht es nach Kaffeehaus. Da er sie häufig erwähnt, riecht es häufig nach Kaffeehaus. Vielleicht ist das auf ein Phänomen zurückzuführen, und zwar auf meinen überaus entwickelten Geruchssinn. Ich schnuppere mich durchs Leben. Ich rieche die Gewürze, die die Speisen enthalten, ich rieche den Frühling im Föhn, ich rieche blühendes Gras kilometerweit. Ich stecke meine Nase in Loos' Homespunanzüge, sie riechen herrlich nach Holzfeuerrauch. »Ja«, sagt Loos, »so muß richtiges Homespun riechen, denn die englischen Fischer spinnen es in ihren Hütten, und es dauert viele Monate, bis so ein Stück fertig ist, und während dieser Zeit saugt der Stoff den Holzfeuerrauch und alle anderen Gerüche des Fischerheimes auf und verliert diesen Geruch niemals mehr. So unterscheidet man echtes Homespun von verfälschtem, das in Fabriken hergestellt wird.«

Loos weiß viel, und was er erklärt, vergißt man nie. Mein Geruchssinn ist aber auch irgendwie mit meinem Unterbewußtsein verbunden. Ich sage »Volksgarten«, und es riecht nach Flieder. Ich sage »Paris« und es riecht nach »patisserie«. Ich sage »London«, und es riecht nach gebratenem Fisch und Nebel. Ich sage »New York«, und es riecht nach Heimweh. Ich sage »Lina«, und es riecht nach Kaffeehaus. Ich muß vorausschicken, daß dies kein unangenehmer Geruch ist. Vor allem ist er uns Wienern sehr vertraut, und im Ausland vermissen wir ihn. Es duftet nicht nur nach Kaffee, sondern auch nach Zigarettenrauch, kaltem und warmem, nach Zeitungspapier, nassen Kleidern, alten Schuhen, Eau de Cologne und nach Menschen überhaupt. Nach vielen Menschen, die alle dieselben Sorgen und Kümmernisse haben. Wenn auch jedes Wiener Kaffeehaus seine spezielle Kundschaft hat, eines die Schauspieler, ein anderes die Ärzte, eines die Maler und ein anderes die Zuhälter usw., der Geruch ist immer derselbe.

Was Loos in den Jahren nach seiner Rückkehr aus Amerika gemacht hat, weiß ich nicht genau. Nur daß er seine berühmten Zeitungsartikel für die »Neue Freie Presse« schrieb. Meine Kenntnisse beginnen erst wieder mit dem Café Museum, das er im Jahre 1899 einrichtete. Es soll wunderschön gewesen sein, leider sah ich es nie in seiner ersten Ausstattung. Später wurde es verkauft, und der neue Besitzer verschandelte es weitgehend. Aber es war Loos' erste Arbeit, und sicher war er sehr glücklich, schaffen zu können. Wie alle Künstler hielt er sich viel im Kaffeehaus auf, das Café Museum wurde sofort »das Literatencafé«, und Peter Altenberg hatte dort seinen Stammtisch und der Maler Hollitzer einen anderen. Um die Stammtische herum wimmelte es von jungen Talenten, anerkannten und verkannten Dichtern, Musikern, Malern und Schauspielern. Junge Frauen, die irgendein Talent hatten, künftige Tänzerinnen, Dichterinnen oder Kunstgewerblerinnen waren an den diversen Stammtischen immer willkommen. Die Männer sprachen, diskutierten, die Frauen seufzten, flüsterten miteinander, trugen ihre Weiblichkeit und Anmut zur Schau, und da wurde man auf sie aufmerksam, und irgend jemand begann sich für eine von ihnen zu interessieren.

Loos ist schon 30 Jahre alt, es ist an der Zeit, eine Frau zu nehmen, ein Heim zu gründen. Er hat etwas Geld mit dem Café Museum verdient, er schreibt Artikel für die Zeitung, es ist der richtige Moment, ein neues, gutes Leben zu beginnen. Er lernt Lina Obertimpfler im Kaffeehaus kennen. Sie ist sehr hübsch, hat schöne graue Augen und ein kleines Katzengesicht, sie ist klein und wirklich reizend. Ihr Bruder ist der Schauspieler Karl Forest, auch sie will Schauspielerin werden, sie studiert, aber ihr Talent ist nicht übermäßig groß. Loos liebte immer kleine Frauen (Bessie war die einzige Ausnahme), Lina gefällt ihm besonders gut, und plötzlich merkt er, daß er sich Hals über Kopf in sie verliebt hat. Beide sind jung, beide sind frei, und das ganze Leben liegt vor ihnen. Ehen werden im Himmel geschlossen, diese Ehe war eine Kaffeehausehe.

Loos mietet 1902 die Wohnung in der Bösendorferstraße (damals Giselastraße), deren Inventar heute im Historischen Museum der Stadt Wien zu sehen ist. Er beginnt sie einzurichten, die Wände mit dunklem Holz zu täfeln, aus dem Kabinett wird ein Kaminzimmer gemacht. Das Wohnzimmer ist wirklich ein Juwel, es enthält die ganze Essenz von Loos' Talent, denn kein Bauherr redet drein und macht Wünsche geltend. Er kann das Zimmer wirklich ganz so einrichten, wie er es haben will. Er hat nicht viel Geld, kann kein teures Holz verwenden, aber der Kamin hat eine mächtige, wunderschöne Kupferhaube, er findet einen Glaser, der ihm aus vielen kleinen Glasstückchen eine vielfärbige Scheibe anfertigt, durch welche das Licht warm und gedämpft ins Kaminzimmer fällt. Loos liebte diese kleinen Kaminzimmer, er nannte sie »Nischerln«, er hat sie später in anderen Häusern wiederholt, aber keines war so schön wie das erste. Im Wohnzimmer steht der Eßtisch in einer Ecke mit der Sitzbank, die eine Truhe ist, rundherum kleine schließbare Büfetts, mit rotem Marmor ausgelegt, die Mauern weiß gekalkt, der Plafond mit den dunklen Holzbalken, alles ist so, wie er es haben will. Er selbst wählt die Stoffe, englische Kretone, für die Polstermöbel aus und sucht tagelang in allen Geschäften, bis er den idealen Stoff gefunden hat. Die Vorhänge sind aus leichter gelber Seide und täuschen ewigen Sonnenschein vor. Im Kaminzimmer hängt ein dunklerer Vorhang, englische Seide, dunkelgrün, mit gelben Zitronen. Es war wirklich die schönste Vorhangseide, die es je gab. Als wir sie nach zwanzig Jahren endlich ersetzen mußten, weil sie vollkommen zerschlissen war, weinte Loos beinahe, und ich verstand ihn, denn niemals mehr konnten wir eine annähernd schöne Seide finden. Niemand verstand es wie Loos, Lichteffekte im Raum zu nutzen.

Er benützte das Licht als selbständiges Material. Wenn man eine Loos-Wohnung betrat, befand man sich plötzlich in einer anderen Welt. Die Außenwelt bestand nicht mehr. Jedoch in keiner Wohnung spürte man dies so stark wie in seiner eigenen.

Das Schlafzimmer war Lina gewidmet. Mit seinen weißen Vorhängen und Fellen wurde es bald überall abgebildet und berühmt.

Sobald die Wohnung fertig eingerichtet ist, heiraten Loos und Lina. Sie heiraten in der Kirche, da es ja fürs ganze Leben sein soll. Und doch zerbricht die Ehe schon nach zwei Jahren.

Anfangs geht alles gut. Loos ist stolz auf seine hübsche junge Frau; Lina ist froh, Frau Loos zu heißen. Loos führt sie überall hin, wo es etwas zu sehen gibt und wo man auch sie nicht übersehen kann. Natürlich gehen sie weiter fleißig ins Kaffeehaus, wie es braven, gelernten Wienern zukommt. Aber es gibt auch Theater, Bälle, Restaurants. In der folgenden Woche ist das Derby, und Lina bekommt ein weißes Spitzenkleid und einen Federhut. Aber sie muß einen Sonnenschirm haben, denn ohne Sonnenschirm kann sie nicht zum Derby. Loos geht zum Juwelier und bestellt einen langen, goldenen Griff, der oben in einer goldenen Erdbeere endet, eine große, goldene Erdbeere, mit vielen kleinen Rubinen besät. Er trägt den fertigen Griff zum Schirmmacher, und dieser macht einen wunderbaren, cremefarbenen Seidenschirm dazu. Lina ist die hübscheste Frau beim Derby, und ihr Schirm macht Sensation. Der Erfolg macht sie noch hübscher, noch reizender, und Loos ist glücklich. Endlich hat er eine Frau, die ihm allein gehört, die süß und lieb ist, ein kleines Kätzchen, das man verwöhnen kann, und außerdem eine leidenschaftliche Frau, die ihn glücklich macht. Das erste Jahr vergeht schnell. Sogar das Geld reicht, und die beiden verstehen sich gut.

Im zweiten Jahr beginnt das Glück langsam zu schwinden. Erstens ist Loos kein Mann, der viel zu Hause sitzt. Er ist zwar ein Langschläfer, aber tagsüber läuft er in Wien herum, sucht Arbeit, spricht mit vielen Leuten, geht in Ausstellungen, schimpft über vieles, bewundert weniges, aber wenn schon, dann mit Begeisterung, lernt viele Leute kennen, kurz gesagt, er ist immer in Bewegung. Währenddessen sitzt Lina allein zu Hause und langweilt sich. Es gibt immer weniger Geld im Haus, und der Glanz der neuen Wohnung und der des neuen Sonnenschirms beginnt zu verblassen. Lina ist eine moderne Frau, sie lacht über die altmodischen Bürgersfrauen. Da es im Jahr 1903 weder Blue jeans noch Strip-tease gibt, muß man seine Fortschrittlichkeit auf andere Weise bezeugen. Man geht allein aus, knüpft neue Bekanntschaften an, man läßt sich malen, und zu Hause läßt man sich, mit Einwilligung des Ehegatten, nackt photographieren. Die Photographien fallen lange nicht so schön aus, wie man erwartet hat, aber man hat bewiesen, daß man modern ist. Loos findet alles in Ordnung, er ist nicht eifersüchtig oder mißtrauisch, er liebt seine Frau wie am ersten Tag und merkt nicht, daß Lina immer kälter und unzufriedener wird. Er merkt auch nicht, daß die Freundschaft zwischen ihr und einem jungen Zeichner inniger ist als andere Freundschaften, die das Ehepaar Loos pflegt.

Eines Tages schafft die Geldfrage eine Krise. Das letzte

Geld, das im Hause ist, sind zwei Kronen, zwei armselige Kronen. Lina ist verzweifelt, aber Loos lacht nur, steckt die zwei Kronen in die Tasche, geht aus und verspricht, etwas zum Essen mitzubringen.

Der Tag ist schön und warm und lockt zum Spaziergang. Loos schlendert durch die Straßen, geht langsam über den Josefsplatz, einen seiner Lieblingsorte in Wien, kreuzt den Michaelerplatz, ohne zu ahnen, daß er einige Jahre später hier eine große Schlacht durchkämpfen wird, aus der er siegreich und unsterblich hervorgehen wird. Langsam biegt er in den Kohlmarkt ein und gelangt zu einem seiner Lieblingsgeschäfte: Förster und Söhne. Nie geht er an diesem Geschäft vorbei, ohne stehenzubleiben und die Auslagen zu bewundern. Er betrachtet liebevoll Stück für Stück, die Handtaschen, Vasen, Bilderrahmen. Alles bei Förster ist eine Augenweide. Plötzlich entdeckt er einen Gegenstand, in den er sich sofort unsterblich verliebt. Ein Senftiegel aus Holz, in einem kleinen Silbergestell, natürlich englisches Erzeugnis, man kann das sofort sehen. Ein kleiner Tiegel mit einem Holzlöffelchen, so hübsch, so anspruchslos und doch so elegant. Loos betritt das Geschäft im Sturmschritt. – »Herr Förster, wieviel kostet dieser reizende Senftiegel in der Auslage?« – »Der kleine Senftiegel? Herr Loos, er ist einzig in seiner Art, englische Herstellung. Sein Preis?« – Herr Förster dreht den Tiegel um und liest den Preis von der kleinen Etikette ab. – »Zwei Kronen, Herr Loos, für Sie natürlich, zwei Kronen.«

Als Loos mit seinem neuerworbenen Senftiegel und ohne die letzten zwei Kronen nach Hause kommt, hat Lina einen Wutanfall, der mit einer Nervenkrise endet. Sie weint, sie schreit, sie ist verzweifelt. Was soll sie mit einem Senftiegel anfangen, wenn sie weder Senf noch Würstel hat? Und wieder hört Loos dieselben Worte, die er von seiner Mutter immer und immer wieder anhören mußte: Er wäre ein Verschwender, ein Verrückter – er traut seinen Ohren nicht. Er versucht Lina zu überzeugen, daß sie ihm unrecht tut. Seine Ansicht ist: Zwei Kronen kann ich immer wieder finden, aber wo finde ich einen so bezaubernden Senftiegel wieder? Lina aber will nichts vom Senftiegel wissen und verbannt ihn in irgendeine dunkle Ecke.

Zwanzig Jahre später finde ich einmal beim Reinemachen ganz hinten in einem Kasten, der voll von altem Gerümpel ist, ein rundes, schwarzes Etwas. – »Was ist das?« – frage ich und drehe das Ding in meinen Händen. – »Der Senftiegel« – schreit Loos begeistert, »wo hast du ihn gefunden?« Wir putzen das Silber blank, das Holz ist ganz dunkel geworden und erhöht die Schönheit des kleinen Gegenstandes. Aber wir geben keinen Senf hinein. Der Senftiegel wird in den Rang eines Museumsstückes erhoben, einerseits wegen seiner Schönheit, andererseits wegen seiner Geschichte. Er bekommt einen Ehrenplatz im Kaminnischerl, neben der Gipshand von Karl Kraus und dem Elefantenfuß.

Um nicht ungerecht zu erscheinen und Lina ohne Verteidigung in diesem Pseudoprozeß zu lassen, muß ich folgendes hinzufügen: Es ist wirklich sehr schwer, mit einem Genie verheiratet zu sein. Man weiß nie, was im nächsten Moment geschehen wird, es gibt keine sichere Grundlage, auf der man das Leben aufbauen kann. Es gehören sehr gute Nerven und vor allem unerschütterlicher Wille dazu, eine solche Ehe aufrechtzuerhalten. Wenn dieser Wille nicht mehr vorhanden ist, halten es die Nerven einfach nicht mehr aus. Loos sagte das selbst immer wieder: Die Frau eines Künstlers muß bereit sein, alle Höhen und Tiefen mitzumachen und das ist sehr schwer.

Die Geschichte vom Senftiegel ist sicher nur ein Beispiel unter vielen. Aber Lina hatte wohl den Willen, diese Ehe weiterzuführen, verloren. Hätte sie sich sonst so wenig in acht genommen und sich von Loos bei einem dummen Ehebruch erwischen lassen, sie, die gar nicht dumm war und immer wußte, was sie wollte?

Die Ehe wurde nach drei Jahren getrennt. Lina lebte noch viele Jahre, erst 1950 ist sie gestorben. Sie war in späteren Jahren eine ganz gute Schauspielerin, sie schrieb ein Buch (»Das Buch ohne Titel«), sie hatte viele Freunde und alle hatten sie gern. Einmal trat sie an Loos heran und bat ihn, ungarischer Staatsbürger zu werden, damit ihre Ehe rechtsgültig geschieden werden könne, denn sie wolle wieder heiraten. Loos, der sich ihrer mit Haß erinnerte, da er ihr den ihm angetanen Schimpf nie verzeihen konnte, verweigerte ihr die Erfüllung ihrer Bitte. Als Grund gab er an, daß er vielleicht im Alter ins Armenhaus kommen könnte, und da er nicht ungarisch spräche, würde er ein Wiener Armenhaus vorziehen. Lina aber rächte sich und verweigerte ihm denselben Gefallen, als Loos mich heiraten wollte.

Einmal ging ich mit Loos über die Mariahilferstraße. Plötzlich sagte er: »Komm«, und führte mich in das Café »Casa piccola«, ein ruhiges, bürgerliches Kaffeehaus. Es war dies ungefähr im zweiten Jahr unserer Bekanntschaft, und ich war noch ziemlich schüchtern. Wir bestellten Kaffee, ich sah um mich herum und verstand nicht recht, warum wir in dieses Kaffeehaus gegangen waren; wir kannten niemanden hier. Plötzlich näherte sich ein komisches Männchen unserem Tisch. Loos und das Männchen begrüßten einander oberflächlich, ich konnte mich gar nicht sattsehen an der merkwürdigen Erscheinung. Ein kleiner, alter Mann mit dichtem weißen Haar und buschigem weißen Schnurrbart und Augenbrauen, ein verhutzelter Körper, in schwarzen Samt gekleidet, mit einer großen Schlawinerkrawatte, verbeugte sich tief vor mir, ergriff meine Hand und küßte sie. Dann richtete er sich mühselig auf und fragte demütig: »Darf ich träumen?« Ich sah Loos an, denn ich verstand nichts von dieser eigentümlichen Zeremonie. Loos erstickte fast vor Lachen. »Darf ich träumen?« fragte das Männlein wieder. »Darf ich von Ihnen träumen?« »Ja, ja«, sagte ich, »träumen Sie, wenn Sie Lust dazu haben«, und dann zog sich das Männchen unter vielen Danksagungen und Verbeugungen zurück. Ich sah Loos fragend an. Er lachte noch immer. »Weißt du, wer das ist? Das ist Linas Vater. Er ist ein alter Kaffeesieder und, wie du siehst, halb verrückt. Aber ich wollte, daß du ihn kennenlernst, denn so was gibt es heute nicht mehr.«

5.

Karma

Im Jahre 1904 baut Loos ein Haus am Genfer See. Der
Auftraggeber ist Dr. Theodor Beer, ein berühmter Wiener
Physiologe und ein wahrhaft guter Freund von Loos. Ob-
wohl das Haus noch nicht fertig ist, es fehlen viele Einzelheiten, hat es schon einen Namen. Dr. Beer nennt es »Karma«.
Loos spricht nicht gern von diesem Haus, und so erfahre ich
nur zufällig, daß es existiert. »Was ist ›Karma‹?« frage ich.
»Was bedeutet das Wort?« Heute, da ich seine Bedeutung
kenne, verstehe ich, wie schwierig es ist, dieses Wort zu
erklären. Loos tat sein Bestes. Karma ist das Weltgeschehen.
Im Karma ist alles enthalten und ausgeglichen, was seit
Urzeiten im Universum geschah und geschehen wird. Das
gilt für den einzelnen Menschen und für die ganze Welt. Alle
Sünden müssen gebüßt werden, alle guten Taten finden ihren Lohn in sich selbst. Wenn alles konsumiert ist, kommt
das Ende der Welt. Das ist Karma. – Merkwürdigerweise
verstehe ich sofort die neue Lehre, aber ich bleibe nachdenklich, denn »Karma« scheint mir nicht der richtige Name für
ein Haus zu sein. Die Leute, die ich kenne, nennen ihr Haus
»Villa Rosa« oder »Mein Traum«. »Wo ist Dr. Beer?« frage
ich. »Wohnt er in seinem Haus?« »Er ist tot«, sagt Loos, »er
hat sich erschossen.«
Dann erzählt er die ganze Geschichte. Dr. Beer, der berühmte Arzt, hatte ein Hobby: er photographierte. Und war
ein wahrer Künstler auf diesem Gebiet. Aber da hängte man
ihm plötzlich einen verleumderischen Prozeß an, daß er

pornographische Bilder von Minderjährigen mache. Seine eigene Frau hatte ihn angezeigt. Natürlich entstand ein großer Skandal. Alle Freunde von Dr. Beer waren als Zeugen geladen, Loos war einer der Hauptzeugen. Er und alle anderen Freunde verteidigten Doktor Beer gegen die Verleumdung und beeideten ihre Aussage vor dem Richter. Nur Frau Beer blieb bei ihrer Anklage und brachte Photographien als Beweisstücke. Dr. Beer wurde zu vielen Jahren Gefängnis verurteilt. Irgendein Freund schmuggelte einen Revolver ins Gefängnis, und Dr. Beer erschoß sich. Nach kurzer Zeit folgte ihm Laura Beer. Sie vergiftete sich.

Wahrhaftig eine schreckliche Geschichte. »Komm«, sagt Loos, »ich werde dir etwas zeigen.« Wir gehen ins Kaminzimmer, und er öffnet eine ziemlich alte, eisenbeschlagene Truhe. Sie ist bis oben voll mit pornographischen Photographien: Frauen und Männer, nackt und halbnackt und in allen möglichen Stellungen. Und auch Photos von kleinen Mädchen, einzeln und in Gruppen und in ziemlich herausfordernden Posen. Es sind mindestens 1000 Photos, die da geordnet die Truhe füllen. Ich sehe Loos entsetzt an. »Das ist doch scheußlich«, sage ich. »Warum hast du das hier?« »Diese Holztruhe mit den Photos sandte mir Dr. Beer, als er erfuhr, daß man ihn verhaften würde, und er bat mich, sie aufzubewahren; denn obwohl er hätte beweisen können, daß das Material nicht aus seiner Kamera stammte, waren es Beweisstücke gegen ihn. Ich versteckte die Truhe, und niemand hätte sie damals finden können.« »Gut«, sage ich, »aber jetzt ist er doch schon so lange tot, verbrenne doch diese Bilder.« »Nein«, sagt Loos, »sie sind ein Andenken an Dr. Beer und eine Warnung vor dem unglaublichen Vorgehen einer eifersüchtigen Frau, die ihren Mann ins Gefängnis schickt. Und dabei war sie eine schöne junge Frau, keine alte, verbitterte. Man kann es gar nicht fassen. Ich glaube, Beer erschoß sich, weil er ihren Verrat nicht ertragen konnte, das war für ihn das Schlimmste. Aber die Bilder verbrenne ich nicht, die bleiben hier, als Andenken an einen wunderbaren Menschen, der der Dummheit und Schlechtigkeit seiner Mitmenschen zum Opfer gefallen ist.« Er schließt die Truhe, wir versperren sie, und sie wurde niemals wieder geöffnet. Nur Loos und ich wußten, was darin war, aber wir dachten niemals daran.

Ein Verdacht stieg in mir auf. »Hast du nicht etwa einen Meineid geschworen?« fragte ich. Loos sah mich sehr ernst an und sagte: »Worin bestünde eine wahre Freundschaft, wenn man nicht bereit ist, einen Meineid zu schwören. Um einen Freund zu retten, muß man die ewige Seligkeit aufs Spiel setzen. Oder man ist kein Freund.«

Loos baute das Haus natürlich nicht fertig. Es ging in fremden Besitz über, und ein anderer Architekt vollendete es. Wenn Loos am Genfer See war, ging er meistens hin, um es von weitem zu sehen. Vor den Fenstern hatte der neue Architekt dicke Gitter angebracht, die das Haus entstellten. Denkt man sich die Gitter weg, hat man ein wunderbares, richtiges Loos-Haus vor sich. Loos kam von diesen Besuchen »par distance« immer sehr schweigsam zurück. Übrigens war der Beer-Prozeß der Ursprung seiner Magengeschwüre, die, wie man ja heute weiß, immer einen psychischen Grund haben. Die Aufregungen während des Prozesses brachten seinen ersten Anfall.

1 Adolf Loos' Vaterhaus in Brünn, Friedhofgasse 22.

2 Adolf Loos (links) als Einjäh-
rig-Freiwilliger bei den Kaiserjägern, 1890.

3 Adolf Loos als Leutnant der
Reserve, 1892.

4 Von Adolf Loos für
seine erste Frau Lina
eingerichtetes Schlaf-
zimmer (1903)

5 Lina Loos, zur Zeit ih-
rer Ehe mit Adolf
Loos (1902–1905)

6 Loos und Bessie Bruce am Markusplatz in Venedig, 1913.
Foto von Peter Altenberg.

7 »Das kleine Abenteuer«
Grethe. Um 1914.

8 Loos nach seiner Magenope-
ration, 1918.

6.

Bessie

Sie hieß Elizabeth Bruce und erblickte im Jahr 1886 in London das Licht der Welt. Sie war ein überaus armes Proletarierkind, so arm, wie eben die Londoner Kinder der untersten Klasse sind. Aber das ist kein Handikap. Man bedenke, daß auch Charlie Chaplin aus demselben Milieu stammt.

Bessie nannte man sie von klein auf. Sie wuchs auf der Straße auf, denn die Mutter arbeitete den ganzen Tag, wusch Wäsche, säuberte schmutzige Küchen. Gab es einen Vater? Ich weiß es nicht, er wurde nie erwähnt.

Die Kinder, die die Straße als Lehrmeister haben, entwickeln sich meistens zu starken Persönlichkeiten, werden intelligent und unabhängig, vorausgesetzt, daß sie keine verbrecherischen Instinkte haben. Bessie hatte keine Anlage zum Verbrechen. Sie lernte auf der Straße gerade genug, um sich im späteren Leben schlecht und recht zu verteidigen.

Als sie herangewachsen war, war sie ein hübsches Mädchen, lernte tanzen und trat in den Chor eines Londoner Theaters ein. Sie war eines der vielen englischen »Girls«, die noch heute ein gesuchter Ausfuhrartikel Englands sind. Denn sie sind gute Tänzerinnen, diszipliniert wie Soldaten, hübsch, gut gewachsen und haben ein angenehmes Benehmen. Eines Tages wurde sie des alten Theaters überdrüssig. Sie schloß einen Pakt mit Rosie, ihrer Nachbarin in der Reihe der Tänzerinnen. Sie war blond, Rosie brünett. Das machte ein herrliches Tanzpaar. Sie nähten sich zwei schottische Röcke, kauften zwei weiße Blusen und große, schwarze Taftmaschen fürs Haar, und die Nummer war fertig. Sie tanzten denselben Cakewalk, den sie jahrelang im Theater getanzt hatten. Aber vier schöne Beine machen einen tieferen Eindruck als vierundzwanzig.

Eines Tages, gegen Ende des Jahres 1904, tauchten sie in Wien auf, im »Tabarin«. Peter Altenberg verbrachte seine Nächte dort, und Adolf Loos, sein bester Freund, begleitete ihn fast immer. Beide tranken kaum etwas, tanzten nicht, sie saßen an ihrem Tisch und sprachen mit den Künstlern, mit den spanischen Tänzerinnen, mit den amerikanischen Tanzpaaren, mit den französischen Pseudoapachen. Die Nummern wechseln jeden Monat, und so lernt man immer neue Leute kennen, Leute, die das Glück haben, ihr ganzes Leben auf Reisen zu verbringen, Menschen, die kein Heim haben und heute in Paris, morgen in Kairo und übermorgen im Spital sind. Aber sie bringen den Hauch der großen Welt nach Wien, und das muß genossen werden.

Stets ist es Peter Altenberg, der die hübschesten Mädchen entdeckt. Loos leidet noch immer unter der seelischen Wunde, die Lina ihm geschlagen hat. Er ist einsam, lebt allein in seiner schönen Wohnung, zwischen Erinnerungen und weißen Fellen. Eines Nachts lädt Peter die beiden Mädchen, Bessie und Rosie, an seinen Tisch ein. Peter ist sichtlich ein wenig in Bessie verliebt, er ist ein Dichter und verliebt sich rasch. Loos ist froh, daß er wieder einmal englisch sprechen kann, er fühlt sich wie ein Fisch im Wasser. Und dann geht alles so schnell, Bessie sieht Peter gar nicht an, sie hat nur Augen für Loos. Loos sieht sie an. Sie ist groß und blond, hat schöne Hände und lange Beine, ein liebes, süßes Gesicht, eine Mischung von einem Botticelli-Engel und einem Gibson-Girl. ›Warum nicht?‹ denkt Loos. ›Vielleicht ist sie die richtige Frau für mich.‹ Es bleibt nicht viel Zeit, um die Sache zu überlegen, denn Ende des Monats müssen Bessie und Rosie weiterreisen, sie haben einen Vertrag einzuhalten. So teilt Bessie ihrer Partnerin am folgenden Tag mit, daß diese allein weiterreisen müsse. Rosie ist wütend, weil Bessie ihr Wort bricht, aber schlließlich versteht sie: Bessie ist verliebt, sie hat einen guten Mann gefunden, der ihr ein Heim bieten kann. Rosie verzeiht schließlich und fährt nach London zurück, um eine neue Partnerin zu suchen. Sie verspricht, bei dieser Gelegenheit Bessies Mutter zu besuchen und ihr alles mitzuteilen.

Am Ende des Monats trennen sich die beiden Mädchen. Bessie zieht in ihr neues Leben ein, und wenn Loos sie auch nicht heiraten kann, da es in Österreich keine Scheidung gibt, so ist sie doch von diesem Tag an Frau Bessie Loos, und niemand macht ihr diesen Titel streitig. Alle sind glücklich, nur der arme Peter ist enttäuscht und traurig, aber er überwindet es bald und wird Bessies liebster, bester Freund. Es kommen ja immer neue Tänzerinnen an, und immer ist die letzte die hübscheste.

Man schreibt das Jahr 1905, das Leben ist schön und alle genießen es. La belle époque.

Ja, es ist wahr, Bessie wurde mit der belle époque geboren und verlosch mit ihr. Sie war die typische Vertreterin dieser schönen Jahre, die heute schon Legende sind. Denn die belle époque starb im Jahre 1914, mit dem Beginn des Ersten Weltkrieges, und was nach dem Friedensschluß folgte, die Jahre zwischen 1920 und 1930, die sogenannten »Charleston-Jahre«, waren keine Wiederauferstehung, sondern eher eine Karikatur dieser Vergangenheit.

Bessie war lebensfroh, lustig und dankbar, wenn das Leben gut zu ihr war. Sie hatte gehungert und gekämpft, als es notwendig war, aber jetzt hatte sie alles gefunden, was sie zum Glücklichsein brauchte: einen guten Mann, ein eigenes Heim, Freunde und Anerkennung. Ihr Schifflein schien im sicheren Hafen eingelaufen zu sein. Loos sah aus wie ein typischer Engländer, hatte gute englische Manieren, es war leicht, ihn zu lieben und sich an seiner Seite an das neue Land zu gewöhnen. Keine kalten Hotelzimmer mehr, keine frechen Impresarios, keine Sorgen um den morgigen Tag, endlich gab es Frieden und Glück in ihrem Leben. Sie nahm von der vernachlässigten Wohnung freudig Besitz, und bald war alles wieder blitzblank. Gekocht wurde wenig, in der Küche gab es kaum einen Kochtopf. Aber es gibt ja doch so viele gute Restaurants in Wien, teure und billige, und es ist viel lustiger, auswärts zu essen.

Mit Bessie begann auch für Loos eine bessere Zeit. Er richtete viele Wohnungen ein, er baute das Steiner-Haus, machte die Kärntnerbar, das Café Capua und das Haus am Michaelerplatz. Wenn auch alle seine Bauten ihn schwere Kämpfe kosteten, wenn er von allen Seiten angefeindet und beschimpft wurde, so darf nur ja niemand glauben, daß er darunter litt. Jeder Kampf war für ihn ein Beweis, daß er auf dem rechten Wege war. Er verdiente endlich genügend Geld, um seine und Bessies Wünsche erfüllen zu können. Sie bekam alle Kleider, Hüte und Schuhe, die sie haben wollte. Sie erhielt schönen Schmuck und einen Nerzmantel. Loos liebte es, Geschenke zu machen, und war glücklich über ihre ständigen Bitten: »Kauf mir dies« und »Kauf mir das« sagte sie ununterbrochen; und er kaufte. Er war in seinem Element. Nachts gingen sie ins Tabarin, und sie war die eleganteste Frau im Saal. Sie war eben eine Engländerin. Sie trug die teuren Kleider wie eine Königin und so, als ob sie in ihnen geboren wäre. Alle Männer bewunderten sie, bei den Frauen war sie weniger beliebt. Loos erzählte immer, wie sie die Frauen behandelte. Eine feine Dame bewunderte bei einer Gelegenheit ihr schönes neues Kleid aus Paris und sagte zu Bessie: »Wie reizend, ach bitte, drehen Sie sich doch um, damit ich die Rückseite bewundern kann.« Bessie antwortete ihr: »Wenn Sie für meine Rückseite Interesse haben, gehen

Sie doch um mich herum, ich denke nicht daran, mich zu rühren.« Loos machte ihr nachher Vorwürfe wegen ihrer Ungezogenheit, aber innerlich war er stolz auf diese echt englische Abfuhr.

Im Winter gab es den Opernball, Wedekind-Premieren, das Russische Ballett mit Nijinsky und der Pawlowa. Es gab die Uraufführung der Gurre-Lieder von Schönberg, bei der die Wiener sich wie Indianer benahmen, so daß man die Aufführung abbrechen mußte. Loos hatte sich für die Aufführung der Gurre-Lieder eingesetzt, und mit dem Skandal hatte er sich noch mehr Feinde gemacht. Aber er gab nicht nach, für ihn war Arnold Schönberg das größte musikalische Genie seiner Zeit. Wie wenige Jahre vergingen, bis ihm die ganze Welt recht geben mußte. Aber damals hörten nur seine tauben Ohren die Zauberklänge.

Im Sommer fährt man nach Italien, an den Lido, oder mit Peter Altenberg nach Gmunden, auf den Semmering, und einmal reisen sie sogar nach London, um Bessies Mutter zu besuchen. Während Bessie mit der Mutter schwätzt und Tee trinkt, bewundert Loos die Sessel im Britischen Museum, bestellt Kopien davon und läßt sie nach Wien bringen, wo der alte Veillich, sein Sesseltischler, sie viele Jahre hindurch kopieren wird.

Bessie und Loos waren ein glückliches Paar, und was hauptsächlich zu ihrem ungetrübten Glück beitrug, war, daß sie vollkommen ungebildet war. Sie war keine Kaffeehausintellektuelle, sie las nie ein Buch, sie hatte nie eine eigene Meinung über Kunst oder Literatur und belästigte niemals und niemanden mit ihrer Weisheit. Aber sie war ehrlich und anständig, und das war wichtiger. Sie war immer bereit, Loos zu begleiten, sie wäre mit ihm bis ans Ende der Welt gegangen.

Und keiner von beiden ahnte etwas von dem Gespenst, das zwischen ihnen lebte. Alles begann mit einer leichten Verkühlung, oder wenigstens glaubten sie, es wäre nichts anderes. Sie kamen soeben von einer Reise zurück, Bessie hatte einige Tage lang die Wohnung saubergemacht und sehr viel Staub geschluckt, der sich während ihrer Abwesenheit angesammelt hatte. Sie wollte kein Dienstmädchen, sie machte die Hausarbeit allein. Als schließlich der Arzt gerufen werden mußte, machte dieser ein ernstes Gesicht. Der Winter stand vor der Tür, der Wiener Winter ist nicht angenehm, manchmal sieht man monatelang die Sonne nicht. »Davos«, sagte der Arzt. Davos ist für leichte Fälle, das war eine Beruhigung. Aus Davos kommen alle gesund zurück. Und so packten sie wieder die Koffer, und Loos brachte Bessie nach Davos.

Sicher hatte Bessie den Keim der Krankheit schon aus London mitgebracht, Kälte, Nebel, schlechte Ernährung, ungesundes Wohnen bereiten den Boden für die Tuberkulose. Warum aber verschärft Gott noch all dies und gibt den Lungenkranken diesen schrecklichen Lebenshunger, diese brennende Sinnlichkeit, die sie nicht ruhen läßt und ihre Heilung fast immer verhindert? Und das zu einer Zeit, in der man noch über sehr wenig wirklich wirksame Mittel verfügt und die einzigen Heilmittel »Ruhe, Bergluft und reichliche Nahrung« heißen.

Bessie hält es nicht lang in Davos aus. Sie hat Sehnsucht nach ihrem Mann, obwohl dieser sie so oft wie möglich besucht; sie hat auch Sehnsucht nach ihrem Heim. Nach wenigen Monaten fährt sie nach Wien zurück. Sie fühlt sich geheilt, sie hat einige Kilo zugenommen, sie ist gesund. Es beginnt das vertraute Leben von früher, tagsüber die Wohnung reinigen, nachts ausgehen, spät ins Bett, kalte Getränke, Liebe, viel Liebe, um das Versäumte nachzuholen. Nach vier Monaten muß sie wieder in die Schweiz.

Auch Loos ist krank. Er hat noch immer sein Magenleiden, und obwohl er von einem Arzt zum anderen geht, kann ihm keiner helfen. Im Jahre 1910 wirft ihn die Krankheit erneut nieder, der Skandal, den sein Haus am Michaelerplatz hervorruft, ist die Ursache. Aber er geht siegreich aus diesem Gefecht um das Haus hervor und beginnt sich wohler zu fühlen. Und wird sein eigener Arzt. Er lebt von Schinken und Obers. Jahrelang ißt er, der ein wahrer Feinschmecker ist und gute Küche zu schätzen weiß, nichts anderes. Er setzt sich nie mit Freunden an einen Tisch.

In seiner Tasche trägt er immer ein großes Stück Schinken, von dem er abbeißt, wenn er Hunger hat. In einer anderen Tasche hat er ein Fläschchen mit Obers, das er mehrmals täglich in der Milchhalle füllen läßt. So lebt er viele Jahre, ist gesund, die Geschwüre scheinen verheilt zu sein, und er wird, wie er selbst sagt, dick und fett. Bessie scheint sich auch wohler zu fühlen. Sie kommt so oft wie möglich aus der Schweiz zurück, obwohl sie immer in den besten Hotels wohnt und erstklassige Pflege bekommt. Einen Winter bringt Loos sie nach Teneriffa, einen anderen nach Madeira. Er ist glücklich, wenn er reisen kann, und Bessies Krankheit gibt ihm dazu reichlich Gelegenheit. So lernt er Spanien kennen und Italien, denn er fährt nach Carrara, um Marmor für ein Haus zu kaufen, und kehrt begeistert von den Marmorbrüchen zurück. Er holt Bessie aus Madeira ab, und sie fahren nach Nordafrika, sehen die ganze Küste bis Algier; dann kehren sie nach Wien zurück. Bessie ist gesund und spürt keine Müdigkeit. Aber nach zwei Monaten muß wieder der Arzt gerufen werden, und diesmal ist sein Gesicht viel ernster: Diesmal sagt er »Leysin«, und seine Bedingung ist, daß Bessie mindestens zwei Jahre lang nicht nach Wien zurückkehren darf. Er verurteilt sie zu zwei Jahren »Zauberberg«, aber er verspricht ihr Gesundheit.

Loos führt Bessie nach Leysin und bringt sie im besten Sanatorium unter. Er bleibt ein paar Wochen bei ihr, aber seine Arbeit ruft ihn nach Wien zurück. Bessie wird gut gepflegt, und es geht ihr sichtlich besser. Sie kann sogar bei einem Fest tanzen, und stolz schickt sie eine Photographie von diesem Auftreten an Loos. Sie hat ihr schottisches Röckchen an, die Taftmasche im Haar und lächelt beglückt, die langen schönen Beine im »Grand écart«, so als wäre sie noch das soeben aus London importierte »Girl«. Und eines Tages packt sie ihre Koffer und verläßt den Zauberberg, weil sie es einfach nicht mehr aushält. Sie kommt nach Wien zurück, zu ihrem Mann. Die zwei Jahre sind noch lange nicht um, aber Bessie lacht nur. Sie kennt die Männer. Man darf einen Mann nicht zu lange allein lassen. Und in Wien merkt sie, daß sie nicht unrecht hat, daß ihre Unruhe irgendwie berechtigt war. Da ist ein sehr schönes junges Mädchen, Grethe, das immer mit Loos beisammen ist. Nun, da Bessie zurück ist, gehen sie überall zu dritt hin. Bessie trachtete Freundschaft mit dem Mädchen zu schließen, aber zuletzt überwiegt ihre schreckliche Eifersucht. Sie kann sich nicht mehr beherrschen und wirft die junge Schönheit hinaus. Diese zieht sich sehr beleidigt zurück, und ihre Rache fällt auf Loos. Sie läßt sich nicht mehr blicken, und Loos vermißt sie. Er baut gerade das Café Capua und hat sehr viele Aufträge, meistens Wohnungseinrichtungen. In der Beatrixgasse hat er 1912 eine Bauschule eingerichtet. Aus ihr ging Architekt Neutra hervor, und ich betone dies, weil es eine Ehre ist, Neutra zum Schüler gehabt zu haben.

Durch Bessies Eifersucht ist die Harmonie der Beziehung getrübt. Loos haßt eifersüchtige Frauen. Besonders, wenn Grund vorhanden ist. Loos und Bessie streiten jetzt häufig über Kleinigkeiten. Alles, was ihn früher belustigt hat, ist ihm jetzt lästig. Bessie kauft sehr viele teure Pariser Hüte, das würde Loos nichts ausmachen. Aber sie hat eine Manie, sie bringt die Hüte nach Hause, zertrennt sie und formt sie nach ihrem eigenen Geschmack um. Natürlich geht der Pariser Chic bei diesem Umbau verloren. Bessie hat das ihr ganzes Leben gemacht, und Loos hat immer nur gelacht. Aber nun sieht er in ihr plötzlich das arme Proletariermädchen, das nichts von Mode versteht. Natürlich ist er ungerecht zu ihr. Sie ist wieder sehr krank, aber sie will nichts vom Wegfahren wissen. Sie bleibt auf ihrem Platz. Loos ist wütend. Er sieht nicht den Kampf, den dieser arme Körper schon jahrelang durchzufechten hat, er sieht nur ihren Starrsinn, der ihm sein Vergnügen raubt. Es gelingt ihm jedoch, das schöne Mädchen wieder zu treffen, und er wird versöhnlicher. Bessie erfährt von diesen Begegnungen. Sie stellt Loos ein Ultimatum: Er muß versprechen, das Mädchen nicht wiederzusehen. Und Loos verspricht und hält sein Wort. Aber keiner von beiden ist glücklich.

Es kommt das Jahr 1914. Der Himmel ist voll von drohenden Kriegswolken. Bessie ist krank, aber sie hält sich tapfer auf den Beinen. Loos leidet, denn es ist schwer , neben einem kranken Menschen zu leben, der sich nicht helfen läßt. Außerdem vermißt er die andere. Eines Tages, das Paar verbringt den Sommer in der Hinterbrühl, erhält Bessie einen Brief. Er kommt von einem jungen Mann aus der Schweiz. Loos kennt ihn, er ist ein kranker Sanatoriumsgefährte von Bessie, den Loos bei seinen häufigen Besuchen immer vorfand. Er ist nicht der einzige junge Mann, mit dem Bessie in der Schweiz befreundet war, als schöne junge Frau hatte sie immer einen ganzen Hofstaat um sich, und Loos gefiel das. Aber diesmal geschieht etwas, was Loos außer sich bringt. Bessie verweigert ihm die Erlaubnis, den Brief zu lesen. Loos ist wütend, dies ist für ihn gleichbedeutend mit einem Ehebruch. Wie konnte sie Treue von ihm erwarten, wenn sie ihn selbst betrog? Er denkt nicht einen Augenblick daran, daß dieser Brief vielleicht nur ein paar dumme Worte enthalten könnte, deren sie sich schämte, oder daß es sich vielleicht um ein Geheimnis des jungen Mannes handelte, das sie nicht preisgeben darf. Hat denn irgend etwas, was im »Zauberberg« geschieht, wo man täglich den Tod erwartet, Bedeutung für die Gesunden? Aber Loos gibt ihr keine Gelegenheit zu irgendeiner Erklärung. Nun ist alles zwischen ihnen aus. Er spricht kaum mit ihr, er berührt sie niemals mehr, sie leben nebeneinander wie Fremde, sie schlafen im selben Zimmer, aber sie sehen sich nicht einmal an. Sie trachtet wohl einige Male, ihn zu versöhnen, ihn wiederzuerobern. Alles ist vergeblich. Er ist des Streitens müd. Seine Liebe ist gestorben.

Der Krieg bricht aus. Zu den schon bestehenden Übelständen zwischen Loos und Bessie fügt der Krieg noch den Umstand hinzu, daß sie Engländerin ist, da sie nicht mit Loos verheiratet ist. Anfangs macht man ihr keine Schwierigkeiten, sie geht nirgends hin, und in den ersten Kriegswirren denkt niemand an die eventuellen Folgen. Sie hat niemals richtig deutsch sprechen gelernt, gerade nur die nötigen Worte, um sich verständlich zu machen. Bald beginnt man im gemütlichen Wien die einst so verhätschelten Ausländer als Feinde zu behandeln. Man vertreibt sie zwar noch nicht, aber in den Konsulaten gibt man allen Nicht-Österreichern bereits den guten Rat, nach Hause zu fahren, solange noch Gelegenheit dazu ist. Und da gibt Bessie endlich den vergeblichen Kampf um ihr verlorenes Glück auf und entschließt sich, in die Schweiz zu fahren, bevor es zu spät ist und man ihr das Visum verweigern würde. So rettet sie sich noch ein Stückchen Leben. Loos ist froh, denn er weiß, dies ist die einzige und beste Lösung.

Bessie packt alle ihre Schätze und läßt nur ein paar alte Kleider, die sie nicht mehr trägt, zurück. Und so fährt sie wieder in den »Zauberberg« nach Leysin, wieder beginnt sie das für sie schon sinnlose Scheinleben der Lungenkranken, die um ihr Leben kämpfen. Sie ist schon sehr krank, und die Ärzte versprechen nichts mehr.

Loos bleibt allein in Wien. Er knüpft seine Beziehungen zu

dem schönen Mädchen wieder an. Das bringt ihm einige
frohe Stunden und etwas Zerstreuung. Es ist Krieg, seine
Schüler müssen alle einrücken und die Schule steht leer. Es
wird fast nichts gebaut, er hat wohl Aufträge auf ein oder
zwei Umbauten von Häusern, aber der Krieg verzögert alles.
Loos ist vom ersten Augenblick an überzeugt, daß Österreich den Krieg verlieren wird, und macht sich mit dieser
Behauptung nicht sehr beliebt. Sein Hauptargument sind die
Fußlappen, die die österreichische Infanterie noch immer
trägt. Er sagt stets: »Nie können die Fußlappen über die
englischen Wickelgamaschen siegen. Wenn ein Volk noch
nicht einmal zu den Wickelgamaschen fortgeschritten ist, hat
es keine Möglichkeit zu siegen.« Die Leute lachen ihn natürlich aus, die Patrioten beschimpfen ihn. Aber er bleibt fest
bei seiner Meinung. Und wenn es auch vier harte, schwere
Jahre sind, die durchlebt werden müssen, schließlich hat er
doch recht behalten. Die Wickelgamaschen siegten.
Während der ersten beiden Kriegsjahre kann er noch ausrei-
chend für Bessie sorgen und ihr die für die Bezahlung der
teuren Klinik nötigen Schweizer Franken senden. Aber es
wird immer schwieriger. Er hat keine Einkünfte, und die
Kaufkraft der österreichischen Währung sinkt von Tag zu
Tag. Er wendet sich an Freunde in der Schweiz, und alle
helfen, so gut sie können. Im Sanatorium ist Bessie schon
eine alte Patientin, und da sie immer pünktlich bezahlt hat,
zeigt man für ihre Lage Verständnis und Geduld. Aber ihre
Briefe werden immer dringender und bitten nur um eines:
Geld. Loos bedrückt diese Situation sehr. Ich glaube, es ist
das einzige Mal in seinem Leben, daß er sich Geldsorgen
macht. Er fühlt sich für Bessie verantwortlich, was soll die
Ärmste anfangen, krank, im fremden Land, ohne Mittel. Er
schreibt einen Brief an die Direktion der Heilanstalt und
übernimmt die Haftung für Bessies Schulden. Außerdem
hinterlegt Bessie ihren Schmuck und ihre Pelze als Garantie.

Dadurch wird wieder etwas Zeit gewonnen. Aber Loos weiß genau, daß er den Wettlauf gegen die Geldentwertung nicht gewinnen kann.

Natürlich wird auch er wieder krank. Es gibt weder Obers noch Schinken während des Krieges, und er beginnt wieder alles zu essen. Alles, was er eben bekommen kann. Im zweiten Kriegsjahr gibt es nur noch Maisbrot mit Baumrinde gemischt, Haferreis, Sacharin statt Zucker, Tee aus Brombeerblättern und ranziges Fett. Wer leben will, muß essen, was er findet. Loos ißt, und jede Mahlzeit macht ihn kränker. Die alten Magengeschwüre brechen auf, es bilden sich neue, er leidet starke Schmerzen und beschließt, sich nur von dicker Einbrennsuppe zu nähren. Er magert ab, aber da alle abmagern, fällt das nicht weiter auf. Es ist eben Krieg, im Feld sterben Tausende zu jeder Stunde, im Hinterland hat man kein Recht zu klagen. Eines Tages teilt ihm das schöne Mädchen, das seine einzige Freude ist, mit, daß es einen feschen Hauptmann heiraten würde, und gibt Loos den Abschied. Er ist verzweifelt, er kann es nicht glauben, aber es ist wahr. Jetzt bleiben ihm nur die Sorgen um Bessie, die Angst um Oskar Kokoschka, der im Feld ist, und die Magengeschwüre.

Endlich ist der Krieg zu Ende. Wir sind geschlagen, besiegt, verhungert, verlaust, zerlumpt, verarmt. Wir haben nicht einmal mehr Fußlappen. Aber der Krieg ist aus.

Eines Tages setzt sich Loos hin und schreibt Bessie einen Brief. Er ist kein großer Briefschreiber, aber er fühlt sich verpflichtet, ihr mitzuteilen, daß er wieder heiraten wird. Ihre Antwort ist herzzerreißend. Sie klagt wie ein verwundetes Reh. Der Brief, den Loos mir schweigend reicht, zerbricht mir das Herz. Loos sagt: »Die Arme! Aber glaube nicht, daß sie eifersüchtig ist. Sie ist nur in ihrer Eigenliebe verletzt. Es war immer ihre größte Angst, daß man über sie lachen könnte oder Mitleid mit ihr haben könnte. Sie weiß schon lange, daß zwischen uns alles aus ist. Aber sie will keine Nachfolgerin haben.« – Vielleicht hat er recht; dennoch ist sie bedauernswert.

Im Jahre 1920 reisen wir nach Paris. Loos fährt von dort auf einige Tage nach Leysin. Er begleicht ihre Schulden, so gut er kann. Sie muß jedoch die teure Klinik verlassen, da der Kredit der Österreicher unter den Nullpunkt gesunken ist. Loos bringt sie in einer kleinen sauberen Pension unter, wo sie recht gut aufgehoben sein wird. Sie kann Leysin nicht mehr verlassen, da sie schon zu krank ist. Aber sie ist froh, Loos wiederzusehen und ihren Freunden zeigen zu können, daß er noch zu ihr gehört. Sie beklagt weder den Verlust ihrer Pelze noch des Schmuckes, sie geht gern in die kleine Pension. Und sie schickt mir mit Loos zwei enorme Hängekoffer, gefüllt mit ihren Schätzen. Spitzenschals, spanische gestickte Mantones, Fächer, Sarongs und einen arabischen Überwurf, den sie als Abendmantel benützte. Und Halsketten aus verschiedenen Halbedelsteinen, Armbänder, Broschen, Reiseandenken sowie manche andere Dinge, die Loos ihr im Laufe der Jahre geschenkt hatte und die sehr viel für sie bedeutet haben müssen. Sie will nichts mehr besitzen, sie braucht das alles nicht mehr, so schreibt sie mir, sie sei glücklich, es mir schenken zu können. Alles ist sauber verpackt und hat einen leichten Geruch nach Lavendel.

Noch vor Jahresende schreibt sie an Loos nach Wien. Sie will aus der kleinen Pension fort, da es ihr dort nicht gefällt. Das Essen wäre schlecht, und sie könne sich nicht an die neue Umgebung gewöhnen. Sie wisse, daß sie bald sterben würde, daß es für sie keine Hoffnung auf Genesung gäbe. Und so richtet sie denn eine letzte Bitte an Loos: Er möge es ihr ermöglichen, zu ihrer Mutter nach London zurückzukehren. Ihr letzter Wunsch wäre, bei ihrer Mutter zu sterben. Der Brief klang sehr niedergeschlagen. Sie schrieb ihr eigenes Todesurteil, denn London war der schlimmste Ort für sie. Aber wir alle wußten, daß es nur eine Frage von Monaten sein würde, wer konnte ihr also den letzten Wunsch verweigern?

Sie kam zuerst nach Wien, und wir brachten sie in einer Klinik unter, denn die Reise hatte sie sehr hergenommen. Es war gewiß keine luxuriöse Klinik, aber wir hatten nicht genügend Geld und außerdem nicht viel Auswahl, da wir sie wegen der Ansteckungsgefahr in einer Spezialklinik unterbringen mußten. Ich besuchte sie täglich; sie lag so blaß in den Kissen und sah wie ein junges Mädchen aus. Loos ging auch oft zu ihr, aber sein Besuch endete jedesmal mit einem Streit. Sie sprach nicht viel mit mir, sie lag nur ruhig da und streichelte meine Hand. Auch aß sie fast nichts und beklagte sich über alles, vor allem über die rauhen Leintücher. Eines Tages bat sie mich, Loos zu überreden, sie zu uns nach Hause zu bringen. Sie würde nicht stören, aber sie wollte noch einmal ihr altes Heim bewohnen. Ich war gerne bereit, sie nach Hause zu bringen, aber Loos wollte davon nichts wissen. Er hatte sicherlich recht, dieser Versuch hätte gewiß nicht gut geendet.

Bald war sie soweit gekräftigt, daß sie weiterreisen konnte. Wir sagten einander »goodbye!«, sie umarmte und küßte mich, und beide weinten wir. Loos brachte sie nach London zu ihrer Mutter, die sie bereits erwartete. Nach einigen Monaten erhielten wir die Nachricht von ihrem Tode.

Wer denkt heute noch an Bessie? Sie hat wohl ein Denkmal, denn Oskar Kokoschka hat sie gemalt, das Bild hängt in der Nationalgalerie Berlin. Sie war neun Jahre hindurch die treue Gefährtin von Adolf Loos. Sie war ein armes Geschöpf, frühzeitig zum Tode verurteilt, zur Einsamkeit im fremden Land, verbannt aus der Gegenwart des Mannes, den sie liebte.

7.

Das kleine Abenteuer

Die Erde ist voll von Warnungstafeln: Achtung vor dem
Zug! Vorsicht Kurve! Achtung Explosionsgefahr! Aber nirgends sieht man eine Tafel mit der Aufschrift: Achtung vor
dem kleinen Abenteuer!

Das kleine Abenteuer ist genauso gefährlich wie eine Zeitbombe. Manchmal explodiert sie nicht, aber viele Male wird
aus dem kleinen Abenteuer eine große Katastrophe. Es ist
wie ein Virus, niemand sieht oder spürt seine Gefahr, bis es
meist schon zu spät ist. Das schöne junge Mädchen war
solch ein Virus.

Es ist eine altbekannte Tatsache, daß jeder normale Mann,
der zur Einsamkeit verurteilt ist, eine Gefährtin sucht, sei es
für eine Stunde, eine Nacht oder vielleicht für länger. Loos
war kein Schürzenjäger, er, der über die Grundsätze der
Bourgeoisie lächelte, war innerlich der treueste Mann, es war
ihm angeboren. Wenn er eine Frau zur Gefährtin hatte, die
er liebte, die ihm gefiel, suchte er keine andere. Aber durch
Bessies Krankheit war er monatelang allein, und nie fehlte es
an Frauen, die ihm nachliefen. Nur ganz selten gab er einer
Versuchung nach.

Das junge Mädchen war wirklich außergewöhnlich schön.
Wollen wir sie Grethe nennen? Das war übrigens ihr wirkli-
cher Name, warum also einen anderen erfinden? Sie entstammte einer kleinen, biederen Wiener Beamtenfamilie und
hatte einige Geschwister. Ihre Schwestern waren eher häßlich, nur Grethe war von fast überirdischer Schönheit. Das

63

ist nicht übertrieben, sie sah wirklich aus, als käme sie aus einer anderen Welt. Es würde nichts erklären, wenn man ihre tiefblauen Augen, ihr blondes Haar, ihre edlen Züge beschriebe. Ihre Haut war so durchsichtig, daß man meinte, ein inneres Licht durch ihr ganzes Wesen leuchten zu sehen, das alle ihre Bewegungen, ihre Blicke und ihre ganze Existenz beseelte. Ich konnte mich nie an ihr sattsehen. Außerdem war sie ein eigentümliches Geschöpf, sie sprach fast nie ein Wort, ich sah sie nie lachen, höchstens huschte ein Lächeln über ihre Lippen. Sie saß immer ganz ruhig da, die wunderschönen Hände ineinander verschlungen, und sah von einem zum anderen. Wenn man sie etwas fragte, antwortete sie höchstens mit einem Nicken: Ja oder Nein. Sie aß fast nie etwas, bei einem gemeinsamen Mahl wies sie immer alle Speisen zurück. – ›Lebt sie von Nektar und Ambrosia?‹ – dachte ich. Aber einmal sah ich sie nach einem Spaziergang ein großes Salamibrot rasch und gierig vertilgen. Sie aß also heimlich. Sicher war sie zu fein, um ihre menschlichen Bedürfnisse vor anderen Leuten zeigen zu wollen. Und so war sie in allem, für sie war die Liebe, die Loos in seiner Einsamkeit auf sie übertrug, wie das große Salamibrot. Sie mußte heimlich genossen werden.

Daran wäre nichts auszusetzen. Alle kleinen Abenteuer sollen heimlich genossen werden. Das erhöht ihren Reiz. Nur darf man nicht glauben, daß Grethe ihre Beziehung zu Loos aus Rücksicht auf die abwesende Bessie verheimlichte. Grethe hatte Angst vor ihrem Vater, der als guter Katholik nie eine Beziehung seiner Tochter zu einem verheirateten Mann gestattet hätte. Für ihn war Loos nach wie vor mit Lina verheiratet.

So brav und treu ein Mann auch sein mag, eine neue Frau ist wie ein neues Spielzeug für ein Kind. Die Küsse haben einen süßeren Geschmack, die Hände streicheln mit nie geahnter Zärtlichkeit, und das dümmste Geplapper erinnert an ewige

Urweisheit. Oft dauert diese Verzauberung nicht lange, aber manchmal passiert eben das erwähnte Unglück. Die Zeitbombe explodiert.

Es ist kein Wunder, daß Loos sich in Grethe verliebte. Das Gegenteil wäre ein Wunder gewesen. Und Grethe fand Gefallen an dem Spiel. Sie wußte, daß sie früher oder später einen Spießer würde heiraten müssen. Warum also nicht diese heimliche Liebe, dieses amüsante Abenteuer ausnützen? Es ist langweilig, seine Tage immer im Kreise der Familie verbringen zu müssen. Die heimlichen Abstecher in die Loos-Wohnung waren eine reizende Abwechslung. Natürlich kam sie nur abends und nur verschleiert und blieb kaum eine Stunde. Und selbstverständlich geschah auch das nur selten. Loos erwartete sie dann an einer Ecke in einem geschlossenen Einspänner, von denen es damals nur noch wenige gab. Sie kam und versteckte sich rasch und ängstlich im Wagen: Sie spielte die Rolle des gehetzten Rehs und verbarg das schöne Antlitz an seiner Brust. Und obwohl es in dem alten Einspänner nach Moder und altem Leder roch, genoß sie diese »Porzellanfuhren« genauso wie er.

Im Grunde genommen war sie ein kaltes Geschöpf. Loos tat alles mögliche, um ihr Blut ein bißchen in Wallung zu bringen. Es gelang ihm nicht. Sie lag in seinen Armen, ein durchsichtiger Mondstrahl, und erlaubte ihm, sie zu lieben. Mehr konnte sie nicht geben.

Manchmal verbrachten sie einige Tage bei Freunden in den Bergen. Die Freunde bedeuteten Bürgen für ihren Vater, daß sie in guter Hut war. Loos hoffte auf die Wirkung der Bergluft, auf die neue Umgebung, um ihr Blut zu entzünden. Aber es war vergebens.

Die letzte Hoffnung, die Loos blieb, war Wagners Musik. Welches weibliche Geschöpf könnte bei den Klängen von »Tristan und Isolde« kalt bleiben? Ja, er würde Grethe in die Oper führen und Wagners Musik würde endlich eine feurige

Frau aus ihr machen. Um die Wahrheit zu gestehen, er hatte recht. Nach der gemeinsam besuchten Tristan-Aufführung war sie zum erstenmal ein heißblütiges, verliebtes Weib. Aber was für Vorbereitungen mußten für dieses Ereignis geschaffen werden! Vor allem wollte Grethe auf keinen Fall mit Loos in der Oper gesehen werden. So mußte man eben bis zum Fasching warten. Es war ein wahres Glück, daß Direktor Schalk »Tristan« an einem Faschingsdienstag aufführen ließ. Loos kaufte eine Loge, mietete einen silbernen Domino für Grethe und eine schwarze Maske mit langer Spitze, die ihr ganzes Gesicht verdeckte. Im geschlossenen Wagen fuhren sie bei der Oper vor. Sie warteten, bis alle Lichter erloschen waren, erst dann betraten sie ihre Loge. Trotz Domino und Maske setzte sich Grethe ganz hinten in eine Logenecke, damit man sie keinesfalls erkennen könnte. Ich frage mich heute: – Wer, zum Teufel, hätte sie erkennen sollen? Sie war ein völlig unbekanntes Geschöpf, ein Wiener Mädel unter Tausenden, sie hatte weder den Namen eines großen Vermögens noch eines großen Talentes zu verteidigen.

Auf der Bühne sangen Erik Schmedes und Anna Bahr-Mildenburg, von den Wiener Philharmonikern begleitet, und das Publikum war hingerissen. Und in einer Loge saß das kleine Abenteuer, selbstbewußt und überzeugt, daß all dies, die Oper, das Orchester, die Musik, der Sänger, nur ein ärmlicher Rahmen für ihre Schönheit und Anmut war. Es war sozusagen nur Mittel zum Zweck, und sie fand das ganz selbstverständlich. Ein Liebesverhältnis, das nur mit Tristan-Aufführungen in Schwung gebracht werden kann, ist ein bißchen kompliziert. Trotzdem unterhielt sich Loos köstlich mit diesen kleinen Tricks und Hilfsmitteln. Das Abenteuer war eben noch ein Abenteuer. Aber dann kam Bessie aus der Schweiz zurück, und alles wurde zur Tragödie.

In Wirklichkeit war Grethe nicht an Bessies Niederlage

schuld. Bessie war Engländerin und hätte des Krieges wegen nicht in Wien bleiben können. Auch wußte Loos genau, daß Grethes Vater ihr nie die Erlaubnis zu einer Verbindung mit ihm geben würde. Er hielt Grethe für eine wunderbare Frau, nahm ihre Schweigsamkeit für Tiefe, ihre Schönheit für Seele. Er glaubte an sie. Um sie aus dem Abhängigkeitsverhältnis zu ihren Eltern zu lösen, richtete Loos für sie einen Modesalon ein. Er brachte ihr viele Kunden, und da man in Wien damals vollkommen von der Außenwelt abgeschnitten war und keine Modeblätter sah, schuf sie eine eigenartige Mode und ließ sich teuer bezahlen. Loos verbrachte viel Zeit in dem schönen alten Gebäude, das er für sie eingerichtet hatte. Und gerade als das Abenteuer schon keines mehr war und für ihn begann, die Formen einer dauernden Verbindung anzunehmen, gab sie ihm den Abschied.

8.

Schwere Jahre

Es begann 1917. Adolf Loos und ich begannen einander zu lieben. Und ich war zwar einem Jüngling versprochen, war aber doch noch eine Jungfrau. Das klingt heute ganz unwahrscheinlich, aber damals gab es noch Jungfrauen in Hülle und Fülle. Und ich war eine von ihnen. Wir liebten einander heftig, machten alle »Spompanadeln«, die die Liebe diktiert, aber Loos respektierte meine Jungfernschaft.

Aber Ende des Jahres wurde mir die Geschichte zu dumm. Zu Hause machte man mir Vorwürfe, meine Mutter sprach nicht mehr mit mir oder sie hielt augenrollend lange Monologe über die Jungfernschaft im allgemeinen und über die meine im besonderen. Also beschloß ich folgendes, es gab nur diesen Ausweg: ich würde den Alex heiraten und mich sofort scheiden lassen, denn nur so war es möglich, ihn loszuwerden. Ich besprach alles mit Loos, er fand die Idee großartig. Zu Hause erklärte ich also, daß ich heiraten wolle, der Alex hatte im Januar Urlaub und ich bestand auf sofortiger Heirat. Vater sagte: nein! Aber Mutter sagte: ja – und so heiratete ich am 19. Januar 1918 Alexander Grünfeld in der Rossauerkaserne in Wien.

Abends fuhren wir auf den Semmering, ins Hotel Panhans. Loos war schon dort, er hielt es doch nicht aus allein in Wien. Und noch in derselben Nacht, der sogenannten Hochzeitsnacht, lief ich dem Alex davon, bevor ich meine kostbare Jungfernschaft verlieren konnte. Der Kniže-Wolff war Zeuge, er war auch im Hotel Panhans und hatte das

Zimmer nebenan, so hörte er unseren Streit. Ich stahl ein Paar Ski und fuhr in den Adlitzgraben, dort kannte ich ein Schusterehepaar, bei dem mietete ich mich ein. Mein Vater holte mich ab, er hatte mich durch die Polizei ausfindig machen lassen. Das war ja ganz gut, denn ich hatte mich bei Schusters schon zu langweilen begonnen – und so willigte ich ein, nach Hause zurückzukommen. Aber meine Bedingung war: sofortige Scheidung. Mein Vater war einverstanden (ich glaube, er war froh, er mochte den Alex nie), und da die Ehe nicht »konsumiert« war, siegte meine Jungfernschaft über den Alex und über die Mutter.

Der Alex ging ins Feld zurück, mich steckten sie ins Bett und riefen den Arzt. Der fand mich vollkommen gesund, aber sehr mager, er verschrieb mir eine Mastkur, die aus einer Arsenikspritze täglich bestand, viel Gemüse, Milch, Butter und alles, was es in Kriegszeiten nicht gab. Loos sandte täglich etwas Besonderes für mich. Woher er die Sachen bezog, weiß ich nicht – aber es waren immer ausgewählte Leckerbissen: Gansleberpastete, Kaviar – und die Familie aß das alles auf, denn Mutter behauptete, es wäre für uns alle bestimmt. Nach einem Monat hatte ich ein Kilo zugenommen. Man ließ mich aufstehen, ich konnte also wieder mit Loos zusammenkommen. Mittlerweile war ich auch schon von Alex geschieden – und ich begann das Jahr 1918 durchzukämpfen. Aber jetzt sprach man schon nicht mehr von der Jungfernschaft. Ich konnte sie also ruhig verlieren.

Loos hatte mir einen Vertrag für einen Tanzabend in der Schweiz beschafft. Es war wirklich riskant, denn ich hatte als Tänzerin noch nicht debütiert. Aber ich verdiente mir schon selbst mein Leben, ich arbeitete als Hilfe im Kindergarten der Schwarzwaldschule. Man gab mir zwar keinen Gehalt, aber Genia Schwarzwald überließ mir jeden Nachmittag den Festsaal auf zwei Stunden, und ich konnte dort Tanzstunden geben. Und alle Mädel kamen und lernten etwas, das dem Tanzen sehr ähnlich war. Zumindest unterhielten sie sich miteinander und waren froh, auf einige Zeit vergessen zu können, daß Krieg war und daß es keine Burschen gab. Und sie bezahlten auch für ihre Kurse.

Bevor ich meinen ersten öffentlichen Tanzabend gab, debütierte ich im Festsaal der Schwarzwaldschule (dort, wo Loos seine Vorträge hielt und Egon Wellesz Musik unterrichtete). Ich wollte selbst feststellen, ob ich meinem Publikum gefallen könnte. Ich tanzte einen Strauß-Walzer, die »Humoreske« von Dvorak, eine Polka von Schubert und einen Ungarischen Tanz von Brahms. Und mit mir zusammen debütierte Rudolf Serkin, er gab sein erstes Klavierkonzert. Ich war 16 Jahre alt, Rudi 15. Beide hatten wir großen Erfolg. Rudi hatte neun Geschwister, die Familie war wegen der ewigen Pogroms aus Rußland geflüchtet und lebte in größter Armut. Und heute ist auch sein Sohn ein weltberühmter Pianist.

Als mein Vater mir nicht erlaubte, in die Schweiz zu fahren, riet mir Loos, seine Vaterschaftsrechte anzufechten. Was ich auch tat. Der Richter gab mir recht, ich wurde großjährig erklärt, und war also mein eigener Herr.

Es ist noch immer Krieg. Ein böser Krieg ohne Hoffnung, da alle wußten, daß er verloren war. Man hat sich bereits an alle Übel gewöhnt. Die Menschen reagieren unterschiedlich. Ich zum Beispiel habe mir das Essen einfach abgewöhnt und habe niemals Hunger. Ich verschenke meine tägliche Brotration. Aber ich leide schrecklich unter der Traurigkeit, die überall herrscht. Man hört keine Musik, man sieht keine fröhlichen Farben, alles ist düster und grau. Es ist zwar verboten, für die Gefallenen Trauer zu tragen, aber die Stadt wimmelt von Frauen in dicken Militärmänteln. Das sind die Kriegerwitwen. Der Staat schenkt ihnen den Uniformmantel des gefallenen Gatten, und sie haben das Recht, ihn zu tragen.

Loos und ich verbringen die Nachmittage in seiner Wohnung.

Wir liegen auf der Couch. Loos fragt mich: »Wenn man plötzlich wieder alles zu essen bekäme, was würdest du dir wünschen? Worauf hättest du Lust?« Ich denke nach, aber es fällt mir nichts ein, was für mich ein besonderer Genuß wäre. »Eine Birne«, sage ich schließlich. Loos schüttelt sich vor Lachen. »Eine Birne«, sagt er, »bei dieser Kälte. Aber nein, du mußt auf etwas anderes Lust haben. Huhn zum Beispiel oder Ente. Was meinst du?« Ich bleibe bei meiner Birne. Dann springt Loos auf und sagt: »Soll ich dir zeigen, wie die russischen Tänzer Pirouetten drehen?« Er dreht einige Pirouetten, und auch ich muß mitmachen, und plötzlich ist uns nicht mehr kalt. »Komm«, sagt er, »ich will dir erzählen, wie Nijinsky getanzt hat.« Kann man das erzählen? Ja, Loos kann es. Er erzählt von Nijinsky, vom Russischen Ballett, und obwohl auch ich die Russen als Kind gesehen habe, erlebe ich alles noch einmal, wenn Loos erzählt.

Dann wechselt er das Thema und erklärt mir, wie man eine Gans stopft, damit sie überfett wird und eine große Leber bekommt. In Böhmen werden die jungen Gänse in einen irdenen Topf gesteckt, so daß nur der Kopf heraussieht, und dann überfüttern sie die armen Tiere, stopfen ihnen ununterbrochen gekochten Mais in den Schlund, und da die Tierchen keine Bewegung machen können, werden sie immer fetter. »Und die Federn«, sagt er, »die Federn sind der Reichtum der böhmischen Bäuerin. Sie sammelt schon von klein auf die Eiderdaunen, das sind die feinen Brustfedern der Gans, und mit diesen werden die Daunendecken und Pölster gefüllt. Die böhmische Braut, die die meisten ›Tuchenten‹ hat, ist die reichste im Dorf.« Er schweigt und denkt nach. »Siehst du, warum ich immer sage, daß Geld keinen wirklichen Wert hat? Alles ist relativ. In Böhmen sind es Gansfedern, bei den Somalinegern Muscheln, die sie sich um den Hals hängen. Ein Somali braucht keine Tuchent und auch kein Geld, was soll er damit anfangen? Geld hat keinen Wert, aber das Material hat unschätzbaren Wert. Man darf kein Stückchen reines Papier wegwerfen. Seife muß nach dem Gebrauch gut getrocknet werden, sonst zergeht ein großer Teil, und das ist Verschwendung. Man darf nichts verschwenden. Das gilt für immer, nicht nur für Kriegszeiten. Nur Geld kann man ruhig verschwenden, denn es kommt immer wieder zurück.«

Jetzt sahen wir einander täglich, denn Loos hatte noch immer Krankenurlaub. Sein Gesundheitszustand verschlechterte sich zusehends. Oft lag er tagelang zu Bett, mit großen Schmerzen, aber er klagte nie. Ich machte ihm heiße Umschläge und kochte dicke Suppe aus Mehl und ranziger Butter, seine einzige Nahrung. Abends mußte ich nach Hause gehen, er blieb allein in der kalten Wohnung. Kein Mensch kümmerte sich um ihn. Jedesmal, wenn ein Magengeschwür aufbrach, bekam er diese schmerzhaften Anfälle. Heilte es wieder und fühlte er sich besser, stand er sofort auf und vergaß alles Erlittene.

In diesem Kriegswinter erschien ein polnischer Graf, dessen Vater ein Schloß bei Przemysl besaß. Diese Zone war zwar Kriegsgebiet, und der Vater wohnte zur Zeit in einem anderen Schloß in Polen, aber da er überzeugt war, daß der Krieg bald beendet sein würde, sandte er seinen Sohn nach Wien, um einen Architekten zu suchen, der das Schloß nach Kriegsende umbauen würde. Der Sohn fand Loos und forderte ihn auf, mit ihm nach Polen zu fahren, um mit dem Vater alles Notwendige zu vereinbaren. Loos, der gerade einen sehr schweren Anfall hinter sich hatte, willigte mit Freuden ein. Jede Reise war für ihn ein Erlebnis. Er kehrte nach einer Woche zurück und war begeistert. Vom Schloß, vom Vater, vom geplanten Umbau und auch von dem wunderbaren Essen, das man ihm auf dem Schloß vorgesetzt hatte. Dort herrschte noch kein Mangel, und er hätte wacker nachgeholt, was er in all den Kriegsjahren versäumt hätte. Er hätte zwar ein bißchen Magensäure, sagte er, aber sicherlich sei dies auf das reichliche Essen zurückzuführen.

Am selben Abend fuhren wir in der Straßenbahn auf der hinteren Plattform. Plötzlich sah Loos mich an und sagte: »Erschrick nicht.« Er lehnte sich über die Rampe und begann schrecklich viel Blut zu erbrechen. Die Straßenbahn hielt an. Loos war totenbleich und sagte zu mir: »Sei tapfer. Jetzt werde ich sofort ohnmächtig werden. Laß mich in ein Spital bringen. Hab keine Angst.« Sofort hatte er einen neuen Blutsturz, und so wie er es vorausgesagt hatte, wurde er gleich darauf bewußtlos. Die Leute standen um uns herum, und jemand rief eine Ambulanz. Man brachte Loos in ein Wiener Krankenhaus, aber nur in der Abteilung für Herzkranke war zufällig ein Bett frei. Dort mußte ich ihn allein lassen, denn es war bereits Nacht und natürlich keine Besuchszeit. Der Arzt war ein lieber Mensch und versprach mir, alles Menschenmögliche zu tun.

Ich ging natürlich jeden Tag zu Loos ins Spital. Er war sehr schwach und die Spitalskost für Herzkranke heilte seine Magengeschwüre nicht. Eines Tages rief mich der Chefarzt der Abteilung zu sich ins Büro und sagte: »Ich weiß nicht, an wen ich mich wenden soll, Sie sind ja noch ein Kind, aber da sich sonst niemand um Herrn Loos kümmert, müssen Sie es wissen. Ich kann ihn nicht in meiner Klinik behalten, denn ich benötige das Bett für einen Soldaten. Außerdem muß ich Sie darauf aufmerksam machen, daß der nächste Blutsturz, und der wird nicht lange auf sich warten lassen, tödlich sein wird. Herr Loos muß sich operieren lassen, und es ist Ihre Pflicht, ihn davon zu überzeugen. Stirbt er während der Operation, falls es Krebs sein sollte, so riskiert er nichts, denn bei seinem augenblicklichen Zustand bleiben ihm in jedem Falle nur noch wenige Monate zu leben.« Am nächsten Tag gingen wir zu Professor Clairmont. Das war ein junger Schweizer Chirurg. Loos wollte keinen anderen. Am übernächsten Tag operierte Professor Clairmont Loos im Cottage-Sanatorium. Die Operation dauerte sechs Stunden, man entfernte einen Teil des Magens, den Blinddarm und ein Stück Dickdarm. Als man Loos nach der Operation in sein Zimmer zurückbrachte, hatte er nur noch 41 Pulsschläge. Professor Clairmont sagte zu mir: »Seien Sie auf das Schlimmste gefaßt, aber vielleicht haben wir Glück, und er kommt durch.« Während der nächsten Tage rührte ich mich nicht von seinem Bett weg. Er war kein folgsamer Patient, und die Krankenschwester, die ihn mit mir pflegte, focht harte Kämpfe mit ihm aus. Am zweiten Tag wollte er bereits aufstehen und beschimpfte uns, weil wir es nicht erlaubten. Meine Hauptbeschäftigung war, Loos und die Schwester zu versöhnen, denn sie stritten jede halbe Stunde, und sie wollte nicht bleiben. Aber sie war eine gute Pflegerin, und wir hatten Glück und brachten ihn durch.

Nach zehn Tagen übersiedelte Loos zur Familie Mandl, die ein von ihm erbautes Haus im Cottage besaß. Seine völlige Wiederherstellung dauerte ungefähr sechs Monate. Während dieser Zeit mußte er sich häufig Magenspülungen machen und auch Diät halten. Aber nachher war er vollkommen geheilt, konnte alles essen und trinken und holte natürlich nach, was er in all diesen Jahren versäumt hatte. Das führte manchmal zu sehr komischen Situationen. Einmal besuchten wir ein Schönberg-Konzert im Kleinen Musikvereinssaal und sprachen in der Pause mit einigen Freunden. Plötzlich lief Loos weg, ohne ein Wort zu sagen. Nach wenigen Minuten kam er mit einem riesigen Stück Krakauerwurst zurück, das er ohne Brot und mit großem Appetit aß. Der

Duft von Knoblauch verbreitete sich sehr rasch, und die Leute begannen zu lachen. Ich hatte inzwischen wieder Platz genommen, und Loos rief den lachenden Umstehenden zu: »Ja, was wollt ihr denn? Ich muß nachholen, was ich in den Jahren meiner Krankheit versäumt habe. Zehn Jahre habe ich nichts essen können, und wenn *sie* (das war ich) mich nicht gezwungen hätte, mich operieren zu lassen, wäre ich längst schon tot. Tag und Nacht ist sie an meinem Bett gesessen, hat mich gepflegt und gesund gemacht.« Ich war schrecklich verlegen, aber im selben Augenblick verloschen die Lichter im Saal, und der Knoblauchduft flüchtete vor den Klängen von Arnold Schönbergs Kammersymphonie.

Trotz des Krieges wurde das Leben schöner, als Loos langsam, aber sicher genas. Oft sang er daheim alle amerikanischen Lieder, die er kannte, und ich mußte fleißig mitsingen. Eines Tages sah er mich an und sagte: »Du hast eine süße Stimme. Du zwitscherst genauso wie die Amerikanerinnen.« Mein Herz schlug heftig. Das war die schönste Liebeserklärung, die Loos mir machen konnte. Ich war unbeschreiblich glücklich.

In diesen Monaten erzählte mir Loos sein ganzes Leben. Seine guten und schlechten Erinnerungen, seine Erlebnisse mit Frauen, er schimpfte aus voller Brust auf die Wiener Werkstätte, auf Strnad etc., und seine Augen füllten sich mit Tränen, wenn er von Kokoschka sprach. In Kokoschka vergötterte er den Künstler und liebte ihn wie seinen eigenen Sohn.

Ich konnte Loos noch nicht viel von mir erzählen, mein Leben war noch zu kurz, ich hatte noch nichts erlebt. Manchmal erzählte ich irgend etwas, Dinge ohne Bedeutung, aber scheinbar gab ich den Ereignissen irgendwie einen humoristischen Anstrich, denn Loos unterhielt sich köstlich. Eines Tages sagte er zu mir: »Wenn du solche Dummheiten erzählst, könnte ich mich totlachen, aber ich halte mich zurück, ich will dich nicht zu sehr ermutigen. Ich fürchte, du könntest eine zu geistreiche Frau werden, das wäre schrecklich.« Aber es gab da eine Geschichte, die er immer wieder hören wollte, eine wahre Geschichte aus meinem unbedeutenden Leben. Er nannte sie: eine Vergnügungsreise. Wenn er selbst keine Lust hatte zu erzählen und nicht bei bester Laune war, bat er: »Erzähl mir die ›Vergnügungsreise‹.«

9.

Die Vergnügungsreise

Es war im zweiten Kriegsjahr, und es ging uns nicht besonders gut. Mein Vater war an der russischen Front, aber da er kein großer Krieger war, hatte man ihm eine Arbeit zugeteilt, bei der er seinen eigenen Wagen verwenden konnte – vermutlich hat er Botschaften von einem Ort zum anderen transportiert. Es kam Pfingsten und mein Vater bekam vier Tage Urlaub, um sie in seinem Kader in Freudenthal – einem kleinen Städtchen an der tschechisch-schlesischen Grenze – zu verbringen. Als meine Mutter davon erfuhr, entschloß sie sich sofort, diese Tage mit meinem Vater zu verbringen und verschaffte sich die Erlaubnis, mit mir an die Front zu fahren. Freudenthal war sehr nahe an der russischen Grenze, die Russen waren schon in unser Land eingedrungen, und im Kader hörte man ihre Kanonen ziemlich nahe ... Aber niemand fürchtete diese russischen Kanonen, denn die Österreicher waren noch so sicher, daß sie diesen Krieg gewinnen würden.

Wir fuhren also ab, in einem ziemlich vollen Zug, erster Klasse. Meine Mutter war freudig erregt, sie reiste so gerne, aber die Arme hatte nicht viel Gelegenheit dazu. Ich verkroch mich in der Fensterecke und versuchte zu schlafen. Uns gegenüber hatte sich eine alte Dame eingerichtet, sie war groß und elegant, die intelligenten Blicke ihrer schwarzen Augen wanderten durch das ganze Coupé. Sie wählte sofort meine Mutter zur Konversationspartnerin und diese, ein wenig schüchtern, antwortete nur mit kurzen Sätzen. Ich bekam plötzlich Hunger und sagte es meiner Mutter, aber da in Wien an Lebensmitteln Mangel herrschte, hatte sie überhaupt nichts mitgebracht.

»Das Mäderl hat Hunger?« rief die noble Dame, »aber bitte schön, hier gibt es alles!« Sie reiste gut versorgt. Hob einen großen Korb aus dem Gepäcknetz und öffnete ihn. Ja, es war wahr, es gab alles. Verschiedene Brötchen mit Butter, Schinken, Käse, Tomaten, gebratene Hühner, Obst, Bäckereien, Haselnüsse und Sardinen. »Bedient euch doch!« Und ich begann mich zu bedienen. Jetzt sah ich die alte Dame mit ganz anderen Augen an, sie schien eine vom Himmel herabgestiegene Fee zu sein. Dann servierte sie mir aus einer Thermosflasche Eistee mit Zucker und Zitrone, und da ich nichts sprach (man spricht doch nicht mit vollem Mund!), erklärte sie meiner Mutter, daß der Magen Gefahr laufe, sich mit Luft zu füllen, wenn man ohne Eßwaren reise. Meine Mutter gab ihr in allem recht. Am meisten interessierte es sie wohl, wie sich die Dame alle diese Herrlichkeiten verschafft hatte, aber sie hatte nicht den Mut zu fragen. Die Dame begann auch ein wenig zu knabbern, ein Würstchen, ein Bonbon, aber sie tat es mehr, um mir Gesellschaft zu leisten. Diejenige, welche keinen Bissen probierte, war meine Mutter; sie behauptete, daß sich beim bloßen Anblick all der Leckereien ihr Magen völlig zugeschlossen hätte . . .

Während ich weiter schnabulierte, wechselte das Gesprächsthema, die Dame sprach von ihren Reisen und Abenteuern, sie besaß einen Adelstitel und kannte die halbe Welt. Sie hatte viele Jahre mit ihrem Mann in Paris gelebt, das waren die schönsten Jahre ihres Lebens, bis eines Tages . . . »Ja«, sagte meine Mutter, »und was ist dann geschehen?« »Sehen Sie«, sagte die Dame, »was ich mir in Paris verschafft habe« – und mit leichter Hand entfernte sie die schöne glänzende Perücke von ihrem Kopf und darunter erschien ein armer, kahler Schädel voll mit Narben. Die noble Dame sah plötzlich aus wie ein bedauernswertes Monstrum. Sie schaute uns an, die Perücke mit ihrer Hand hochhaltend. Ich verschluckte mich und Mama wechselte die Farbe. Keine von uns beiden war fähig, ein Wort zu sprechen.

»Schon gut, schon gut«, sagte die Dame, »erschreckt euch doch nicht so.« Dann stülpte sie sich die Perücke wieder auf den Kopf – und obwohl sie dieselbe war wie vorher, hatte ich auf einmal keinen Hunger mehr. Dann erzählte sie uns, daß sie zusammen mit ihrem Mann bei der großen Feuersbrunst, die vor vielen Jahren die Pariser Oper eingeäschert hatte, im Saal gewesen wäre, ihr Mann sei dabei umgekommen und sie selbst ... das sei von ihr übrig geblieben, ihre Haare waren weg und wollten absolut nicht nachwachsen. Sie zeigte uns auch einige Narben an Armen und Beinen – aber nichts war so schrecklich wie dieser kahle Schädel, der über dem enormen Perlenkollier um ihren Hals emporragte. Es war ein Glück, daß sie sich dem Ziel ihrer Reise näherte. Sie schloß den Korb mit all den Herrlichkeiten und wir verabschiedeten uns, innerlich sehr froh, daß sie ausstieg. Ich kroch wieder in meine Ecke, um zu schlafen – aber in meinem Magen begannen die Sardinen und Cremes einen Reigen zu tanzen. Meine Mutter schüttelte ununterbrochen den Kopf und sagte: »Nein, so was, nein, so was ...« und so gelangten wir nach Freudenthal, wo uns mein Vater am Bahnsteig erwartete und so vergaßen wir die Oper von Paris und ihre Opfer.

Der nächste Tag war ein Samstag, ich erinnere mich daran, weil man nicht zur Messe gehen mußte und daher ruhig frühstücken konnte. Wir gingen in den Speisesaal, wo ein Tisch mit Kuchen, Torten und Bäckereien für uns gedeckt war. Um den Tisch herum standen sechs fesche Jünglinge in ihren Leutnants- und Fähnrichsuniformen, sie salutierten vor ihrem Herrn Oberleutnant – das war mein Vater. Dann wurden sie uns vorgestellt und einer der jungen Krieger rief den Kellner, damit man uns das Frühstück servierte. Und das war wirklich ein großer Moment, denn man brachte uns große Tassen mit Milchcafé, jede hatte eine große Haube aus Schlagobers auf, und ich benahm mich trotz meiner 15 Jahre wie ein Baby und jubelte und klatschte in die Hände vor so viel Schönheit. In Wien gab es ja seit Kriegsbeginn kein Schlagobers mehr, aber hier in der Tschechoslowakei gab es alles, und mein Vater hatte seinen Untergebenen befohlen, alles verfügbare Obers in Freudenthal herbeizuschaffen.

Der Vormittag verging rasch, dann mußte man ja auch zu Mittag essen. Es gab Gänsebraten, Salate, Saucen, Torten und viele andere Köstlichkeiten, und anschließend führte uns mein Vater im Stadtwäldchen, das jede Provinzstadt besitzt, spazieren. Und voll Freude über den schönen Frühlingstag, begann ich zu singen und zu springen, der Wald schien eine herrliche Bühne zu sein. »Lauf nur«, sagte mein Vater, »hier ist keine Gefahr.« Ich lief also voraus und hüpfte und sprang, machte port-de-bras und chassée und fühlte mich so glücklich, daß ich die Augen schloß und . . . und plötzlich fühlte ich einen starken, groben Schlag mitten ins Gesicht und mußte stillstehen. Ich öffnete die Augen, aber es stand niemand vor mir – und doch, der Schlag war so stark gewesen wie ein Fußtritt ins Gesicht. Ich drehte mich um, suchte den Übeltäter – aber da war niemand, der mich bedrohte, da waren nur die Bäume, die sich leise im Winde bewegten, ein zarter Wind, der sie umschmeichelte. Meine Eltern waren noch weit zurück, jetzt standen sie still und schienen zu diskutieren. Immer streiten sie, wenn sie allein sind, dachte ich, wann werden sie endlich Frieden schließen? – Und als ich mich umdrehte, bekam ich einen neuen Schlag ins Gesicht.

Und dann sah ich . . . von drei Bäumen in meiner unmittelbaren Nähe hingen drei Männer herunter, drei Erhängte – und der Wind bewegte die Beine des einen von ihnen und er war es, der mich trat. Die Zungen hingen ihnen aus den Mündern heraus und hatten eine scheußliche blaue Farbe. Die Augen hatten sie offen, aber man sah nur das Weiße – denn sie waren so tot, so unglückselig tot, daß nichts mehr getan werden konnte, um ihnen zu helfen. Ich konnte nicht mehr schreien, ich entfernte mich ein Stückchen und begann zu erbrechen. Als meine Eltern mich erreichten, erklärte mein Vater, daß es sich um drei Spione handle, die man gestern aufgehängt hatte. Er war überzeugt gewesen, daß man sie schon heruntergenommen hätte. Aber Krieg ist Krieg, wir wissen ja, wie das ist.

Wir gingen zurück in unser Hotelzimmer und am nächsten Tag, nach der großen Pfingstmesse, nahmen wir den Zug und fuhren nach Wien. Vater mußte bleiben. Die Leutnants wollten mir noch ein Abschiedsessen geben, wieder mit Schlagobers, aber ich lehnte freundlich dankend ab.

Bei der Rückfahrt saß im Zug in unserem Coupé ein sehr hübscher junger Mann, der ununterbrochen auf mich einredete – aber man konnte kein Wort von seinem Gerede verstehen. Es war teilweise ein Gekrächze, teilweise ein Gebell, und obwohl ich ihn mit Abneigung betrachtete, lachte er mich glücklich an. »Was will er?« fragte ich meine Mutter. »Es ist ein Taubstummer, der sprechen gelernt hat. Antworte ihm, er schaut auf deine Lippen und versteht dich. Sprich mit ihm.«

Aber ich drehte den Kopf weg, verkroch mich in meiner Fensterecke und begann zu weinen. ›Was ist das für eine Welt‹, dachte ich, ›Erhängte, Taubstumme und in der Pariser Oper Verbrannte . . .‹ Und ich sprach kein Wort mehr, bis wir in Wien waren.

Und so endete die »Vergnügungsreise«.

10.

Weihnachten mit Loos

Es war Weihnachten, Weihnachten 1917. Unsere Liebe war vier Monate alt, sie war gewachsen, stärker und tiefer geworden. Auch hatten wir unser Geheimnis behütet, niemand wußte etwas von unserem Glück. Wir sahen einander so oft und so lange wir konnten, aber immer erschien es uns zu wenig. Meine Mutter hatte eine kleine Wohnung für mich gemietet. Da Loos diese Wohnung einrichtete, war es selbstverständlich, daß ich hie und da mit ihm zusammenkam. Aber meine Eltern trauten mir nicht recht. Mein Vater ließ mich häufig schwören, daß ich nie mit Loos in seine Wohnung gehen würde, denn das wäre mein Verderben. Ich schwor, ich log – ich war zu jeder Schandtat bereit, um unsere Liebe zu retten.

Und jetzt war also Weihnachten. Da wir mitten im Krieg waren, hatte man weder Lust noch Mittel, um zu feiern. Ich hatte mit Loos vereinbart, daß wir uns am Nachmittag in seiner Wohnung sehen würden, ich mußte früh zu Hause sein, um den Abend mit meiner Mutter zu verbringen. Loos wollte zu Schwarzwalds gehen. Es tat uns weh, daß wir nicht zusammen feiern konnten. Ich hatte Loos etwas besonders Schönes schenken wollen – aber man bekam ja nichts zu kaufen. So stickte ich also ein enorm großes Sofapolster aus roter Seide, es war eine Pracht – das richtige Hausgreuel. Aber damals verstand ich das noch nicht.

Als ich Loos das Polster als mein Weihnachtsgeschenk übergab, sah er mich traurig an. »Elsili«, sagte er, »du hast ja schrecklich viel an diesem Polster gearbeitet – aber schau, der paßt nicht zu mir.«

In diesem Augenblick verstand ich: »Ornament und Verbrechen«.

»Schau dich einmal um in meiner Wohnung«, sagte er, »glaubst du, daß dieses Polster da hereinpaßt?« Er hatte recht. Ich mußte also mit dem Riesenpaket wieder abziehen, es war eine richtige Blamage, aber ich hatte sehr viel dazugelernt. Wir küßten einander und ich ging nach Hause.

Die Eltern saßen allein im großen Speisezimmer, wo in Friedenszeiten immer der Christbaum stand und die Geschenke aufgehäuft waren. Diesmal war eine unheimliche Stille und Leere im ganzen Haus. Kitty, meine Schwester, war auch nicht da und die Eltern saßen beisammen und sprachen leise miteinander. Sie sahen mich an, aber sie sagten nichts. Ich sah mich im Zimmer um, so leer war alles und traurig. Aber plötzlich sah ich den Bonsai. Es war der erste, den ich in meinem Leben gesehen hatte und auch der schönste, so wie die Bäume in Italien, oben ganz flach, eine kleine Zwergfichte in einem großen, hellgrün glasierten Keramiktopf. Ein kleines Kuvert hing an einem Zweiglein, von der teuersten Blumenhandlung in Wien, mit meinem Namen als Adressat. Ich öffnete das Kuvert – es enthielt eine Visitenkarte von Loos: »Fröhliche Weihnachten.« Mein Vater riß mir die Karte aus der Hand – und dann sahen er und Mutter einander in die Augen. Sie hatten verstanden. Es kam natürlich zu einem kleinen Skandal. »Wieso schickt dir Loos so ein kostbares Geschenk? – Das ist doch ganz unmöglich, das hat andere Gründe«, und so fort. Ich antwortete nicht. Der Streit flaute ab, Vater durfte sich nicht aufregen und so nahm er seine Reisetasche und verließ das Haus. Mutter ignorierte mich. Der Bonsai hatte uns verraten. Aber das war eigentlich ein Glück. Denn so mußten wir uns zu unserer Liebe bekennen, wir verteidigten sie und schließlich siegten wir.

Dann kamen bessere Zeiten und wir konnten Weihnachten im eigenen Heim verbringen. Diese Weihnachtsfeste, von Loos arrangiert, waren die schönsten in meinem Leben. Er verstand es wie keiner, Feste zu feiern, aber es gab eine Bedingung: Man mußte ihm allein die Regie überlassen. Er suchte wochenlang, vielleicht sogar monatelang Geschenke für mich, er fand die schönsten, die außergewöhnlichsten Dinge in den seltsamsten Geschäften. Er frage nie: Was wünschst du dir? Was hätte ich auch geantwortet? Ein Buch oder ein Parfüm, das konnte ich mir selber kaufen. Aber niemals hätte ich die Herrlichkeiten gefunden, nie auch nur an sie gedacht, die Loos unter dem Baum anhäufte: persische und indische Schals, japanische und chinesische Kimonos, mit Perlmutter eingelegte Kästchen aus Marokko, Halbedelsteine, Ketten und Broschen und das Hündchen Chichi. Und nie sah ich auch nur etwas vorher, alles war Überraschung, ich weiß nicht, wie und wo er alles verbarg. Und der Baum! Er ging allein und suchte tagelang, bis er den schönsten fand, den größten, er schmückte ihn allein, ich durfte nicht helfen. Das Weihnachtsmenü besprach er mit Mitzi, sie berieten stundenlang. Er kaufte nur das Beste, die Nüsse waren große Papiernüsse (das sind die mit den dünnen Schalen, die man mit der Hand zerbricht), die Orangen mußten Blutorangen aus Spanien sein, Hummer, Truthahn, Mayonnaise – mein Gott, was gab es alles! Dazu französischen Champagner, Veuve Cliquot. Wir aßen zeitig und – obwohl wir sonst immer Gäste zu Tisch hatten – allein, in größter Ehrerbietung vor all diesen Herrlichkeiten. An diesem Abend wollte Loos keine Gäste haben, das Fest war für uns zwei – und für Mitzi, die ja die ganze Arbeit, das Kochen, Backen und Servieren, übernommen hatte. Am Baume brannten die Kerzen, es war richtige Weihnachtsstimmung, man konnte gar nichts sprechen vor Erregung. Ja, das waren richtige Weihnachten.

Anschließend gingen wir zu meiner Mutter, die auch Weihnachten feierte. Wir gingen zu Fuß durch die weißen Straßen, wir gingen langsam und glücklich, sahen durch die Fenster anderer Häuser viele Christbäume stehen (in Wien ließ man die Fenster in der Weihnachtsnacht unverhängt, damit man die Bäume sehen konnte – vielleicht gibt es einen Armen, der kein Heim und keinen Baum hat, so sah er wenigstens diesen – das dachte man damals). Wir betrachteten die Bäume, aber unserer war der schönste. Wir blieben eine Weile bei Mutter, die das Haus voll mit Leuten hatte. Sie beschenkte alle (mit Loos war sie schon ausgesöhnt), und so feierten wir zusammen.

Und dann gingen wir, wieder zu Fuß, zu den Schwarzwalds. Dort wurde Weihnachten spät gefeiert, da alle Gäste erst nach dem Festessen kamen, das man ja mit der Familie einnimmt. Aber nach und nach kamen alle an und versammelten sich im Speisezimmer. Genia saß im »Nischerl«, und dann brachten die Mädchen einen großen Wäschekorb herein, voll mit großen und kleinen Paketen, das waren die Geschenke, und Genia begann sie zu verteilen. Jeder bekam etwas und jeder war glücklich, die Geschenke waren oft kostbar, manchesmal nützlich, aber immer das richtige. Nur Genia selbst war eigentlich niemals über ihre Geschenke glücklich. Aber mir ist es einmal gelungen, sie mit einer Kleinigkeit glücklich zu machen. Ich schenkte ihr sechs Taschentücher aus handgeschlagenem weißem Linon. Ich hatte mit meiner Handschrift »Genia« auf jedes geschrieben und das sticken lassen. Und sie war so gerührt über diese Kleinigkeit, daß sie weinte. Sie sagte, daß niemand je mit so viel Zärtlichkeit an sie gedacht hätte.

Wir kamen spät nach Hause, aber wir blieben noch lange auf, besahen alles, naschten ein bißchen und tranken den Rest vom Champagner. Bei Schwarzwalds gab es ja nur Wasser zum Trinken, sie waren Antialkoholiker und nie-

mand hätte gewagt, dagegen zu protestieren. Nur Egon Friedell und der Maler Kriezer brachten ihre kleinen flachen
Whiskyflaschen in der hinteren Hosentasche mit, aber niemand merkte es, wenn sie hie und da verschwanden, um ein
Schlückchen zu trinken. Ich selbst merkte es erst nach langer
Zeit, als ich einmal zugleich mit ihnen ankam und sehen
konnte, wie sie die Flaschen einsteckten. Diese Tatsache
machte sie für mich noch liebenswerter.

Das waren unsere Weihnachten in Wien. Wie glücklich waren wir damals, wie tief fühlte man alles! Deswegen konnte
mich ein Weihnachtsfest an der Côte d'Azur, im Hotel
Ruehl oder im Negresco nicht glücklich machen.

Es war sehr schwer, Loos etwas zu schenken. Einmal wollte
ich ihm ein Hemd schenken, da fragte ich ihn, ob ich das tun
könne. Und er sagte: »Ja, wenn du das richtige findest. Ich
will dir sagen, wie du das machen mußt. Immer wenn du mir
etwas schenken willst, mußt du dir vorstellen, du schenkst es
dem Kaiser. Ob Hemden, Krawatten, Möbel oder sonst was,
wenn es bei Kaisers hereinpaßt, dann ist es das richtige für
mich. Was zu Kaisers paßt, paßt zu mir.« Trotzdem war es
schwer, etwas zu finden, das ihm wirklich Freude machte.
Einmal fand ich in einem kleinen Antiquariat eine alte Litho-
graphie, es war ein altes Blatt französischer Herkunft und
darunter stand: La Tour de Babel. Das Bild sah dem »Hotel
Babylon« von Loos sehr ähnlich. Ich erstand es ganz billig
und schenkte es ihm. Es war zwar nicht Weihnachten, aber
ich dachte: Das gehört zu ihm. Er sah mich sehr ernst an und
sagte: »Danke, Elsili. Wo hast du das gefunden?« Und diesmal war es keine Blamage.

Als Loos 50 Jahre alt wurde, bat ich den Maler Sebastian
Isepp, der auch in Holz schnitzte, er möge meine Figur in
einem meiner Tänze schnitzen. Er machte eine reizende
kleine Figur im Kostüm der »Musenpolka« von Strauß, die
ich getanzt hatte: im Alt-Wiener Kostüm, mit langen weißen

Höschen, die unter dem weißen Rock hervorsahen und bis zum Boden reichten, ein Leibchen aus schottischer Seide und dazu am Rücken hängend ein Florentinerhut. Die Statuette war gut gelungen, auch in den Farben. Isepp war ein großer Künstler, und Loos war begeistert über das Geschenk.

So waren unsere Weihnachten in den glücklichen Zeiten.

Die letzten gemeinsamen Weihnachten waren nicht mehr schön. Loos war das ganze Jahr in Paris gewesen und kam erst am 24. Dezember nach Wien. Ich hatte von Freunden und Kollegen viele Geschenke bekommen, die im Laufe des Tages ankamen. Loos saß mürrisch da, es gefiel ihm nicht, daß andere mir etwas schenkten. Er schenkte mir diesmal nichts, hatte auch nichts vorbereitet, doch er war böse. Abends gingen wir zu meiner Mutter, aber da mein Vater in diesem Jahre – 1924 – gestorben war, feierten wir zu Hause nur wenig. So gingen wir zu Schwarzwalds, und am nächsten Tag fuhr er mit diesen auf den Harthof. Ich selbst hatte an beiden Feiertagen Vorstellungen im Theater an der Wien und konnte nicht weg. Am 27. Dezember, meinem Geburtstag, fuhr Loos nach Paris zurück.

Ich war traurig, aber nicht böse auf ihn. Ich verstand, daß für ihn sein Werk mehr bedeutete als meine Person. Er mußte seinen Weg gehen – aber ich konnte schon nicht mehr mit. Und das verstand er nicht.

11.

Die Zeiten bessern sich

Endlich war der lange Winter vorbei, wir konnten wieder spazierengehen. Wir gingen in die Museen, hauptsächlich zu den Breughels, und Loos lehrte mich Bilder ansehen und bewundern. Wir sahen Auslagen an, bei Förster gab es noch immer herrliche Sachen. Manchmal saßen wir mit Peter Altenberg im Graben-Kaffeehaus. Peter behauptete, ich wäre eine geborene Selbstmörderin. Er klapperte mit seinen Holzsandalen über den Graben, und alle Leute blieben stehen und sahen ihm nach. Peter zog die Holzsandalen den zerrissenen Schuhen, die wir alle trugen, vor, aber die Leute fanden alles, was Peter tat, skandalös.

Manchmal gingen wir zu Karl Kraus ins Kaffeehaus. Er hatte sein Hauptquartier in einem Kaffeehaus beim »Stock im Eisen«, dem Café Pucher, aufgeschlagen, in einem Separée. Manchmal besuchten wir ihn auch in seiner kleinen Wohnung, wo er allein hauste, schrieb, dachte und sich sein Essen selbst zubereitete. Jahrelang lebte er nur von Kartoffeln, er kochte sie geschält, und nachher kochte er die reingewaschenen Schalen extra und machte eine Suppe daraus. Karl Kraus stammte aus einer sehr wohlhabenden Familie, aber er hielt es für eine Sünde, besser zu leben als die vielen armen Menschen auf der Welt. Mit Loos sprach er nicht viel, und meistens hänselte er ihn wegen seiner Freundschaft mit Genia Schwarzwald. Weder Kraus noch Peter Altenberg vertrugen das Milieu bei den Schwarzwalds und waren nie dazu zu bringen, hinzugehen. Kokoschka ging manchmal hin,

wenn auch ungern – ich glaube, er tat es Loos zuliebe. Für
Loos war die Schwarzwald-Wohnung ein zweites Heim. Er
kannte alle Fehler Genias, aber auch ihre Vorzüge. Hermann
Schwarzwald, Hemme nannten ihn seine Freunde, war ein
außerordentlicher Mann. Er war in den Jahren 1921 bis 1923
Finanzminister. Bei den Schwarzwalds gab es immer etwas
zu essen und stets sehr interessante Gespräche. Ich habe
niemals mehr in meinem ganzen Leben so gastfreundliche
Menschen, wie es die Schwarzwalds waren, getroffen. Ihre
Freigebigkeit kannte keine Grenzen. Niemand verließ hungrig ihr Haus, und wer kein Dach über dem Kopf hatte,
konnte bei ihnen auf einem Sofa schlafen, ohne Angst zu
haben, lästig zu fallen. Gastfreundschaft ist ein ganz besonderes Talent, die wenigsten Menschen haben es. Aber die
Schwarzwalds waren wahre Meister auf diesem Gebiet.
Ich sah Loos zum erstenmal bei den Schwarzwalds. Sie
feierten einen Hochzeitstag, und die Schwarzwaldschule,
meine Schule, gab ein kleines Fest: Ich war damals zehn
Jahre alt, und da ich ein Ballettkind war, sollte ich den
Schönbrunner Walzer tanzen. Ich wartete mit den anderen
Kindern, bis die Reihe an mich kam. Die Erwachsenen waren alle in einem Winkel des Zimmers untergebracht, sie
waren das Publikum. In der ersten Reihe saß auf dem Boden
ein Herr, der mir besonders schön erschien und der sich von
allen Leuten unterschied. Ich fühlte schon als Kind den
Zauber seiner Persönlichkeit. Außerdem war es das erste
Mal, daß ich einen erwachsenen Menschen auf dem Boden
sitzen sah, so etwas war unerhört in Wien. Er hielt seine
Hand wie eine Muschel hinter seinem Ohr. Ich fragte: »Wer
ist das?« – »Adolf Loos«, sagte man mir.
Ich sah Loos in den folgenden Jahren hin und wieder, und
im Jahre 1916 hörte ich seine Vorträge in der Schwarzwald-
Schule. Wir waren ziemlich viele Hörer und Hörerinnen.
Ich glaube, alle Mädchen waren ein wenig in Loos verliebt,

ich bildete keine Ausnahme. Aber ich hatte außerdem das sichere Gefühl, daß Loos mein Schicksal wäre. Und so war es auch. Hätte ich ihn nicht kennen- und liebengelernt, hätte ich nicht so viele Jahre mit ihm gelebt, was wäre aus mir geworden? Noch heute, so viele Jahre nach seinem Tode, im fernen Land, vergeht kein Tag, keine Stunde, da ich nicht an ihn denke. Noch heute beeinflußt er mein Denken und Handeln, meine Stellungnahme zu allen Lebensfragen, und die Erinnerung an ihn hilft mir oft, schwierige Probleme zu lösen. Das gilt für alle Lebensbereiche, seien es künstlerische, soziale oder rein menschliche Fragen, wenn ich irgendwie unsicher bin, denke ich sofort: ›Was hätte Loos in diesem Fall gesagt oder getan?‹ – Die Antwort bleibt nie aus. Eines Tages sagte Loos zu mir: »Ich will dich heiraten. Aber zuerst mußt du eine berühmte Tänzerin werden, denn ich kann unmöglich ein kleines Bürgermädel heiraten, was würden die Leute dazu sagen? Miete dir einen Saal und einen Klavierspieler und beginne dir deine eigenen Tänze zu schaffen.« Ich war sehr folgsam und tat sofort, was er mir befahl. Ich begann ernsthaft zu studieren, und mit dem Geld, das ich mit Tanzstunden verdiente, bereitete ich die Kostüme vor. Ich möchte an dieser Stelle etwas aufklären, das aber nicht als Eitelkeit aufgefaßt werden soll. Viele Leute lachten über Loos, weil sie glaubten, er hülfe mir bei meinen Tänzen und Kostümen. Das ist ein Irrtum. Ich bereitete immer alles allein vor, suchte Musik, Farben und Beleuchtungseffekte allein aus, machte meine eigenen Choreographien und Kostüme. Loos gab mir lediglich einen sehr wichtigen Ratschlag. Er sagte: »Du hast nicht viel Technik, tanze daher die Schritte, die die Männer tanzen, und außerdem verlege dich auf dein Gesicht. Deine Mimik ist dein Trumpf.« – Und er hatte recht. Er war natürlich immer der erste, der meine Tänze zu sehen bekam, aber ansonsten überließ er mich meinem Schicksal – tänzerisch.

Ich arbeitete also daran, eine große Tänzerin zu werden. Aber auch Loos hatte eine harte Zeit vor sich. Er mußte ungarischer Staatsbürger werden, um sich von Lina scheiden lassen und mich heiraten zu können. Mein Vater nahm die Sache in seine erprobten Advokatenhände und suchte einen Adoptivvater für Loos. Das war nicht so einfach. Denn dieser neue ungarische Papa mußte 30 Jahre älter sein als Loos, und Loos war damals schon beinahe 50 Jahre alt. Obwohl das natürlich hauptsächlich eine Geldfrage war, gab es keinen alten Ungarn, der Interesse hatte, Loos zu adoptieren. Nach langem Suchen fand sich endlich ein Bauer, der einwilligte. Er war schon überaus alt, und es war daher sehr schwierig, ihm zu erklären, worum es sich handelte. Schließlich willigte er jedoch ein, und mein Vater begann die Sache in die Wege zu leiten. Natürlich vergingen viele Wochen, bis die erste Instanz erledigt war, und als mein Vater dann wieder mit Loos zu dem alten Bauern kam, um die Sache weiterzuführen, hatte der Alte vollkommen darauf vergessen und sträubte sich von neuem. Das geschah regelmäßig alle zwei Monate.

Meine Mutter verbrachte den Sommer auf dem Plattensee und bestand auf meinem Besuch. Sie tat immer alles mögliche, um mich von Loos zu trennen, sei es auch nur für einige Tage.

Am zweiten Tag meines dortigen Aufenthaltes watete ich einmal weit in den seichten Plattensee hinaus, und gerade als ich zu schwimmen beginnen wollte, packte mich jemand bei den Füßen und hielt mich fest. Dann tauchte der Unterwasserschwimmer vor mir auf und schnaubte und schüttelte sich. Es war Loos, der mir nachgereist war. Wir umarmten und küßten einander so heftig, daß meine Mutter es für das beste hielt, mich nach Wien zurückzuschicken, mit Loos natürlich, denn alle Leute am Strand hatten den Skandal gesehen. Damals fand ich sein Vorgehen ganz selbstverständlich, aber heute weiß ich, daß er sich wie ein Romeo benahm, und seine Verliebtheit und sein jugendliches Wesen rühren mich zu Tränen. Auf der Rückreise besuchten wir den alten Bauern, der zwischen Kukuruz und Paprika vor seinem Haus saß und wieder erklärte, daß er sich an nichts erinnern könne.

Nach einer kurzen Reise, die ich mit meinem Vater in die Schweiz unternahm, fuhren Loos und ich nach Topolschitz. Dort war das Paradies auf Erden. Ein großes und vier oder fünf kleine Häuser in Krain mitten im dichtesten Wald, mit zwei kleinen Badehäusern, in denen eine wunderwirkende, warme Quelle sprudelte. Genia Schwarzwald hatte dort eine Ferienkolonie gegründet, und wir waren, zusammen mit vielen anderen Freunden, ihre Gäste und verbrachten herrliche Tage dort. Der Wald war ein wahres Weltwunder, mit riesigen Bäumen, dickem Moos und mindestens dreißig Arten eßbarer Schwämme. Es regnete nie, und wir verbrachten unsere Tage im Wald. Alle anderen Leute badeten am Tage, und da sich das Wasser immerfort erneuerte, waren die kleinen Bassins ständig überfüllt. Loos und ich hatten jedoch unsere Stunde reserviert, und zwar um neun Uhr abends. Da gehörte eines der Bäder uns allein. Wir versperrten die Türe und erfreuten uns an der warmen Quelle. Wie immer erwachte sehr bald der erzieherische Sinn in Loos. Ich war für ihn Frau und Kind. Ich schwamm gut und sprang ins Wasser, aber mir fehlte eines: der Mut zu einem Salto mortale ins Wasser. Loos schwamm wunderbar und hielt mir einen Vortrag über den Salto mortale ins Wasser. Er sagte, jeder gute Clown könne mit Leichtigkeit den Salto mortale ausführen, denn das ist das erste, was ein Zirkuskind lernt. Die Clowns führen den Salto oft gar nicht vor, aber sie haben ihn im Körper, und dadurch erscheint alles, was sie machen, großartig, beflügelt und voll Sicherheit. Loos verlangte von mir nichts Unmögliches. Der Salto mortale im Trockenen muß als kleines Kind trainiert werden; aber im Wasser kann er jederzeit gelernt werden. Er stellte einen Sessel auf das Trampolin (je höher das Sprungbrett, um so mehr Zeit hat man, sich um sich selbst zu drehen) und sprang mir einen Salto vor. Ich hatte Angst, aber es half mir nichts. Er lehrte mich, ohne Angst zu springen. Jeden Abend sprang ich eine Stunde lang. Nach zwei Tagen nahm Loos den Sessel vom Trampolin weg, ich sprang vom Trampolin, ein paar Tage später sprang ich bereits direkt vom Bassinrand, drehte mich um mich selbst herum und landete im Wasser. Loos war selig. Seine zukünftige Frau war imstande, einen Salto mortale zu machen. Wir konnten beruhigt nach Wien zurückfahren.

Im November 1918 kam die Revolution und der Krieg war zu Ende. Ich erinnere mich sehr gut daran. Wir gingen durch die Straßen und sahen zu, wie die Leute die Doppeladler herunterrissen und sie verbrannten. Mit vielen anderen wärmten wir uns die Hände an diesen Feuerchen. Nie wieder habe ich eine so gemütliche Revolution gesehen.

Plötzlich war wieder Weihnachten. Loos schenkte mir eine herrliche Brillantbrosche. Sie war viel zu groß für mich kleines Mädchen und sah sehr komisch auf meinen armseligen Kleidern aus. Aber Loos erklärte mir, daß er sie sehr billig erstanden hätte und der bedeutende Brillant in der Mitte der Brosche eine gute Kapitalsanlage wäre. Loos selbst trug nur ein einziges Schmuckstück, eine große, birnenförmige Perle, die auf einer Seite abgeflacht war und daher eine ideale Krawattennadel darstellte. Er liebte diese Nadel sehr, war stolz auf sie, weil sie die richtige Form hatte und sich in die Krawattenseide schmiegte. Auch diese Perle war eine Kapitalsanlage. Beide Schmuckstücke verbrachten den größten Teil ihres Daseins in den verschiedensten Versatzämtern Europas. Ich weiß nicht, wie oft mein Vater sie auslösen mußte. Ich verkaufte die Brosche schließlich eines Tages, aber Loos behielt seine Perle. Sie verschwand während seiner letzten Krankheit.

Loos war begeistert, als das Wiener Nachtleben wieder begann. Er besuchte mit mir alle Tanzlokale und Bars, die wiedereröffnet hatten. Seine größte Enttäuschung war, daß Peter Altenberg nicht mehr mitgehen wollte. Peter war müde, er wollte nur noch schlafen. Wohl ging er noch mit uns in die »Beiseln« essen, aber in Nachtlokale wollte er nicht mehr mit.

Da das Land in Stücke gefallen war und Ungarn nicht mehr uns gehörte, mußten wir unseren ungarischen Bauern, den »Adoptivvater«, vergessen, doch man versprach uns einen Ausweg: die Dispensehe. Wir mußten jedoch lange warten, und das Jahr verlief ohne Neuigkeiten. Ich arbeitete an meinen Tänzen, Loos hielt Vorträge, aber zu bauen gab es nichts. Während dieses Jahres zeigte er mir nach und nach alle seine Bauten, die Wohnhäuser und Wohnungen, die er eingerichtet hatte. Eines der schönsten Häuser, zumindest was die Innenräume betraf, denn es war nur ein Umbau, war das Duschnitz-Haus im Cottageviertel. Es hatte das herrlichste Marmorspeisezimmer, das ich je gesehen habe, und außerdem war auch eine Orgel eingebaut, deren Pfeifen im ganzen Haus verteilt waren. Leider war Herr Duschnitz ein sehr nervöser und einsamer Mensch und erlaubte niemandem, das Haus zu betreten. Wir waren natürlich eine Ausnahme, aber auch wir durften nicht zu lange bleiben. Er selbst war Orgelspieler und wollte immer allein sein. Er lebte in einer Zauberwelt, und jeder Außenstehende brachte Alltag ins Haus, und das wollte er nicht. Er hatte wunderschöne Hände und dunkle Augen im feingeschnittenen blassen Gesicht, wie besonders kultivierte Juden sie manchmal haben. Er sah mich kaum an, sprach nur ein paar Worte mit Loos, und dann verschwand er. Auch wir gingen bald wieder, um nicht zu stören.

Aber bei Steiners, bei Dr. Scheu und seiner Frau Helene, bei den Mandls im Cottage verlebten wir viele Tage. Alle vergötterten Loos, waren glücklich in seinen Häusern und hatten uns gern zu Gast. Die Abende verbrachten wir oft bei den Schwarzwalds, wo man die bedeutendsten Leute treffen konnte. Bei Schwarzwalds hatte ich einmal Sir Anthony Eden als Tischherrn (er war ein junger Sekretär einer englischen Kommission, die auf einige Wochen nach Wien gekommen war), ein anderes Mal saß ich neben Baron Louis de Rothschild. Graf Richard Coudenhove-Calergi mit seiner Frau, der Schauspielerin Ida Roland, Rainer Maria Rilke, Carl Zuckmayer, Richard Billinger, Egon Friedell, Jakob Wassermann, Grete Wiesenthal, Karin Michaelis, Mariette Lydis, Alma Mahler und so viele andere, deren Namen ich vergessen habe, versammelten sich bei den gastfreundlichen Schwarzwalds.

Wir trafen auch den berühmten Sänger Fedor Schaljapin und dieser behauptete immer, ich sähe dem Lieblingsmodell von Rembrandt so ähnlich und Loos sagte: »Aber sie ist doch nicht so dick!« »Leider nicht«, antwortete Schaljapin und alle lachten.

Das Ehepaar besaß zu dieser Zeit den Harthof in Gloggnitz, und wir verbrachten viele Tage auf dem kleinen Gut. Aber so oft wie nur möglich fuhren wir auf den Semmering, denn Loos hatte niemals die Geduld, lange Zeit am gleichen Ort zu bleiben. Während des Jahres vervollkommnete er meine Erziehung in jeder Hinsicht. Ich war nicht widerspenstig, und er bildete mich ganz nach seinem Wunsch und Willen. Loos verbot mir, meine armseligen kleinen Kleider zu tragen, die noch aus der Kriegszeit stammten und meistens aus alten Vorhängen und Sofaüberzügen geschneidert waren. Loos wußte alles, was man über Herren- und Damenmode zu wissen hatte. Vorläufig war es nur ein theoretischer Unterricht, denn es fehlte an Geld und an Material, um mir eine neue Garderobe anfertigen zu lassen; aber den Geschmack und die Geheimnisse der Haute Couture brachte er mir bei. »Kannst du kochen?« fragt Loos eines Tages. »Nein«, gestehe ich. »Gott sei Dank«, sagt er, »so bist du also noch unverdorben und weißt nicht, wie man Germknödel macht. Ich werde dich lehren, wie man kocht.« – Einmal hatten wir einen furchtbaren Streit. Er wollte, ich solle eine Tomate essen, ohne Salz, wie einen rohen Apfel. Ich sträubte mich mit Händen und Füßen. Ich wollte keine Tomate essen. Schließlich willigte ich ein, aber ich bestand auf ein bißchen Salz. »Nein, ohne Salz.« – »Ohne Salz? Nein!« – »Du bist genauso blöd wie die hiesigen Proletarierkinder«, schnaubte Loos. »Immer wollen sie eine Wurst, einen Quargel; die amerikanischen Kinder essen die Tomaten ohne Salz. Warum machst du solche Schwierigkeiten?« – Jetzt waren wir beide wütend. Schließlich aß ich die Tomate. Natürlich ohne Salz. Seither habe ich tausend Tomaten gegessen, mit und ohne Salz, aber diese erste vergesse ich nie.

Loos liebte das Wandern sehr, besonders im Vorfrühling. Einmal wanderten wir zu Fuß von Mönichkirchen über den Pfaffensattel auf den Semmering. Im Salzkammergut wanderten wir von See zu See, vom Wolfgangsee zum Attersee, zum Mondsee und wieder zum Wolfgangsee zurück. Im Frühling fuhren wir sehr oft mit der Straßenbahn in den Wienerwald, zum Beispiel nach Pötzleinsdorf, wanderten durch den Wald nach Neuwaldegg und fuhren dann wieder heim. Diese Wienerwaldausflüge unternahmen wir meistens am Abend. Bei der Endstation der Straßenbahn in Sievering stand ein altes, kleines Haus aus dem vorigen Jahrhundert. Es sah wirklich aus, als wäre es von Loos erbaut, und er nannte es: mein Haus. Es war immer geschlossen, und wir konnten nicht ausfindig machen, wem es gehörte. Es war ein gelbes Haus, das Erdgeschoß hatte zur Straße hin keine Fenster, der erste Stock hatte eine kleine Fensterreihe. Wir

9 Adolf Loos, Elsie Altmann (rechts) und ihre Schwester Kitty, 1918.

10 Genia Schwarzwald (1873–1940), an deren Schu-
   Loos Kurse und Vorträg
   hielt.

11 Festsaal der Schwarzwal-
   schule, Wien I. Herrengas
   10, in dem Elsie Altma
   Tanzunterricht gab.

12 Oskar Kokoschka (1886–1980), Elsies Zeichenlehrer an der Schwarzwaldschule. 1919 zeichnete er ihr Porträt »Arielse« (heute im Historischen Museum der Stadt Wien).

13 Foto von Elsie Altmann, mit einer Widmung Peter Altenbergs: »Selbstmordkandidatin! Du wirst in dein Herz hineintauchen und viele werden applaudieren, viele werden erschrecken für dieses Hinmorden seiner holdesten Jugend . . . Du hast zu tief hineingeblickt. Sei gesegnet! Peter Altenberg, April 1918.«

14 Hochzeit mit Adolf Loos, am 4. Juli 1919.

fuhren oft hinaus, nur um dieses Haus anzusehen. Ich schlug Loos vor, bei der Gemeinde Wien nachzufragen, wer der Besitzer sei. Er sagte: »Um Gottes willen, nein! Denn dann würden sie darauf aufmerksam werden und es sicher niederreißen. Oder, was noch schlimmer wäre, sie würden es verschönern. Laß mir mein Haus. Es ist das schönste Haus in Wien.«

Wir gingen auch oft in den Prater, aßen Krebse beim »Eisvogel«, und Loos wartete im Wurstelprater geduldig vor allen Rutschbahnen und Ringelspielen auf mich. Er lehrte mich, im März auf dem Cobenzl den Schnee wegzukratzen und Veilchen unter ihm zu finden, blaue und weiße. Obwohl er über Wien und die Wiener schimpfte, muß er Wien doch sehr geliebt haben, denn er kannte alle Reize und Geheimnisse dieser »träumenden Märchenstadt«. – Oft besuchten wir auch den Stephansdom. Loos war katholisch und vertrat die Ansicht, daß in einem katholischen Staat alle Menschen katholisch sein müßten. Juden, Protestanten wären Sekten, die es nicht geben dürfte. Jährlich einmal besuchte er eine Messe, und zwar am Ostersonntag, meist gingen wir in die Hofkapelle. Das war wirklich sehenswert, denn da war der ganze österreichische Adel versammelt. Loos war mit allen Aristokraten befreundet, und viele von ihnen kamen zu uns nach Hause: Fürst Lobkowitz, die Hohenlohes, Prinz Alexander Dietrichstein, um nur die bedeutendsten Persönlichkeiten zu nennen. Auch waren wir oft zum Tee in irgendeinem alten Palais eingeladen, wo sich die Tapeten von den Wänden lösten und alles nach Armut roch. Aber es war eine edle und würdige Armut, und das war es eben, was Loos liebte: den Adel und die Handwerker. Er haßte die Bürger.

12.

Oskar Kokoschka

Wenn ich seinen Namen höre, fällt es wie ein Blitzstrahl vom Himmel, und ich sehe ihn vor mir stehen, nach so vielen Jahren, und er sieht genauso aus wie damals: groß, blond, mager, aufrecht, das Haar kurz geschnitten – und die unglaublich tiefe Bläue seiner Augen . . . Nein, es waren nicht die Augen, die so blau waren, es war sein Blick. Es ging ein unerklärlicher Zauber von ihm aus.

Es war während der ersten Kriegsjahre, 1914 oder 15, da stellte uns Frau Dr. Schwarzwald unseren neuen Zeichenlehrer vor: Oskar Kokoschka. Wir waren die gefürchtetste Klasse in der ganzen Schule, wild, frech, ungezogen, nicht zu bändigen. Unser früherer Zeichenlehrer war eine Frau gewesen, aber wir behandelten sie so schlecht, bewarfen sie mit Obstkernen, machten einen Höllenradau während sie sprach, taten immer gerade das Gegenteil von ihren Wünschen und Ratschlägen – nein, heute verstehe ich wirklich nicht, was mit uns los war. Selbst die Tatsache, daß sie wirklich häßlich war, häßlich und plump, kann unser Betragen nicht rechtfertigen. Und eines Tages ging sie, sie hielt es nicht mehr aus – und unser neuer Zeichenlehrer wurde Kokoschka.

Und plötzlich waren wir eine Herde von Lämmlein, still und fromm. Wer hätte es gewagt, diesen Erzengel zu belästigen? Wir waren keine großen Talente, wir zeichneten, was man uns anschaffte: einen Apfel, eine Birne, eine Blume, eine Frau – und dann bemalten wir es. So war es bisher gewesen.

Kokoschka aber ging ruhig und leise durch die Bankreihen, sah uns zuerst ins Gesicht und dann sagte er: »Zeichnet, was ihr wollt.« Und so zeichnete eine jede, was sie wollte – meistens gar nichts. Andere machten nur Striche und Kreise. Aber alle waren wir ruhig und glücklich. Ich erinnere mich nicht mehr, was ich zeichnete, ich wartete auf den Augenblick, da Kokoschka zu meiner Bank kam und die Bläue seines Blickes mich umfing. Ja, er ist ein Erzengel, dachte ich. Er besah unsere Zeichnungen, er tadelte sie nie, er sah sie bloß an und ging weiter bis zum Katheder. Dort blieb er stehen, und wir zeichneten weiter.

Und eines Tages wurde auch er zu den Waffen gerufen und so verloren wir unseren Erzengel.

Als ich dann später Loos heiratete, wurde Oskar Kokoschka auch für mich zum Freund. Er war auf Krankenurlaub, denn er wurde im Krieg verletzt und kam daher öfters zu uns. Loos liebte ihn wie einen Sohn, vielleicht noch mehr. Für ihn war Oskar der einzige Maler auf der Welt. Er tat alles, um ihm zu helfen. Er befahl allen seinen Freunden, sich von Oskar malen zu lassen und fast alle sagten zu. Ein Porträt kostete 20 Kronen, das war nicht teuer, 20 Kronen waren ja nicht viel Geld. Nur passierte es öfters, daß Oskar nach ein paar Monaten zu den Leuten ging, die er gemalt hatte und ihnen das Porträt wieder wegnahm – um es an andere zu verkaufen. Natürlich machte das böses Blut, aber Loos verteidigte Kokoschka, indem er behauptete, ein Künstler verlöre nie das Recht an seinem Werk und sei befugt, es zurückzuverlangen. Irgendwie muß er damit recht gehabt haben, denn niemand ging deshalb je zu Gericht.

Loos sandte Kokoschka in die Schweiz, damit er Ludwig von Ficker male und auch Bessie, die in einem Sanatorium in Leysin war. Und so wurde Oskar langsam berühmt. Er hatte für die »Wiener Werkstätte« gearbeitet, aber Loos tat alles, um ihn von dort wegzulocken. Er wollte ihn für sich allein.

Aber Herwarth Walden rief Kokoschka nach Berlin, zu seinem »Sturm«, und jetzt kam er nur mehr sehr selten nach Wien. Aber er wurde jeden Tag berühmter und das war schon ein großes Glücksgefühl für Loos.

Oskars erste und größte Liebe war Alma Mahler, die Witwe von Gustav Mahler. Er liebte sie irrsinnig, sie war für ihn die einzige Frau auf Erden, sie hatte ihn zum Mann gemacht. Doch er war schrecklich eifersüchtig und machte ihr das Leben nicht leicht. Und eines Tages machte sie Schluß und wollte nichts mehr von ihm wissen. Das war für Oskar der Weltuntergang, er wußte nicht, was er tun sollte, und so ging er zu Loos, erzählte ihm die ganze Geschichte und bat um seine Hilfe. Loos ging daraufhin in alle Kaffeehäuser, wo es Künstlerstammtische gab, vor allem ins Café Museum, und hielt Ansprachen an die Künstler. Er verlangte, daß sie alle sich verbünden sollten, Alma Mahler dazu zu zwingen, sich mit Oskar zu versöhnen, da er ohne ihre Liebe nicht malen könne. Alma Mahler erfuhr davon, und ihr Haß gegen Loos war seit jenem Tage unermeßlich. Auch mit Kokoschka schloß sie nicht Frieden, aber der Heilige Geist nahm sich anscheinend der Sache an, denn seit jenem Tag hat er wieder sehr viel und jeden Tag besser gemalt.

Später erzählte man sich, daß Kokoschka mit einer Puppe zusammenlebte, die ein Abbild von Alma war. Er reiste und lebte mit dieser Puppe und schien ganz glücklich zu sein. Viele Leute behaupteten allerdings, dies sei bloß eine Erfindung, eine Lüge, eine Tratschgeschichte. Einmal bat er mich, ihn beim Ankauf von Damenunterkleidung zu begleiten. Wir gingen also und kauften sehr feine Damenunterwäsche, nicht viel, aber das Beste. Die Maße stimmten mit denen von Alma Mahler sicher überein, denn sie war sehr mollig. Ich hatte nicht den Mut, etwas zu fragen, aber Oskar, der so selten lächelte, war an diesem Nachmittag sehr gut aufgelegt, so gut wie noch nie. Er begleitete mich nicht bis nach Hause, er hatte große Eile, mit seinem umfangreichen Paket nach Hause zu kommen.

Ich weiß nur eines: als Oskar Kokoschka mich zeichnete – das Porträt, das heute in der »Loos-Wohnung« im Historischen Museum der Stadt Wien hängt –, nannte er das Bild »Arielse«.

Loos: »Warum nennst du sie Arielse?«

Kokoschka: »Weil Ariel der Geist des Windes ist. Sie ist Arielse.«

13.

Hochzeit

Im Mai 1919 gab ich meinen ersten Tanzabend im Mittleren
Konzerthaussaal. Es war ein so großer Erfolg, künstlerisch
und finanziell, daß Loos sofort einen zweiten veranstaltete,
der ebenso gefiel. Jetzt war ich eine berühmte Tänzerin, und
es fehlte uns nur der Ehedispens, um heiraten zu können.
Loos hatte viele Freunde. Als diese von seiner Absicht mich
zu heiraten, erfuhren, reagierten sie auf verschiedene Weise.
Einige waren einverstanden, andere nicht. Letztere hielten
sich für seine wahren Freunde und fanden es notwendig,
einzugreifen. Und so entstand folgender Gedankenaus-
tausch:

Freund: Loos, Loos, um Gotteswillen, Sie werden doch
            nicht ein so junges Mädel heiraten! Bedenken
            Sie, wenn Sie 60 sind, ist sie 30! So ein Altersun-
            terschied ist doch schrecklich! Was werden Sie
            dann anfangen?

Loos: Ja, das ist wahr, da haben Sie recht. Aber das
            macht nichts. Wenn es so weit ist, werde ich mir
            schon zu helfen wissen.

Freund: Ja, aber wie?

Loos: Da lasse ich mich einfach scheiden und suche
            mir eine Jüngere.

Großer Lacherfolg. Was für ein guter Witz!
Nur daß der gute Witz mit der Zeit zur bitteren Wahrheit
wurde.
Und als es so weit war und der gute Witz zur Wahrheit

wurde, waren sich natürlich alle guten Freunde einig, daß ich die Schuldige wäre, daß ich Loos verlassen hätte. – Nur eine war da, die hielt zu mir. Genia Schwarzwald. Sie sah die Wahrheit. Loos hatte *mich* verlassen.

Wir heirateten am 4. Juli 1919. Unsere Trauzeugen waren Hugo und Lilly Steiner, die Besitzer des Steiner-Hauses in Hietzing. Die Trauung sollte um 11 Uhr am Standesamt im Rathaus stattfinden. Loos holte mich um 10 Uhr von zu Hause ab. Auf der Straße wartete ein rotes, offenes Mietauto auf uns. Das setzte mich sehr in Erstaunen, da ich nur fünf Minuten vom Rathaus entfernt wohnte und Loos eigentlich ein Feind von Taxis und Mietautos war. Er benützte lieber seine Beine oder die Straßenbahn. Ohne ein Wort zu sprechen, schubste er mich in das Auto. Jetzt erst bemerkte ich, daß er genauso aufgeregt war wie ich. Er hielt meine Hand und blieb schweigsam. Während der kurzen Fahrt nahm er plötzlich ein Etui aus der Tasche und entnahm diesem eine herrliche Schnur großer, runder Türkise, die er mir, immer noch ohne zu sprechen, um den Hals legte. Ich war sprachlos, denn ich hatte doch kein Geschenk erwartet. Seine Augen sahen mich mit so viel Liebe an, daß es beinahe weh tat. Das rote Automobil und das Hochzeitsgeschenk bewiesen mir, daß auch für ihn dieser Tag viel bedeutete.

Steiners erwarteten uns schon im Rathaus. Als endlich die Reihe an uns kam (es heirateten an diesem Tage eine ganze Menge Leute), stellte es sich heraus, daß uns ein Papier fehlte: die Weigerung des Pfarrers, uns zu trauen. Ohne diese Weigerung kann das Standesamt keine Trauung von Katholiken vornehmen. Natürlich verweigert kein Priester dieses Papier, wenn einer der Brautleute geschieden ist. Es handelte sich im Augenblick nur darum, in aller Eile den zuständigen Pfarrer zu finden. Das Standesamt schloß um 1 Uhr mittags, es war also keine Zeit zu verlieren. Loos und Steiners setzten mich einfach in den Rathauspark und begannen ihren Kreuzzug. Ich saß auf einer Bank und konnte an nichts denken. Ich war überzeugt, daß auch diesmal nichts aus unserer Trauung würde. Die Zeiger der Uhr unter dem eisernen Rathausmann schritten unerbittlich weiter, jedoch 10 Minuten vor der letzten Frist erschien das Trio Loos, Hugo, Lilly, und Loos schwenkte triumphierend das Papier in seiner Hand. Fünf Minuten später waren wir Mann und Frau. Mein Vater erwartete uns zu Hause mit einem kleinen Festessen. Meine Mutter war nicht anwesend, sie hatte Wien absichtlich für ein paar Tage verlassen, um der Trauung nicht beiwohnen zu müssen. Wir wollten nach Gaming fahren, unser Zug ging aber erst abends vom Westbahnhof ab. Gaming ist ein kleiner Ort in Niederösterreich, wo ich einen großen Teil meiner Kindheit verbracht habe. Es war mein Wunsch gewesen, die Flitterwochen dort zu verbringen.

Obwohl wir den ganzen Nachmittag vor uns hatten, beendete Loos das Essen so schnell wie möglich, und ich verabschiedete mich von meinem Vater. – »Schnell, schnell«, sagte Loos, »ich muß auf einen Bauplatz, wo man mich erwartet.« Leider erinnere ich mich nicht, welches Haus es war, ich weiß nur noch, daß es ein Umbau war und außerhalb der stadt lag.* Wir fuhren endlos lange mit der Straßenbahn. Als wir endlich bei der Baustelle ankamen, kletterte Loos sofort auf das Dach und begann lange Auseinandersetzungen mit den Maurern und Dachdeckern. Ich suchte mir einen annehmbaren Trümmerhaufen aus und setzte mich darauf. Auf diesem Trümmerhaufen verbrachte die junge Braut den ganzen Nachmittag, ohne daß sich jemand um sie kümmerte oder sich auch nur an ihre Gegenwart erinnerte. Aber das Herz der jungen Braut, mein Herz, war so übervoll von Glückseligkeit, und ihre Augen bewunderten den Architek-

---

* Villa Strasser in Hietzing

ten, der alles vergaß, wenn es sich ums Bauen handelte. Wir verließen um 7 Uhr abends mit den Maurern den Bauplatz und fuhren mit der Straßenbahn in die Stadt zurück, um unseren Koffer zu holen. Das war unser Hochzeitstag.

Wir kamen natürlich so spät auf den Bahnhof, daß von einem Sitzplatz im Zug gar keine Rede sein konnte. Wir hatten Glück und konnten unseren Koffer im Gang hinstellen und uns daraufsetzen. Auf meinen Knien hielt ich ein kostbares Paket mit Brot und harten Eiern, das man mir zu Hause vorbereitet hatte. Der Zug fuhr ungefähr um 9 Uhr abends ab. Natürlich war es schon finster, damals gab es kein Licht in den Zügen, die Fenster waren alle zerbrochen, und der Geruch und Schmutz waren unerträglich. Wir saßen sehr glücklich auf unserem Koffer und waren schon froh, wenn uns niemand auf die Füße trat. Nach einer Stunde Fahrt wollten wir essen. Ich öffnete das Paket und wollte die Eier schälen, aber es stellte sich heraus, daß man vergessen hatte, sie zu kochen, sicher war das in der Eile passiert. Das erste Ei bekleckste uns so ausgiebig, daß wir es nicht wagten, einen zweiten Versuch zu unternehmen. Außerdem herrschte völlige Finsternis und wir reinigten uns mit den Taschentüchern, so gut wir konnten. Loos nahm das Paket und warf es zum Fenster hinaus. Um 12 Uhr nachts kamen wir in Pöchlarn an, wo wir übernachten mußten.

Wir gingen in ein Hotel, und Loos verlangte ein Zimmer mit zwei Betten. »Aber zwei getrennte Betten, keine Ehebetten«, betonte er. Oder wenn es das nicht gäbe, zwei Zimmer, einbettig. Man gab uns ein Zimmer mit zwei getrennten Betten. Ich verstand die ganze Geschichte nicht recht, war aber zu müde, um zu fragen. Ich putzte die Eierreste von unseren Kleidern. Loos lag schon in seinem Bett und hatte das Gesicht zur Wand gedreht. – »Lösch das Licht«, sagte er. Ich kroch in das andere Bett und erschrak, so feucht waren die Leintücher. Plötzlich sagte er: »Schlaf gut, Elsili. Weißt du, ich habe absichtlich zwei getrennte Betten verlangt, damit es uns um Gottes willen nicht einfallen könnte, eine Hochzeitsnacht zu feiern, so wie es die Bürger machen. Ich könnte das nicht ertragen. Schlaf schnell ein, morgen müssen wir früh aus dem Bett.« Trotz der nassen Leintücher schlief ich sofort ein. Das war unsere Hochzeitsnacht.

14.

Die letzte Blaue

Immer wieder sagte ich: der Krieg ist aus! Das war das wichtigste für uns. Wir erhofften so viel vom Frieden, von diesem schmachvollen Frieden – aber ob schmachvoll oder nicht, uns war das egal. Man durfte wieder lachen, singen, man durfte an neue Lebensbedingungen denken; wir waren besiegt, aber unser Herz war erleichtert, man schlief besser und mußte nicht mehr an die tausend und abertausend Burschen und Männer denken, die auf dem »Feld der Ehre« kämpften und starben. Wußte Gott wirklich von all diesen Sperlingen, die vom Dache fielen?

Bald nach dem Friedensschluß öffneten in Wien die Nachtlokale, sie öffneten um 9 Uhr abends und schlossen um 1 Uhr früh. Die letzte Straßenbahn ging um 11 Uhr abends, sie hatte ein großes blaues Licht vorne angebracht, damit man erkennen konnte, daß dies die letzte Gelegenheit wäre, um fahrend nach Hause zu gelangen. Man nannte sie deshalb »Die letzte Blaue«.

Und sofort entstand ein Lied:

> »Wenn die letzte Blaue geht,
> erst in die Bar der Gent, der Schlaue, geht.«

Bald öffneten auch die Theater und Varietés und alle Leute trachteten nachzuholen, was sie im Krieg versäumt hatten: sich zu amüsieren. Loos führte mich in alle Wiener Nachtlokale, damit ich rechtzeitig lernen könne, wie man sich in diesen zu benehmen habe. Für ihn waren das ärgste die »Drah-Dilettanten«, wie er sie nannte. Das waren Leute, die nur selten nachts ausgingen und daher glaubten, man müsse sich bei diesem Anlaß ganz besonders verrückt benehmen, sich betrinken, schreien, raufen, kokettieren, die Kellner und die anderen Gäste mit dummen Witzen belästigen. So benahmen sich nur »Drah-Dilettanten«. Ich lernte rasch, mich richtig zu benehmen und wurde eine richtige gelernte »Drahrerin«, die sich im Cabaret genauso zu Hause fühlte, wie im eigenen Heim.

Dann waren ja auch die Kinos. Vor dem Krieg hatte es nur wenige Kinos in Wien gegeben, man sah dumme Filme, die immer mit einer Menschenjagd endeten: Man sah ungefähr zehn Minuten lang Menschen laufen und laufen – und dann war der Film aus. Eines Tages kam Loos ganz aufgeregt daher. »Weißt du«, sagte er, »man wird einen Film mit Charlot zeigen, den müssen wir unbedingt sehen. Charlot ist das größte Filmgenie, das es je gegeben hat; hier kennt man ihn ja nicht, aber in Nordamerika und in Paris ist er der größte Erfolg.« Er hatte wahrscheinlich noch vor dem Krieg einen Film mit Chaplin in Paris gesehen und nannte ihn deshalb so wie die Franzosen: Charlot. Er erzählte mir alles über ihn, seine Armut, seine Karriere. Er war sehr erregt und freute sich auf den Film, auch hielt er es für ein gutes Zeichen, daß wieder ausländische Filme nach Wien kamen. Wir gingen also ins Kino – und plötzlich bekam ich große Lust, Filmschauspielerin zu werden. Loos war damit einverstanden, aber mein Vater war verzweifelt. Er war immer gegen alle meine Pläne. In Deutschland begann man schon zu filmen, in Wien auch. Mein Vater lud mehrere Schauspieler ein, die Praxis beim Film hatten und bat sie, mir meinen neuen Plan auszureden. Der Burgschauspieler Franz Höbling besuchte uns, saß zwei Stunden da und erzählte mir direkte Greuel über das Filmen. Es wäre eine schreckliche Arbeit, unwürdig, undankbar, schmutzig ... ich ließ ihn ruhig reden. Zum Schluß sagte ich: »Wenn das alles wahr ist, sollten Sie wirklich nicht mehr filmen.« Da verabschiedete er sich. Die Gefahr, daß ich dieser schmutzigen Arbeit zum Opfer fallen könnte, bestand übrigens kaum – denn ich war ja noch ganz unbekannt und es wurde damals auch nur wenig gefilmt.

Nach meinem ersten Tanzabend und meinen Erfolgen bekam ich plötzlich einen Filmantrag – gerade als wir von der Hochzeitsreise aus Gaming zurückkamen. Es war eine ganz kleine Filmgesellschaft (bekannte gab es ja noch keine), sie bestand aus einem Regisseur namens Rudolf Stiassny und einem Kameramann. Der Star des Films war ein sehr hübsches Mädchen, nicht gerade fein, aber »sexy«, wie man heute sagen würde. Sie hieß Anny Hofer und hatte einen reichen Freund, der unter anderem auch eine Alm mit einer Hütte und Kühen im Gebirge besaß. Dort sollte der Film gedreht werden. Ich wurde für die Rolle der Freundin des Stars engagiert, dazu kam der Schauspieler Kurt Labatt vom Volkstheater und ein dicker Komiker, der im Film mein Bräutigam war. Zur Kompanie gehörte auch der reiche Freund und Finanzier, ein fescher junger Mann, der in alles dreinreden wollte, aber keine Beachtung fand. Er durfte nur alles bezahlen. Und Loos, der natürlich mit mir fuhr.

Wir fuhren also in die Steiermark, in die Berge. Der Ort war schön, da auf der Almhütte kein Platz für alle war, wohnten wir in einem guten Hotel. Und so mußten wir jeden Morgen um 7 Uhr früh auf die Alm klettern, es war ein steiler und steiniger Weg von zwei Stunden, aber wir waren gut aufgelegt und fanden das sehr gesund. Loos machte fleißig mit, er wich nicht von meiner Seite. Da es ja noch ein Stummfilm war, gab es kein Drehbuch, es genügte, daß Stiassny den Gang der Handlung im Kopfe hatte. So erfuhr ich nie den Inhalt des Films. Man sagte mir immer erst vor meinen Szenen, was ich zu tun hatte. So mußte ich mit dem dicken Komiker flirten, ihn küssen – dann mußte ich mich im Stall zur Ruhe legen und eine Kuh leckte mir das Gesicht ab; später mußte ich zusammen mit Anny aus dem Hüttenfenster schauen und über etwas lachen. Anny erschien ziemlich unbekleidet und da ich kein Negligée mithatte, borgte sie mir eines – und so schauten wir aus dem Hüttenfenster und lachten, wenn wir auch nicht wußten, worüber. – Während wir arbeiteten, ging Loos viel spazieren. Er erzählte uns von einer benachbarten Alm, auf der eine Herde von rund 40 Pferden mit ihren Fohlen weidete. Auf unserer Alm gab es eine große Kuhherde, die uns aber nicht beachtete. Dann kam eine Aufnahme, bei der die Kuhherde uns überrennen sollte. Männer aus dem Dorf hatten die Aufgabe, die Herde in Bewegung zu setzen, was ihnen auch gelang. Die Kühe fingen an zu laufen, aber als sie in unsere Nähe kamen, wichen sie aus – sie wollten uns nicht überrennen. Offenbar hatten sie kein Interesse an der Filmkunst. Uns war das ganz recht, denn wir hatten alle ein wenig Angst vor dieser Szene. Doch anscheinend war sie unerläßlich für unseren Film, und wir verbrachten mehrere Tage mit vergeblichen Versuchen. So kam der Samstag, man wurde bezahlt, ich verdiente 80 Kronen und dazu das Wohnen und Essen für Loos und mich. Am selben Nachmittag nahm ich meine Springschnur und ging auf den Kirchplatz des Ortes, um Bewegung zu machen. Loos machte inzwischen ein kleines Schläfchen. Doch als ich dann nach Hause kam, merkte ich, daß ich die 80 Kronen beim Schnurspringen verloren hatte. Ich lief auf den Platz zurück, konnte das Geld aber nicht mehr finden. Ich hatte meine erste Filmgage verloren.

Wir blieben noch eine Woche dort und die Gebirgsluft tat uns wohl. Dann geschah ein Unglück: Jemand hatte die Pferdeherde auf der benachbarten Alm durch einen Schuß aufgeschreckt, die 40 Pferde gerieten in Panik, stürzten in einen Abgrund und waren tot. Da wurde der Film rasch beendet und wir fuhren nach Wien zurück.

Ich sah den Film später einmal, er war schauderhaft. Ich fand mich schrecklich, dazu noch sehr schlecht geschminkt, und so verlor ich alle Lust, Filmschauspielerin zu werden. Der Film wurde sofort in den Balkan verkauft und nie in Wien gezeigt. Anny Hofer starb zwei Jahre später, sie war lungenkrank.

Für Loos war das ein Ausflug gewesen, Ferien im Gebirge. Er hatte sich erholt und zugleich gut unterhalten. Der Film selbst interessierte ihn nicht – und das kann ich ihm nicht übelnehmen. Wir gingen zwar manchmal ins Kino, begeistert waren wir aber nur von »Charlot«.

15.

Radetzky-Marsch

Im Frühsommer, wenn die Mittagshitze im Klassenzimmer bedrückend wurde, erlaubten die Lehrer, ein Fenster zu öffnen. Was sofort geschah. Die Schüler konnten also etwas frische Luft einatmen und die sonnige Außenwelt sehnsüchtig betrachten. Nach einer Weile begann ein leiser Klang – Pfeifen, Trompeten, Trommeln – wurde immer lauter, kam näher: tschin tschin bumdarasa, tschin tschin bumdarasa! Die Burgmusik. Sie kam vom Wachenwechsel in der Hofburg und die Musikkapelle begleitete die abgelösten Soldaten und marschierte mit ihnen durch die Stadt. Und jedermann, der Zeit hatte, marschierte mit ihnen, die Gassenbuben hinterdrein, und alle waren froh und glücklich. Denn mit Musik marschieren ist ja so wie Tanzen – und gibt es etwas Schöneres als Tanzen?
Wir hörten sie nur von ferne, aber sie kam näher und näher, Lehrer und Klassenzimmer waren nicht mehr vorhanden, nur noch Tschin Tschin Bumdara . . . Und jetzt: der Radetzky-Marsch! Da konnte auch der Lehrer nicht widerstehen, er schloß lächelnd die Augen und wartete – es dauerte ja nur ein paar Minuten, dann wurden die Klänge leiser und leiser, verstummten ganz – und wir kehrten in die Wirklichkeit zurück. Aber wir waren wie neugeboren, der Radetzky-Marsch war wie eine Injektion von Lebensfreude.
»Wenn der Hund mit der Wurst über den Eckstein springt, Wenn die Katze die Maus in der Luft verschlingt . . .«
Wer mag der Poet gewesen sein, der diesen Text erdacht hat?

Musik von Johann Strauß Vater.

Dann kam der Krieg, der Erste Weltkrieg. Es kamen für mich die letzten beiden Schuljahre, viel Studium für die Matura, viel Hunger und Trauer – und man vergaß auf die Burgmusik.

Und dann der Zusammenbruch, die Revolution, die Republik. Uns war alles recht. Die Hauptsache: der Krieg war aus.

Es ist jedoch nicht so leicht, eine Republik zu konstruieren. Zuerst muß man reinemachen, den alten Mist wegputzen, wie bei einem Haus. Alles Schmutzige und Verdorbene wegwerfen, um im sauberen Raume aufbauen zu können.

Man riß also überall die Doppeladler herunter. Bravo!

Dann verbannte man die Habsburger. Bravo!

Man verbot das Kaiserlied, die schöne Melodie von Haydn. Bravo?

Also, was konnte man noch verbieten? Es gab ja doch nichts – das Land war plötzlich so klein und arm. Nicht einmal Verdorbenes gab es mehr.

Und da verboten sie den Radetzky-Marsch.

Ich konnte es nicht begreifen. Den ganzen Krieg hindurch: Radetzky-Marsch, Rakoczy-Marsch, Prinz Eugenius der edle Ritter . . .

Aber jetzt durfte der Hund nicht mehr mit der Wurst über den Eckstein springen und auch die Katze mußte ihre Gewohnheiten ändern. Es gab auch keine Wache mehr an der Hofburg, keine Burgmusik – aber das Haus war sauber und man begann aufzubauen.

Ich begann öffentlich zu tanzen und hatte großen Erfolg. Ich tanzte viele Strauß-Walzer, Polkas, Märsche und auch andere Musik: Schubert, Chopin, Offenbach, Debussy. Doch immer dachte ich an den Radetzky-Marsch. Und eines Tages entschloß ich mich, ihn zu *tanzen*. Die Republik war noch jung, sie werden mir schon nichts tun, dachte ich. Loos warnte mich: »Du wirst bestraft werden, sie werden dich verbannen!« Ich ließ es darauf ankommen.

Das Kostüm war ein stilisierter Gassenbub. Der Tanz: ein Marschieren hinter der Burgmusik, springende Lebenslust, Freude an der Musik – ein richtiger Lausbub sprang da herum und die Leute lachten und applaudierten wie wild und ich mußte wiederholen und wiederholen, bis ich nicht mehr konnte. Es wurde der größte Erfolg, den ich in meiner Tanzkarriere hatte. Sie bestraften mich nicht und sie verbannten mich nicht. Ich hatte ein Wahrzeichen von Wien gerettet. Dann kam eine Abordnung der Sozialisten zu mir. Ob ich den 1. Mai mit ihnen feiern und bei einigen Arbeiterfesten den Radetzky-Marsch tanzen würde?

Sie holten mich um 10 Uhr früh mit einem Lastauto ab. Ich war schon als Gassenbub gekleidet und so fuhren wir von Fest zu Fest und ich tanzte überall den lieben, alten Radetzky-Marsch. Der Hund durfte also wieder über den Eckstein springen, trotz allem Ungemach! Die Arbeiter applaudierten, tanzten mit und tranken Wein – zu Essen gab es ja noch sehr wenig, aber das war nicht so wichtig. Ich kam spät nach Hause, in dem Lastauto schliefen schon ein paar Sozis und beinahe wäre ich selber eingeschlafen.

Die Zeiten wurden kaum besser. Es kamen zwar neue Gesetze heraus, die den Arbeitern das Leben erleichtern sollten: der 8 Stunden-Tag, ein freier Tag in der Woche, Ferien, Krankenkasse … Es gab allmählich wieder die nötigsten Lebensmittel, Milch, Brot, Eier, Gemüse – dann kamen auch die Leckerbissen: Schlagobers, Preiselbeeren, Gänse, Spanferkel, Karlsbader Oblaten … Mit all diesen Herrlichkeiten kam auch die Inflation. Es gab immer weniger Geld, man mußte arbeiten, soviel man nur konnte.

Ich erinnere mich an einen Silvesterabend, an dem ich acht verschiedene Engagements angenommen hatte. Und überall verlangte man den Radetzky-Marsch! Ich mietete ein Taxi für die ganze Nacht, zog mein Kostüm an und begann um 9 Uhr abends meine Tour. Wenn alles ausging wie berechnet, mußte ich um 12 Uhr Mitternacht im »Parisien« sein, wo Loos mich erwartete. Das »Parisien« war die letzte Station und dort würde ich mit Loos das Neue Jahr beginnen. Die Lokale, in denen ich auftrat, waren Cabarets und Kaffeehäuser, überall herrschte richtige Silvesterstimmung, mit Champagner und Rauchfangkehrern mit Schweinderln unter dem Arm. Alle Leute waren beschwipst und überall mußte ich mitfeiern und nochmals tanzen. So wurde es ziemlich spät, aber das Taxi stand immer vor der Tür und so hoffte ich, vor 12 Uhr im »Parisien« im Ronacher-Gebäude sein zu können. Das vorletzte Lokal war in der Nähe der Stephanskirche, in einer schmalen Gasse. Und diesmal stand das Taxi nicht vor der Tür, der Chauffeur hatte sich zu einer Extrafahrt verleiten lassen. Ich stand mutterseelenallein in meinem Gassenbubenkostüm auf der Straße, kein Mensch war in der Finsternis zu sehen und ich zitterte vor Kälte und Einsamkeit. Und plötzlich schlug die Uhr von St. Stephan – zwölfmal. Und dann begann es zu regnen.

Prosit Neujahr, Elsie, sagte ich. Und fühlte mich arm und verlassen in der Dunkelheit. Ich wußte nicht recht, was ich machen sollte. Es war eine traurige Neujahrsfeier . . . Doch dann kam das Taxi angefahren und brachte mich ins »Parisien«. Dort hatten sie um 12 Uhr Neujahr gefeiert und ihre Gläser nach dem letzten Schluck auf dem Boden zerschmettert – die Bühne war ein Meer von Scherben und ich mußte warten, bis man sie wegfegte, um tanzen zu können. Das Lokal war zwar voll, aber es dauerte lange, bis sich jemand fand, der diese Arbeit machte. Niemand wollte das Neue Jahr arbeitend beginnen.

Ich begann also das Jahr mit dem Radetzky-Marsch im »Parisien«. Ich war sehr müde und irgendwie bedrückt.

Dieser Jahresbeginn bereitete mir ein schlechtes Vorgefühl, ich fühlte mich einsam in der nächtlichen Stadt. Aber dann vergaß ich darauf. Es ist ja unglaublich, wie rasch man vergißt, was einem nicht gefällt.

16.

Glücklicher Alltag

Es ist viel leichter, Ungemach und schlimme Zeiten zu beschreiben, als ein großes Glück zu schildern. Glück kann ebensowenig beschrieben werden wie zum Beispiel der Duft einer Rose oder eine himmlische Musik. Man kann nur feststellen, daß es besteht.
Manchmal findet man im Wald zwei zusammengewachsene Bäume. So war unsere Ehe. Die Wurzeln schlangen sich unter der Erde umeinander. Der junge Stamm schmiegte sich eng an den älteren, die Zweige umrankten einander, sprossen gemeinsam im Frühling, beugten sich geduldig unter dem Schnee. Wir waren vollkommen glücklich.
Wir hatten keine Kinder, und wir wußten, daß wir keine haben konnten. Wir wollten auch keine. Wir hatten sehr wenig Geld, aber wir waren voll Hoffnung, daß sich dieser Umstand bessern würde. Wir liebten dieselben Dinge und die gleichen stießen uns ab. Da wir ineinander verliebt waren, war es leicht, auf vieles zu verzichten.
Als wir von unserer Hochzeitsreise, die ein letzter Ausflug in meine Kindheit war, zurückkamen, begann endlich der Alltag, das wirkliche Leben. Mit Loos war jeder Tag ein Ereignis. Jeder Morgen begann mit einer Kochstunde. Ich ging auf den Naschmarkt und kaufte Gemüse, das es jetzt in Hülle und Fülle gab. Loos erwartete mich in der Küche.
»Der Spinat muß Blatt für Blatt gewaschen werden«, sagte er. »Dort, wo der Stengel beginnt, sammelt sich immer Sand an, der muß gut herausgewaschen werden, denn es ist

117

scheußlich, wenn man beim Essen diesen Sand spürt. – Kochsalat wird gewaschen, aber die Pflanze darf nicht zerschnitten werden, man legt sie ganz in den Kochtopf und ißt auch die weißen Teile. Einbrenn darf nicht verwendet werden.«

Als die Spargelzeit kam, kaufte Loos einen Spargelkocher, und wir aßen fast täglich Spargel. Gegen Ende des Sommers hatte ich weniger Zeit zum Kochen, da die Proben für meine diversen Winterengagements begannen. Aber wir fanden Mitzi, und diese einfache Frau, die uns ihr Leben lang begleitet hat, wurde unter Loos' Leitung eine erstklassige Köchin. Außerdem wurde sie unser Finanzminister, denn sie verstand es meisterhaft, alle unsere Gläubiger, Fleischer, Greißler usw. zu unbeschreiblicher Geduld zu bringen. Wir zahlten zwar immer die Rechnungen, jedoch manchmal vergingen Monate, und die Leute wurden ungeduldig. Aber die Mitzi hielt sie im Zaum. Sie klagte nie. Nur einmal war sie beinahe böse. Loos hatte ihr gerade etwas Geld gegeben, um unseren Greißler zu bezahlen. Aber da erschien Frau Schönberg mit ihrer Greißlerrechnung und war sehr verzweifelt. (Ich spreche von Schönbergs erster Frau, die zweite hat schon bessere Zeiten gesehen.) Loos nahm Mitzi das Geld wieder weg und gab es Frau Schönberg. Unser Greißler mußte warten. Ich erinnerte mich genau, wie Loos' begütigende Hand über Mitzis Schulter strich, und an seine Worte: »Man muß ihm helfen. Sie haben keine Mitzi, die ihnen hilft.« Und unser Greißler wartete. Ich weiß nicht, welche Beschwörungen sie anwandte, es waren sicher alte Zauberworte aus ihrer Kärntner Heimat.

Der Tag begann also mit einer Kochstunde und endete meistens im Nachtlokal. Neben dem Tabarin gab es ein kleines Lokal, das »Chapeau Rouge«, wo wir Stammgäste waren. Die Getränke waren dort billiger, weil keine Künstler auftraten. Man konnte ungestört die ganze Nacht dasitzen, einen Feingespritzten (Champagner mit einem Schuß Soda-wasser) vor sich stehen haben und hie und da davon nippen. Der Feingespritzte war Loos' Lieblingsgetränk. Natürlich kamen auch andere Leute ins »Chapeau Rouge«, Leute, die viel Geld ausgeben konnten und viele Flaschen Champagner öffnen ließen. Aber wir hatten immer den besten Tisch, die aufmerksamste Bedienung von seiten aller Kellner. Loos war der Ehrenstammgast in allen Wiener Lokalen, Restaurants inbegriffen. Er hatte überall unbegrenzten Kredit, es gab keinen »Ober«, der nicht glücklich war, ihn bedienen zu dürfen.

Meist gingen wir sehr spät schlafen, denn immer fanden wir Freunde, die mit uns aufblieben, an unserem Tisch saßen und Loos Nachrichten aus dem Ausland brachten. Wir Wie-ner konnten noch nicht reisen, das Visum war uns vorläufig für alle Länder verwehrt. Aber Wien war voll von Auslän-dern, und niemand dachte mehr daran, daß wir noch vor kurzer Zeit Feinde waren. Aus allen Teilen des Erdballs kamen die Leute und amüsierten sich in Wien, kauften mit ihrem guten Geld unsere billige Ware und tranken unseren sauren Heurigen mit Begeisterung. Loos sprach mit allen Ausländern, jede Nacht knüpfte er neue Freundschaften an und ersetzte so die versagten Reisen. Aber sein einziger Traum war: weg von Wien.

Tagsüber war ich mit Proben beschäftigt, aber ich war auch viel zu Hause, denn jetzt war die Loos-Wohnung mein Heim, und ich genoß das sehr. Loos lief wie immer in Wien herum, gegen Abend kam er nach Hause und erzählte mir, was er erlebt hatte. Leider war nicht viel zu erzählen. In dieser Zeit begann die Siedlungsbewegung, aber Loos ent-schied sich nur sehr langsam, sich ihr anzuschließen. Man hatte ihn aus dem Rathaus oftmals in das Siedlungsamt geru-fen, er aber konnte sich nicht aufraffen, mit Wiener Beamten zusammenzuarbeiten. Er schrieb Artikel über diese Siedlungen und wie sie beschaffen sein sollten, hielt Vorträge, und hin und wieder ging er ins Siedlungsamt zu einer Besprechung. Aber immer kam er verbittert von dort zurück.

Eines Tages läutete es an der Türe, und ein italienischer Offizier stand im Türrahmen. »Finetti«, rief Adolf Loos aus, und beide fielen einander in die Arme. Finetti war ein Loos-Schüler aus der Vorkriegszeit.

Loos hatte vor dem Krieg in einer sehr schönen Wohnung in der Beatrixgasse eine Bauschule eröffnet. Wirkliche Schüler hatte er nur sehr wenige, denn ich spreche nicht von den Hörern seiner Vorträge über Gehen, Stehen, Essen, Schlafen etc., sondern von den echten Schülern, die Architekten werden wollten und vor Loos' Warnung »Meine Schüler werden es sehr schwer haben« nicht zurückschraken. Unter den Vorkriegsschülern nannte er immer mit besonderer Zärtlichkeit den später weltberühmten Architekten Richard Neutra. Er pflegte zu sagen, daß Neutra sein einziger Schüler war, der wirkliches Talent und das Zeug zu einem großen Architekten hatte. Außerdem waren seine Schüler H. v. Wagner-Freynsheim, Giuseppe de Finetti aus Mailand, Paul Engelmann. Ein anderer Schüler, W. Ebert, fiel auf dem Felde der Ehre, wie man damals sagte.

Neutra fuhr nach dem Krieg nach Berlin und arbeitete dort. Aber Loos hatte ihm so viel über Amerika erzählt, daß er sich eines Tages entschloß, mit seiner jungen Frau und seinem kleinen Kind, ohne Anstellung, ohne Sicherheit, auf gut Glück auszuwandern. Er kam nach Wien, um sich von Loos zu verabschieden. Ich erinnere mich sehr gut an Loos' glückseliges Gesicht, als er mir erzählte: »Neutra ist nach Amerika aussgewandert. Gott sei Dank. Es wäre eine Schande, wenn ein solches Genie hier verkommen müßte.« – Und dabei hatte er feuchte Augen vor Freude. Er liebte Neutra beinahe mit derselben Zärtlichkeit, mit der er Kokoschka liebte.

Paul Engelmanns Bruder Peter kam aus Amerika zurück, und die beiden Brüder besuchten uns oft. Peter spielte gut Klavier, und Loos hörte ihm gern zu, wenn er sein Repertoire von Foxtrotts vortrug, denn er hatte das, was man heute »Swing« nennt. In Wien hatte man keinen »Swing«. Später wollten die beiden Brüder gezeichnete Filme drehen, denn damals war gerade der Kater Felix die große Mode. Die Brüder wanderten nach Berlin aus, aber ich glaube, Walt Disney kam ihnen mit seiner Mickey Mouse zuvor.

Finetti kam, sobald er konnte, nach dem Friedensschluß zu uns. Wir hatten ein großes Zimmer frei, das Dienstbotenzimmer, das sehr gut eingerichtet war, und Finetti blieb vier Wochen bei uns zu Gast. Loos war sehr froh, einen Gefährten aus der Vorkriegszeit bei sich zu haben, und die beiden liefen nun mitsammen in Wien herum. Finetti war noch immer entschlossen, Architekt zu werden, da aber Loos keine eigene Schule mehr führte und Finetti die verlorenen vier Kriegsjahre irgendwie nachholen mußte, fuhr er nach einiger Zeit nach Mailand zurück, wo sein Bruder als Architekt lebte, und arbeitete mit diesem. Wir sahen uns jedoch sehr oft. Jedesmal, wenn wir nach Italien fuhren, machten wir einen Abstecher nach Mailand, um einige Tage mit Finetti zu verbringen. Er war ein ganz besonders liebenswerter Mensch, der Loos vergötterte und weder mit Zeit noch mit Geld sparte, um dies zu beweisen.

Wenn ich immer wieder sage, daß Loos in Wien herumlief, muß ich erklärend hinzufügen, daß dieses Herumlaufen für ihn von größter Wichtigkeit war. Er sah dabei nämlich eine Unmenge Dinge, die er zur Kenntnis nahm und die dann ein Teil seines Werkes wurden. Er traf Menschen und sprach mit ihnen, er ging auf Bauplätze, wo andere bauten, und dachte, wie er es gemacht hätte, und sein Herz wurde ihm schwer. Auch ich lief mit ihm in Wien herum, wenn ich Zeit hatte. Einmal blieb er auf der Wieden vor einem Uhrmachergeschäft stehen und betrachtete die Auslage mit größter Aufmerksamkeit. Ich wurde ungeduldig und sagte, es wäre ja doch lauter »Schmarren« in dieser Auslage: »Gehen wir weiter.« Aber Loos antwortete mir: »Ja, du hast recht, aber es gibt keine Auslage, wie billig und schlecht die ausgestellten Sachen auch sein mögen, wo nicht mindestens ein schönes Stück liegt. Und dieses Stück muß man heraussuchen können. Ich will, daß du das lernst, auf diese Weise lernt man nämlich Wertvolles von Kitsch unterscheiden.«

Nach dem Krieg fanden sich neue Schüler: Otto Breuer, Heinrich Kulka, Leopold Fischer, Robert Hlawatsch. Und andere, an deren Namen ich mich nicht mehr erinnere. Breuer wanderte bald nach Weimar aus und später nach Kalifornien. Kulka lebte und arbeitete in Neuseeland als erfolgreicher Architekt. Robert Hlawatsch besaß sein Studio in Hamburg. Leopold Fischer, der ein liebenswerter und talentierter Mensch war, unglaublich bescheiden und einer der treuesten Loos-Schüler, ist verschwunden.

»Meine Schüler werden es schwerhaben«, sagte Adolf Loos.

Loos schloß sich 1921 schließlich doch der Siedlungsbewegung an, aber er bewahrte sich seine Freiheit. Vormittags arbeiteten seine Schüler mit ihm im Siedlungsamt und mittags brachte er sehr oft einige von ihnen zum Essen nach Hause. Unser »Pot au feu«, das war nämlich jetzt unsere tägliche Mittagsspeise, reichte für alle. Sofort nach dem Essen wurde der Tisch abgeräumt und Pläne, Zeichnungen und Projekte auf ihm ausgebreitet. Loos lehrte, erklärte, und die Schüler hörten zu, zeichneten, rechneten.

Seine Lieblingsschüler waren Kulka und Fischer, aber er sprach wenig über sie und hatte privat kaum Kontakt mit ihnen. Er pflegte ja überhaupt nur mit wenigen Menschen Freundschaft zu schließen, er hatte nie das Bedürfnis, sich auszusprechen oder irgend jemand ins Vertrauen zu ziehen, wenn es sich um Privatangelegenheiten handelte. Mit den Schülern sprach er nur über fachliche Probleme.

Unser Alltag war glücklich. Ich verdiente genügend Geld mit meiner »Hopserei«, wie Loos es nannte, und auch Loos bekam endlich wieder Aufträge. Fritz Wolff, der Besitzer des Herrenmodengeschäftes Kniže, ließ seine Wohnung neu einrichten und sein Geschäft vergrößern. Fritz Wolff war einer der liebsten Freunde und bester Kunde von Loos, immer hatte er Arbeit für ihn, und außerdem kaufte er auch alle Kokoschka-Bilder, die Loos ihm anbot. Er war der bescheidenste und dankbarste Klient. Nach dem Krieg wollte auch der bekannte Juwelier Spitz für sein Geschäft in der Kärntnerstraße ein neues Portal machen lassen. Loos entwarf ein herrliches Projekt und war sehr an dieser Arbeit interessiert. Er verwendete ausschließlich Marmor, der außerdem noch seine eigene Geschichte hatte. Loos hatte bei seinen Wanderungen durch Wien auf einem Bauplatz der Gemeinde Wien einige große Marmorblöcke gefunden und nachgeforscht, woher diese stammten. So erfuhr er, daß sie ein Geschenk des Khediven von Ägypten an den jungen Kaiser Franz Joseph gewesen waren. Dort, wo heute die Votivkirche steht, befand sich das Glacis, ein Lieblingsplatz für die Spaziergänge des jungen Kaisers, wo er täglich eine Stunde auf und ab ging. Eines Tages wurde an dieser Stelle ein Attentat auf ihn verübt, aber ohne Erfolg. Aus Dankbarkeit für seine Rettung ließ der Kaiser die Votivkirche erbauen. Die gekrönten Häupter aller Länder sandten Geschenke und Gaben für den Bau der Kirche, und so kam der Marmor nach Wien, wurde aber nur am Hauptaltar in Form einer kleinen Säulenreihe verwendet, die kaum zur Geltung kommt. Der Rest des Marmors lag auf verschiedenen Bauplätzen der Stadt herum und wurde dort von Loos entdeckt. Er selbst hatte nicht das Geld, den Marmor zu kaufen, obzwar er sehr billig war. Und so bedrängte er den Juwelier

Spitz, sich diese Gelegenheit nicht entgehen zu lassen. Aber es war ein harter Kampf. Jeden Tag erfand Spitz neue Schwierigkeiten. Er konnte sich nicht entschließen, er hatte Angst vor Marmorportalen, denn seit dem Bau des Hauses am Michaelerplatz hatten viele Leute Angst vor Marmor. Er befürchtete, die Platten könnten von der Wand fallen und eventuelle Käufer verletzen oder gar töten. Er hatte Angst, daß die Pfeiler der Eingangstür zusammenbrechen würden. Jeden Tag hatte er eine neue Angst. Loos kam täglich erschöpft und wütend über so viel Dummheit nach Hause. Eines Tages stellte Spitz folgende Bedingung: Loos sollte sich schriftlich verpflichten, für alle Unkosten und Schäden, die die Marmorplatten verursachen könnten, aufzukommen und im Notfall ein anderes Portal kostenlos herzustellen. Loos unterschrieb sofort. Er kam nach Hause und erzählte mir die ganze Geschichte. Ich war sehr aufgeregt, und plötzlich hatte ich Angst und sagte: »Das hättest du nicht unterschreiben sollen.« Und da gab mir Loos ganz plötzlich eine Ohrfeige. Wir waren beide so erstaunt, daß wir zu lachen begannen. Loos wollte sich entschuldigen, aber ich nahm ihm die Ohrfeige gar nicht übel. Es war die erste, die ich im Leben bekam, und sie kam von Loos, ebenso wie der erste Kuß. Ich verstand sofort, daß ich sie verdient hatte, wenn sie vielleicht auch dem Juwelier Spitz zugedacht gewesen war.

Das Marmorportal des Spitz-Geschäftes wurde eine der schönsten Arbeiten von Loos. Der Marmor war weiß und gelb, er fiel nicht von der Wand, er tötete niemanden, und das Geschäft Spitz florierte mehr denn je. Das Lokal wurde dann in der Anschlußzeit zerstört.

Im Jänner 1919 starb Peter Altenberg. Er war schon seit einiger Zeit sehr verschlossen, schlief ununterbrochen und wollte niemanden sehen. Um schlafen zu können, trank er verschiedene Teemischungen, und das Hotelstubenmädchen erzählte uns, daß er in der letzten Zeit ein Schlafmittel nahm. Er erkrankte an Grippe, aus der eine Lungenentzündung entstand. Man brachte ihn in ein Wiener Krankenhaus. Wir waren damals am Harthof in Gloggnitz, kamen aber sofort zurück, als wir die traurige Nachricht erhielten. Obwohl wir sofort ins Krankenhaus fuhren, sahen wir Peter nicht mehr. Er war bereits tot, und im Krankenhaus erlaubte man uns nicht, von ihm Abschied zu nehmen. Loos verbrachte den ganzen nächsten Tag damit, Peter ein Ehrengrab der Stadt Wien zu erwirken, und er setzte es auch durch. Zu seinem Begräbnis kamen eine Menge Leute, die sich sehr wichtig machten, aber auch viele Frauen, die aufrichtig trauerten. Wir standen mit Karl Kraus am offenen Grab. Zu unserem größten Erstaunen hielt der Buchhändler Lanyi die Grabrede. Lanyi war ein guter Buchhändler und ein anständiger Mensch, aber Peters Grabrede hätte eine bedeutendere Persönlichkeit halten müssen. In Wirklichkeit haben Grabreden ja wenig Bedeutung, denn sie machen den Toten nicht wieder lebendig. Nach dem Begräbnis standen Loos, Karl Kraus und ich beisammen, und es entwickelte sich folgendes Gespräch, das Loos immer wieder erwähnte, so sehr gefiel es ihm. Kraus: »Ja, man muß eben so leben, daß es nicht möglich ist, daß ein Buchhändler Lanyi einem die Grabrede hält. Daran ist nur der Peter selbst schuld.« Ich: »Das kann jedem passieren. Wenn man tot ist, kann man sich ja doch nicht mehr wehren.« Loos: »Hören Sie, was sie sagt? Das kann jedem passieren.« Kraus: »Nein, mir kann das nicht passieren.« Ich: »O ja, das kann Ihnen geradesogut passieren wie Peter.« Kraus (nachdenklich): »Glauben Sie wirklich? Hmm . . .« Als Adolf Loos 1933 starb, hat Karl Kraus die Grabrede für ihn gehalten.

Wir waren traurig über Peters Tod. Aber das Leben geht weiter. Manchmal mußte ich auf 14 Tage in die Provinz fahren, um zu tanzen, nach Mährisch-Ostrau, nach Teplitz-

Schönau, nach Linz. Anfangs litt ich sehr unter diesen Trennungen, aber Loos behauptete, daß die Trennungen die Liebe stärkten. Wenn ich wieder zu Hause war, fühlte ich mich wie im Himmel. Wir erhielten viele Besuche. Wir wohnten in der Bösendorferstraße 3 im 5. Stock, ohne Aufzug, so daß jeder, der zu Besuch kam, uns wirklich gerne sehen wollte, denn man steigt nicht fünf Stockwerke gegen seinen Willen. Manchmal kam Kokoschka. Das war jedesmal ein Fest für Loos. Er liebte Kokoschka mehr als sich selbst. Oskar sprach nicht viel und wurde bei jedem Wort rot. Als er mich dann eines Tages zeichnete, wurde er zutraulicher. Er sprach sehr viel von seinem Bruder Bohuslav, der in seinen Augen ein großer Künstler, Maler und Dichter war. Wiederholt trachtete er, Loos für ihn zu interessieren. Aber Loos wollte nichts von Bohuslav wissen. Manchmal kam Bohuslav selbst und blieb den ganzen Nachmittag bei uns, und so wenig Oskar sprach, so viel schwatzte Bohuslav. Hie und da kam auch Kokoschkas Mutter zu uns. Sie erschien immer mittags, wenn sie uns sicher zu Hause wußte. Jedesmal stritt sie fürchterlich mit Loos und beschimpfte ihn, ich konnte leider nie verstehen, worum es sich handelte, und Loos antwortete ihr kaum, nickte zu allem mit dem Kopf und sagte lediglich: »Ja, ja.« Wenn sie sich endlich die ganze Wut von der Seele geredet hatte, ging sie beruhigt weg. »Was wollte sie?« fragte ich. »Lauter Unsinn«, sagte Loos, »aber ich habe Gott sei Dank beinahe nichts verstanden.« Schönberg kam hie und da, Alban Berg und Webern. Von den dreien hatten wir Webern am liebsten, er war ein feiner, liebenswerter Mensch. Ich behauptete, er wäre aus Seidenpapier, und Loos lachte.
Wir waren mit allen berühmten Schauspielern und Sängern befreundet, mit Moissi, mit Schildkraut, mit Leo Slezak und seinem Sohn Walter. Slezaks wohnten im Heinrichshof, und Walter verbrachte viel Zeit bei uns, da er zu Hause immer

mit seinem berühmten Vater stritt. Loos hatte einen Lieblingsschauspieler, und nie wurde er müde, zu sagen: »Der größte Schauspieler, den wir haben, ist Heinrich Eisenbach.« Eisenbach hatte sein eigenes kleines Theater in der Annagasse, alle seine Mitglieder waren Juden, und sie spielten nur kleine jüdische Schwänke und Komödien, aber nicht in Jiddisch, sondern in Deutsch. Eisenbachs Frau gab die Frauenrollen. Eisenbach war wunderbar, er kannte alle Nuancen des großen Schauspielers, sprach alle Dialekte, stellte die verschiedensten Typen dar, vom Fürsten bis zum Kanalräumer. Neben Eisenbach war Armin Berg der Hauptdarsteller, aber im großen und ganzen waren sie eine kleine Truppe. Das Theater war stets ausverkauft, und wir fehlten bei keiner Premiere. Eisenbach starb einige Jahre später ganz unerwartet, und das Theater löste sich auf. An seinem Platz entstand ein Revuetheater, die »Femina«.

Es war schwierig, Loos in ein Operettentheater zu locken, er langweilte sich dort. Trotzdem behauptete er, daß Franz Lehár ein viel größeres Genie als Puccini und daß Lehárs Musik unsterblich wäre. Sehr gerne ging er ins Varieté, vor allem in die beiden bekanntesten, ins Apollo und ins Ronacher, und wir waren dort beinahe Stammgäste. Ich selbst arbeitete sehr oft in beiden Theatern, Loos liebte die Akrobaten und Jongleure, aber er vermißte sichtlich die großen Nummern aus seiner Jugendzeit wie Yvette Guilbert und Loïe Fuller. Yvette Guilbert kam wohl noch nach Wien, sie war schon sehr ehrwürdig, trat auch noch auf, aber sie gab nur einen Konzertabend. Sie war noch immer imponierend und kleidete sich genauso wie in ihrer Jugend: ein einfaches weißes Kleid ohne Ärmel und lange schwarze Handschuhe bis zu den Schultern. »Ihre Kunst hat nicht gelitten, im Gegenteil«, sagte Loos. Ich sah sie zum erstenmal, und sie machte großen Eindruck auf mich.

Wir besuchten natürlich alle Tanzabende, schon meinetwegen. Wir sahen immer wieder die Wiesenthals, die Sacharoffs, Lucie Kieselhausen, Ronny Johannson, die Koutznezova und andere. Wir gingen oft in die russische Kleinbühne zu Juschniggs »Blauem Vogel« und zu Fritz Wiesenthal in sein Kellertheater, wo wir uns halbtot lachten.

Tagsüber arbeiteten wir. Die Siedlungsbewegung machte Fortschritte. In Lainz wurden bereits zwei Häuser von Loos gebaut. Auch andere Siedlungen betreute er, zum Beispiel die Siedlung am Heuberg. Die Leute bauten dort selbst ihre Häuser. Wir gingen manchmal unter Tags hin, aber wochentags schafften nur die Frauen, da die Männer auf ihren Arbeitsplätzen waren. Die Frauen setzten Ziegel auf Ziegel, langsam und vorsichtig, so wie Loos es sie gelehrt hatte, denn er wußte, wie man Ziegel zu behandeln hat. Er pflegte zu sagen: »Wenn du dir einen Ziegelkamin bauen willst, suche dir einen schönen Ziegel aus dem Haufen aus und trage ihn langsam und vorsichtig ins Haus. Und so einen nach dem anderen, bis du alle Ziegel, die du für deinen Kamin benötigst, im Hause hast. Nur so kannst du hoffen, einen schönen Ziegelkamin zu bekommen.«

Der Sonntag war ein herrlicher Tag. Am Vortag ging Loos oft auf den Neuen Markt, kaufte einen großen Kapaun und meistens auch eine Gansleber. Mitzi bereitete beides herrlich zu und machte außerdem Indianerkrapfen und andere Lekkerbissen. Wir waren auf dem besten Wege, gute Bürger zu werden. War es Gott oder der Teufel, der das verhindert hat?

In all diesen Jahren erhielten wir sehr viele Einladungen. Loos pflegte zu sagen: »Wir werden zum Tee herumgereicht.« Loos bestand immer auf meiner Begleitung, so ging ich natürlich mit. Da waren Leute, die uns einluden, damit Loos ihre Bilder oder Teppiche begutachten möge. Andere, die von einem möglichen Hausbau oder Umbau träumten und glaubten, daß Loos ihnen bei einer Tasse Tee Ratschläge geben würde. Meistens waren diese Besuche verlorene Zeit, aber Loos meinte, man könne nie wissen, wen man anträfe, und wurde nie müde, neue Leute kennenzulernen. Bei diesen Tees kam es öfters zu komischen Situationen. Einmal waren wir bei Leuten zu Gast, die in einem Haus von Strnad wohnten, das Haus war neu und die Leute scheinbar sehr stolz darauf. Gleich beim Eintreten begann Loos alle Fehler des Hauses heftig zu kritisieren. Er hatte natürlich in allem recht, aber die Besitzer des Hauses waren bleich vor Wut. Wir traten ins Wohnzimmer, ein langer, öder Raum, der auf beiden Seiten Fenster hatte. Loos schrie: »Sagen Sie diesem Stümper, dem Strnad, daß nur *ein* Architekt auf Erden es sich erlauben darf, von beiden Seiten des Raumes Licht ins Zimmer fallen zu lassen. Dieser Architekt bin ich. Nur ich kann mich mit Raum und Licht auseinandersetzen.«

Die Hausherren waren sichtlich bestürzt, zum Glück aber kamen andere Gäste herein und die Angelegenheit wurde vergessen. Der Tee wurde gereicht, die Brötchen, die Kuchen, so wie immer. Alle Leute redeten gleichzeitig, lachten, diskutierten und waren geistreich. Loos saß still in einer Ecke und sprach nur hin und wieder mit einem Bekannten ein paar Worte. Als wir aufstanden, um wegzugehen, schloß sich uns eine Dame an und begleitete uns ein Stückchen. Sie begann Loos ins Ohr zu schreien: »Ach, Herr Loos, wie schrecklich muß das sein, nichts hören zu können, an so interessanten Gesprächen und an all dieser Unterhaltung nicht teilnehmen zu können.« Loos blieb stehen und sagte: »Meine verehrte Dame, das ist ein großer Irrtum. Ich kann ja auch nicht hören, was momentan in Chikago oder San Franzisko gesprochen wird, und das ist vielleicht noch viel interessanter.« Wie hieß es in den »Fliegenden Blättern«? Tableau.

Bei einer dieser klassischen Teegesellschaften stellte man Loos ein Ehepaar vor, welches die ernste Absicht hatte, seine

Wohnung umbauen zu lassen. Es war gerade zu einer Zeit, da Loos wieder einmal gar keine Arbeit hatte, und ich war sehr froh über diesen Auftrag. Am nächsten Tag waren wir bei dem Ehepaar eingeladen. Sie besaßen ein Haus in Döbling, bewohnten aber nur das Erdgeschoß, da sie im ersten Stock einen Zwangsmieter hatten. Die Wohnung war sehr hübsch, aber man wollte eine Loos-Wohnung haben und scheute auch nicht vor einem eventuellen Umbau zurück. Loos erklärte sofort: »Vor allem müssen sie den Zwangsmieter hinausschmeißen, denn um etwas Schönes zu machen, muß ich nach oben durchbrechen können.« Hausbesitzer: »Das ist ganz unmöglich, Sie wissen doch, es gibt Gesetze, und ich kann dem Mieter auf keinen Fall kündigen, er steht doch unter Mieterschutz.«

Loos: »Versuchen Sie es auf alle Fälle. Ich kann Ihnen ein sehr schönes Haus herstellen, aber der Mieter muß hinaus.«

Besitzer: »Das ist ganz unmöglich.«

Loos: »Nichts ist unmöglich.«

Nach acht Tagen ein neuer Besuch.

Der Besitzer: »Ich habe alles versucht. Mit Güte, mit Geld, mit Drohungen. Der Mieter will unter gar keinen Umständen ausziehen.«

Loos: »Dann ist nichts zu machen. Es ist nicht der Mühe wert, anzufangen, wenn wir den ersten Stock nicht haben.«

Die Frau des Besitzers: »Aber, Herr Loos, machen Sie uns doch wenigstens ein Speisezimmer aus Marmor, so wie ich es bei Frau Goldman gesehen habe, ich träume von einem solchen Speisezimmer, ich will den ersten Stock gar nicht.«

Loos: »Versuchen Sie es wieder, werfen Sie den Mieter hinaus. Wenn er draußen ist, brechen wir durch.«

Ich (zu Hause): »Warum bestehst du darauf, daß sie den Mieter hinauswerfen, wenn es doch ganz unmöglich ist? Mach ihnen doch ein Marmorspeisezimmer, wir brauchen das Geld so dringend.«

Loos: »Schau her, wenn ich den ersten Stock habe und durchbrechen kann, kann ich ein wunderschönes Haus bauen. Ich habe eine herrliche Idee im Kopf. Wenn ich nachgebe, begnügen sie sich natürlich mit dem Marmorspeisezimmer, aber das interessiert mich nicht. Aus diesem Haus kann man etwas sehr Schönes machen. Aber der Zwangsmieter muß hinaus.«

Vierzehn Tage später.

Der Besitzer: »Alles vergeblich. Ich bekomme den Mann nicht hinaus. Bitte, Herr Loos, verstehen Sie das und machen Sie aus dem Erdgeschoß eine neue Wohnung.«

Loos ging nie mehr zu diesen Leuten. Ihn interessierte es weder, daß wir das Geld notwendig brauchen, noch der Wunsch der Frau, ein Marmorspeisezimmer zu besitzen. In seiner Vorstellung war »Das Werk« entstanden, und nur das hatte Bedeutung. Er sah das neue Haus als Ganzes, und nur das konnte gebaut werden.

17.

Millionäre

Wenn auf meiner Stirn Falten erschienen, wußte Loos sofort, daß ich Geldsorgen hatte. Ich habe die Kunst, mir keine
Sorgen zu machen, leider nie erlernt. Vor der Zukunft hatte
ich keine Angst, ich war damals vollkommen überzeugt, daß
ich eine brillante Karriere machen würde, und in meiner
Vorstellung beendeten Loos und ich unseren Lebenslauf als
schwerreiche Leute. Nur die Gegenwart war ziemlich kompliziert. Obwohl ich sehr viel arbeitete, mit Engagements
überhäuft war (Hugo Knepler, der liebe Mensch, war mein
Agent und pflegte zu sagen: »Man trägt heuer wieder Elsie
Altmann.«), obwohl auch Loos wieder Arbeit hatte, waren
die Zeiten schwer, die Inflation wurde immer schlimmer.
Das Geld reichte nie. Wir gaben immer mehr aus als wir
verdienten. Loos half nach wie vor allen bedrängten Genies,
niemand hätte ihn daran hindern können. Ich hatte kaum
etwas anzuziehen, was nach den Kriegsjahren kein Wunder
war. Loos hatte eine gute Garderobe, seine Anzüge waren
erstklassig. Da seine besten Kunden Schneider waren (Goldman, Salatsch und Kniže), konnte er häufig einem besonders
schönen Anzug oder Mantel nicht widerstehen. Ich fand
das ganz natürlich. Loos fand auch für mich einen Ausweg. Er schloß eine Vereinbarung mit dem Modesalon
Spitzer, Hoflieferant und ein wirklich erstklassiges Haus.
Frau Spitzers Schmuck, der in einem Safe in einer Bank
deponiert war, wurde nach dem Krieg beschlagnahmt. Loos
nützte seine Verbindungen aus, und Frau Spitzer bekam

ihren Schmuck zurück, den sie als Garantie für Stoffe und Modellankäufe in Frankreich benötigte. Als Dank für Loos' Hilfe versprach sie, mich immer gratis anzuziehen. Mit der Zeit wurde es Loos' Lieblingssport, zu Spitzer zu gehen, alle Modelle anzusehen und Kleider für mich zu bestellen. Bald war ich eine elegante Frau, und Loos war glücklich. Er sagte des öfteren: »Ich kann keine Auslage betrachten. In jedem Kleid steckst du drin, dein Kopf schaut aus jeder Bluse heraus, unter jedem Hut sehe ich dein Gesicht. Da gehe ich dann rasch zu Spitzer und suche dir etwas aus.« Die Rechnung bei Spitzer wuchs ins Blitzblaue. Aber Loos war überzeugt, daß Frau Spitzer ihr Wort halten würde. Leider war das nicht der Fall, und nach unserer Trennung strengte ihr Mann einen Prozeß gegen uns an. Loos mußte die Rechnung bezahlen, so sehr er sich auch dagegen wehrte.

Das Haus, in dem wir wohnten, gehörte dem alten Baron Königswarter. Eines Tages kam er zu uns und sagte: »Herr Loos, ich nehme von Ihnen keinen Zins mehr an. Machen Sie sich keine Sorgen über eine eventuelle Zinssteigerung. Es ist für mich eine Ehre, daß Sie in meinem Hause wohnen. Adieu.« Wir zahlten also keinen Zins und keine Kleider, aber trotzdem reichte das Geld nie. Mitzi behauptete, wir hätten zu viele Gäste bei Tisch (sicher hatte sie recht). Meine Mutter behauptete, wir gäben zuviel Geld in den Nachtlokalen aus (sicher hatte sie recht). Loos lachte nur und sagte: »Das Beste, was man während einer Inflation machen kann, sind Schulden.«

Aber mich bedrückten diese Schulden, und Loos sah es mir an. So nahm er mich eines Tages beiseite und begann mit seinem Unterricht über Geldangelegenheiten. Er sagte: »Sag einmal, leben wir nicht wie Millionäre? Wieviel geben wir monatlich aus?« Wir rechneten: soundso viel für Lebensmittel, Mitzis Lohn, Schuhe, Telephon etc. Die Endsumme ergab mehr oder weniger dieselbe Zahl, die die Zinsen für eine Million Kronen betragen würden, wenn wir diese Million in einer Bank liegen hätten. »Siehst du, daß ich recht habe, wir leben wie Millionäre. Du mußt dir nur vorstellen, daß du eine Million Kronen in der Länderbank liegen hast, und dann hast du schon keine Sorgen mehr.« Aber so sehr ich mich auch bemühte, ich konnte mir die Million in der Länderbank nicht vorstellen und zog es vor, zu arbeiten. »Ja«, sagte Loos, »du bist eben keine wirkliche Aristokratin.« (Womit er vollkommen recht hatte.) »Nur die wirklichen Aristokraten können leben, ohne zu arbeiten. Die anderen Menschen haben keine Nervenkraft zum Müßiggang.« Jedes Jahr geschah irgendein kleines Wunder, das uns weiterhalf. Einmal war es mein Vater, der mir eine große Geldsumme schenkte. Ein anderes Mal verkaufte Loos einen uralten Teppich, der bei uns an der Wand hing, an einen Sammler in die Schweiz. Da atmete ich für einige Zeit wieder auf. Die Schulden wurden bezahlt, und man hatte wieder Kredit. Da die Zeiten nicht besser wurden, spielte ich hie und da ein wenig auf der Börse. Manchmal gewann ich eine kleine Summe, aber mir machte die Börse keinen Spaß. Loos spielte nie, weder auf der Börse noch sonst irgendwelche Glückspiele. Er kannte kein Karten- oder Würfelspiel, es interessierte ihn einfach nicht. Aber auch er spekulierte. Eines Tages erschien er mit einem Kollier aus Hunderten von kleinen Münzen aus der römischen Zeit. Er hatte es bei einem Antiquitätenhändler entdeckt und sein ganzes Geld dafür ausgegeben. Die Münzen sahen wirklich uralt aus, waren verwischt und hatten meistens ihre runde Form verloren. Loos sagte: »Schau, diese Münzen sind natürlich gefälscht, denn wenn sie alle echt wären, wäre dieses Kollier viele Millionen wert. Aber wenn auch nur eine echte Münze darunter ist, nur eine einzige, so sind wir schon wirkliche Millionäre. Ich habe mein ganzes Geld dafür ausgegeben.«

Er trug das Kollier ins Museum, wo Münze für Münze genau untersucht wurde. Aber trotz genauester Forschung waren wir nachher doch keine Millionäre. Das Kollier kam niemals mehr zum Vorschein, ich weiß nicht, wo Loos es gelassen hat. Ein anderes Mal erschien er mit einem riesigen Bernsteintropfen, in dem eine wunderschöne grüne Fliege eingeschlossen war. Der Tropfen war durchlöchert und mit einem Schnürchen durchzogen, so daß man ihn um den Hals tragen konnte. Das Stück war chinesischer Herkunft. Loos hatte es wirklich sehr billig erstanden. Er war vom ersten Augenblick an überzeugt, einen Millionenfund gemacht zu haben. Das Schmuckstück war, wenn es echt war, ein Museumsstück, denn um einen so großen Bernsteintropfen zu erzeugen, mußte die Natur viele Jahrhunderte lang gearbeitet haben. Der Tropfen wanderte auch ins Museum, wo er monatelang untersucht wurde. Ja, der Bernstein war echt. Aber die Fliege, war sie eine echte Fliege? Gab es zu der Zeit, als sich der Bernsteintropfen zu bilden begann, solche Fliegen in China? Die weisen Männer im Museum studierten die Sache gründlich und lange Zeit. Ergebnis: Die Fliege war keine Fliege, sie war eine Imitation. Solch eine Fliege gab es nicht und nirgends und hatte es niemals gegeben. Wieso die Chinesen so schnell einen derart riesigen Bernstein um sie herum erzeugen konnten, blieb unaufgeklärt. Man gab mir meinen Tropfen zurück, und ich legte ihn mit anderen Hoffnungen beiseite.

Trotzdem lebten wir manchmal wie richtige Millionäre. Eines Tages, wir waren vielleicht ein Jahr verheiratet, brachte Mitzi eine Visitenkarte in den Salon, auf dem der Name »Maurice Dekobra« stand. Dekobra, der bisher ein mittelmäßiger Journalist gewesen war, hat später einen Bestseller geschrieben: »La madonne des sleepings«. Er kam aus Paris und brachte eine Empfehlung an Loos mit. Er reiste mit einem befreundeten Ehepaar, M. et Mme Paul Verdier, mil-

lionenschwere Kaufleute, die in Paris und in San Franzisko
ihre Geschäfte hatten. Sie reisten mit einem ganz neuen Auto
durch Europa und hatten Dekobra eingeladen, sie zu begleiten. Mme Verdier war eine wunderschöne Frau, M. Verdier
ein sehr übelgelaunter Ehemann. Dekobra war von der Reise
schon ein wenig ermüdet, aber Loos frischte die ganze Expe-
dition auf. Ich nahm mich Frau Verdiers an und führte sie
überall hin, wo es etwas zu kaufen gab. Sie erstand vier
Maulwurfmäntel, einen Zobelmantel, auch Schuhe, Handschuhe, Taschen, sie kaufte Tassen und Teller, sie kaufte
kiloweise Bonbons, nur Strümpfe kaufte sie keine, denn ihr
Mann war unter anderem auch Strumpffabrikant. Sie sprachen mit mir französisch und mit Loos englisch, und es hatte
den Anschein, daß sie ohne uns nicht leben könnten. Wir
fuhren mit ihnen auf den Semmering, wir führten sie in die
teuersten Restaurants und in alle Nachtlokale, und obwohl
mir die hohen Rechnungen Schwindel verursachten, fanden
sie alles billig. Nach 14 Tagen entschlossen sie sich zur
Weiterreise, aber wir mußten sie begleiten. Zuerst verbrachten wir mit ihnen vier Tage in Prag. Zur großen Freude
Dekobras stellten wir ihnen Karel Čapek und seinen Bruder
Josef vor. Loos bestürmte die Čapeks, ihm einen armen,
genialen Maler vorzustellen, der Hilfe benötigte. Die Čapeks
lieferten den Maler und seine Bilder pünktlich in unserem
Hotel ab. Loos brachte die Verdiers dazu, 3000 Tschechen-
kronen für ein Bild auszugeben, das sicher einmal viel mehr
wert sein würde. Die Verdiers kauften das Bild, aber ich
glaube sie erstanden es nur, um darüber lachen zu können.
Sie stellten es verkehrt auf oder hängten es quer über die
Wand, betrachteten es, und immer gab es den gleichen Lacherfolg.
Von Prag aus fuhren wir weiter nach Karlsbad. Obwohl die
Saison noch nicht begonnen hatte, war das Hotel Imperial
geöffnet, und wir stiegen dort ab. Es war das erste Mal in

meinem Leben, daß ich in einem Luxushotel wohnte. Das
Hotel gefiel sogar Loos, seine Einrichtung war typisch ame-
rikanisch und sehr gepflegt. Ich konnte abends kaum einschlafen, als ich in dem riesigen Luxusbett lag und die mit
Kreton bespannten Wände betrachtete. Loos sagte: »Armes
Elsili, es ist das erste Mal, daß du so lebst. Jetzt kannst du
also ausprobieren, wie wirkliche Millionäre leben.« Dann
sagte er noch: »Du weißt nicht, wie weh es mir manchmal
tut, daß wir so arm geworden sind. Bessie hat mehr Glück
gehabt, mit ihr bin ich immer in den besten Hotels abgestie-
gen und habe ihr alles kaufen können. Wir müssen von Wien
weg«, sagte er, »wir müssen weg.«
Von Karlsbad fuhren wir nach Dresden, in der Hoffnung,
Kokoschka dort anzutreffen. Aber er war leider abwesend.
In Dresden sah ich einmal zufällig in den Spiegel und erschrak, denn ich hatte so viel an Gewicht zugenommen, daß
ich meinen Augen nicht traute. Natürlich: Wir hatten nichts
anderes getan als Autofahren, mittags und abends aßen wir
Hummer, Kaviar, Gansleber, Hühner, Gänse, Torten, Eis-
cremes und tranken die besten Weine und Champagner. Wir
führten eben ein Millionärsdasein. »Dolfili«, sagte ich, »fahren wir rasch nach Hause. Wenn ich so weiterlebe, werden
mir meine Tanzkostüme zu eng werden.« Auch Loos war
des zu guten Lebens überdrüssig geworden. Wir fuhren mit
dem Zug nach Wien und unterhielten uns großartig, weil wir
wieder allein und arm waren.
Wir trafen das Ehepaar Verdier noch viele Male. Sie besuchten uns immer, wenn wir in Nizza waren, und auch wir
suchten sie in ihrem wahrhaft scheußlichen Petit Palais in
Paris auf. Einmal fuhren wir mit ihnen und Dekobra mit
dem Wagen die ganze Côte d'Azur entlang bis Marseille, wo
wir nichts anderes taten, als Hummer und Bouillabaisse
essen. In Juan-les-Pins besaßen die Verdiers ein sehr schönes
Grundstück, und anläßlich einer Besichtigung gaben sie

Loos den Auftrag, dort ein Haus für sie zu bauen. Loos entwarf wohl die Pläne, aber das Haus wurde leider nie gebaut.

Die Verdiers verhalfen Loos in späteren Jahren dazu, seine Kokoschka-Bilder, die er noch vor dem Eintritt Amerikas in den Krieg zur Weltausstellung nach San Franzisko (1915) gesandt hatte, zurückzubekommen. Es handelte sich um elf große Bilder: Loos, Bessie, Dr. Schwarzwald, Emmy Heim, Ludwig Ficker, Selbstporträt, Frau Hirsch, Schönberg, Karl Kraus, Baron Dirsztay und Raffael Schermann. Obwohl wir schon im Jahre 1921 begonnen hatten, die Bilder zurückzufordern, bekam sie Loos erst im Jahre 1929, als er sich eben mit Claire Beck verheiratet hatte, zurück. Er verkaufte in den folgenden Jahren ein Bild nach dem anderen, wie immer an Fritz Wolff, den Kniže-Wolff, wie die Leute ihn nannten. Die ersten Bilder dienten ihm noch dazu, mit Claire in Paris und Nizza leben zu können, aber die letzten verwendete er, um seine Krankheitskosten zu bestreiten. Als das letzte Gemälde verkauft war, starb er.

18.

Loos auf Reisen

Die riesige Reisetasche aus Sohlenleder war sicher bereits
mehr als dreißig Jahre alt. Sie hatte Loos auf allen seinen
wichtigen Reisen begleitet. Natürlich war sie schon sehr
schmutzig, aber sonst war alles tadellos, keine Naht war
geplatzt, kein Riemen abgerissen. Neben meinen noch ganz
neuen Legekoffern sah sie wie ein alter Patriarch aus. Und
dann besaß Loos noch eine Krokodilledertasche. Sie war
etwas kleiner als der Lederkoffer, aber für eine Krokodiltasche war sie sehr groß. Auf kleinen Reisen genügte sie völlig
für uns beide. Sie war mehr als ein Koffer, sie war sozusagen
ein Familienmitglied.
Es war im März 1920. Ich hatte soeben ein Gastspiel in
München im Ballett der Münchner Kammerspiele, beendet.
Als ich nach der letzten Vorstellung ins Hotel kam, saß Loos
mitten im Zimmer. Er war gerade aus Wien angekommen,
hatte noch Hut und Mantel an, und die beiden Reisetaschen
standen neben ihm. Meine Freude war genauso groß wie
meine Überraschung, denn ich sollte am nächsten Tag nach
Wien zurückfahren. Aber Loos erklärte: »Morgen mußt du
dir das französische Visum verschaffen. Wir fahren nach
Paris.«
Während ich mein Gastspiel in München absolvierte, war
ein junger Mann, M. Berque, aus Paris nach Wien gekommen. Sein Vater war Champagneragent, aber der Sohn führte
eine Kunsthandlung. Er hatte Loos aufgesucht und ihn eingeladen, nach Paris zu kommen und ein Haus für seine

Eltern zu bauen. Zumindest wollte er vorläufig die Pläne bestellen. Loos willigte sofort ein, und da keine Zeit blieb, mich zu verständigen, fuhr er direkt nach München, um mich zu holen. Und da saß er nun, mit seinen zwei Lederkoffern, mitten im Zimmer, und teilte mir seine Pläne mit. – »Wieviel Geld hast du erspart?« fragte er mich. Ich sparte immer sehr, wenn ich auf Gastspielen war. Loos war mit dem Resultat zufrieden. »Ich habe alles einkassiert, was man mir schuldig war«, sagte er. »Wenn wir sparsam sind, können wir eine wunderschöne Reise machen.«

Loos war ein Packkünstler. In der Krokodiltasche hatte er alle seine persönlichen Sachen untergebracht. Aber die große Sohlenledertasche war vollkommen leer. Am nächsten Vormittag besorgten wir das französische Visum für mich. Am Nachmittag nahm Loos die leere Ledertasche und ging aus. Als er nach drei Stunden zurückkam, war der Koffer zum Bersten voll. In Wien gab es noch sehr wenig zu essen, aber in Deutschland hatte es immer Konserven gegeben, und Loos brachte den Koffer gefüllt mit Büchsen zurück: Bohnen mit Speck, Speck mit Bohnen und so weiter. Loos meinte: »Ich will, daß du die ganze Schweiz kennenlernst. Wir fahren über den Bodensee und dann durch die Schweiz nach Paris. Gib mir dein ganzes Geld.«

Das war unsere erste gemeinsame Reise. Wir unternahmen später noch viele Reisen, und immer fuhren wir 3. oder 4. Klasse und meistens nachts, um Hotelkosten zu ersparen. Niemals nahmen wir einen Träger und schleppten stets unser zahlreiches Gepäck selbst. Wir betraten nie einen Speisewagen, aßen Brot und Schokolade oder Äpfel oder sonst irgend etwas.

Während der Fahrt zum Bodensee hielt mir Loos seinen ersten Vortrag über das Reisen. »Die Wiener sind alle Trottel«, behauptete er, »sie können nicht reisen. In Monte Carlo gehen sie in die teuersten Luxushotels, die für die reichen

Amerikaner gebaut wurden, und sind ärmer als der Liftboy. Natürlich reicht ihr Geld nur für eine Woche Aufenthalt, und wenn sie wegfahren, haben sie nichts gesehen. Ich will, daß du lernst, wie ein armer Österreicher reisen soll.« Wir fuhren also mit unseren zahlreichen Koffern, darunter auch meinen Kostümkoffern, über den herrlichen Bodensee und weiter nach St. Gallen. In vielen Orten hatte Loos Bekannte, und wir machten große Umwege, um diese zu besuchen. Aber meistens waren sie abwesend, auf Reisen oder in einem Sanatorium; aber wir hatten wenigstens den Ort kennengelernt. Abends suchten wir stets das kleinste, billigste Hotel, und Loos hielt fol-gende Ansprache an den Portier: »Wir sind arme Österreicher, geben Sie uns das billigste Zimmer, das Sie haben.« Und, o Wunder, immer gab man uns das billigste Zimmer, und immer war es sauber. »Natürlich«, meinte Loos, »wenn man kommt und irgend-ein Zimmer verlangt, zeigen sie einem das teuerste. Aber so wissen sie gleich, wie sie dran sind, und sind noch dankbar, weil sie keine Zeit verlieren.« Nachher ging er mit ein oder zwei Konservenbüchsen in die Küche und sagte zum Koch: »Wir sind arme Österreicher und können in kein Restaurant gehen, bitte wären Sie so liebenswürdig und würden Sie uns diese Büchsen öffnen und wärmen?« Dann kam er mit den geöffneten Büchsen, mit Brot und Besteck ins Zimmer zu-rück, und das Festmahl begann. Wenn mir das Essen nicht schmeckte, war er sehr böse, und ich mußte alles aufessen. Tatsächlich reisten wir durch die ganze Schweiz, die deutsche und die französische Schweiz. In Zürich besuchten wir Freunde, wo wir uns einige Tage von den Bohnen erho-len konnten. Als wir in Montreux ankamen, war es bereits Nacht. Loos wollte unbedingt, daß ich am nächsten Tag den »Dent du Midi« sehen sollte. Aber am Morgen war es sehr bewölkt. Loos war verzweifelt, denn unser Zug nach Paris fuhr um zwei Uhr nachmittags ab. Alles hing davon ab, ob die Wolkendecke aufreißen würde oder nicht. Wir standen am Seeufer und starrten in den Himmel. Und wirklich, eine Minute bevor wir zum Zug mußten, zerrissen die Wolken und ich sah den »Dent du Midi«. »Komm«, sagte Loos und schleppte mich zum Bahnhof.

In Paris fanden wir schnell viele Freunde. Vor allem George Berque mit seiner Familie, dann den österreichischen Presseattaché Paul Zifferer, der mir sofort ein Engagement an das Theatre de L'Oeuvre verschaffte, wo damals Lugné-Poë herrschte. Ich gab vier Tanzabende in diesem Theater; der Verdienst war sehr gering, aber Paris ist wichtig für jeden Künstler. Loos fand alte Freunde aus der Vorkriegszeit wieder, Georges Besson, Direktor der »Cahiers d'aujourd'hui«, Leon Werth, André Jourdain. Außerdem trafen wir Le Corbusier und Jean Wiener und lernten die Musiker der Gruppe »Les Six« kennen. Es waren Arthur Honegger, Darius Milhaud, Francis Poulenc, Louis Durey, Georges Auric und eine Frau: Germaine Tailleferre. Milhaud und Poulenc sahen wir am häufigsten, die anderen kannte ich nur flüchtig. Honegger war fast immer auf Reisen. Der ziemlich dicke und lustige Darius Milhaud eröffnete damals in Paris eine Boite, »Le boeuf sur le toit«. Er verdiente recht viel Geld mit seinem »Ochsen auf dem Dach«, obwohl er es gar nicht nötig hatte, denn seine Eltern waren reich. Vielleicht war er deswegen immer bei bester Laune.

In Paris verwöhnten uns alle, wir waren ununterbrochen eingeladen. Loos führte mich in den Cirque Medrano, um mir die Fratellinis zu zeigen. Wir gingen ins Casino de Paris, um Mistinguett und ihre neueste Entdeckung, Maurice Chevalier, zu sehen. Wir besuchten den Louvre und das Museum du Luxembourg, wir gingen auf den Champs Elysées spazieren und lachten gemeinsam mit den Kindern über das Guignol. Man führte uns zu Prunier – ich aß nur Kaviar und trank Chateau d'Yquem – und zum Tour d'Argent, um die berühmte Ente zu kosten. Wir sahen alles, Notre-Dame, les Invalides, die Madeleine, die Brillanten in der Rue de la Paix, das Pantheon. Manchmal gingen wir allein auf der Ile de la Cité spazieren, nur um die Seine recht nahe zu haben. Bald war ich in Paris zu Hause.

In Zürich stießen wir auf das Ballett der Wiener Staatsoper, das gerade ein Gastspiel beendete. Sie hatten einen eigenen Zug gemietet und luden uns ein, mit ihnen zurückzufahren. So machten wir eine lange und gemütliche Reise. Lange, weil wir, als wir die Schweizer Grenze passiert hatten, sofort ohne Lokomotive blieben und unsere Waggons nur hie und da an irgendeinen Zug angehängt wurden. Gemütlich, weil mich alle Tanzlehrer kannten und ich ihnen und ihren Frauen half, die Wiener Ballettkinder zu betreuen. Die Reise von der Grenze bis nach Wien dauerte ungefähr fünf Tage, aber sie war gratis. Es waren uns noch einige Konserven geblieben und wir aßen sie unterwegs. So kamen wir glücklich nach Hause.

Ich hatte also gelernt, wie arme Österreicher reisen müssen. Aber noch etwas anderes hatte ich dazugelernt. Ich lernte Adolf Loos kennen, Adolf Loos auf Reisen. Er unterschied sich ganz bedeutend von meinem Mann aus Wien, an den ich gewöhnt war. In Wien war das Leben, wenn auch immer interessant, so doch auch gemütlich. Auf Reisen war Loos unerbittlich in jeder Beziehung. Er, der keine Müdigkeit kannte, erlaubte auch mir weder Müdigkeit noch Unlust zu irgendeiner seiner Unternehmungen. Auf Reisen interessierte er sich weder besonders fürs Schlafen noch fürs Essen. Ich gewöhnte mich an die harten Holzbänke der 3. Klasse, auf denen wir die Nächte in den Zügen zubrachten. Ich gewöhnte mich an die schmutzigen Pariser Hotels. Ich gewöhnte mich an das Kofferschleppen und an die schrecklichen Leute, die wir meistens als Reisegefährten hatten. Ich sah, wie wichtig es für Loos war, aus Wien herauskommen zu können, und hütete jede Centime. Ich stand verzaubert vor den Pariser Auslagen, aber nie konnte ich mir auch nur ein Taschentuch kaufen. Wir waren eben arme Österreicher. Obwohl Paris eine großartige Stadt ist, fühlte ich mich nie glücklich in ihr. Als wir nach unserer langen Reise durch die ganze Schweiz endlich in Paris eintrafen und in einem unglaublich schmutzigen Hotel ein Zimmer nahmen, warf Loos rasch unsere Koffer ins Zimmer und sagte: »Komm sofort mit, damit ich dir noch heute Nacht die Boulevards zeigen kann.«

Es war bereits spät nachts, und ich war schmutzig und müde, aber es half mir nichts, ich mußte mit. Wir gingen über den Boulevard des Capucines, der taghell erleuchtet war und so voll von Menschen, alle lachten, alle waren gut aufgelegt. Ich aber spürte die lange Reise in den Knochen und die vielen Bohnen im Magen, und plötzlich blieb ich stehen und begann laut zu weinen. Ich wollte nach Hause. Ich fühlte mich wie ein Dirndl vom Land unter all diesen Siegern. Loos sah mich an und verstand mich nicht. Es war das erste Mal, daß er mich nicht verstand. Aber er führte mich ins Hotel und trachtete, mich zu beruhigen. Er verstand schließlich, daß meine Nerven überspannt waren, und ließ mich ausruhen. Aber er konnte nicht begreifen, wie man in Paris weinen konnte.

Wie oft denke ich an diesen ersten Abend in Paris! Ich war so unglücklich, als ob ich vorausfühlte, daß diese Stadt mir eines Tages Loos rauben würde!

Am nächsten Tag begann unser Pariser Leben, Besuche, Besprechungen, Rendezvous mit allen möglichen Leuten. Ich mußte überall mitgehen, denn ich war seine Dolmetscherin. Loos sprach nicht französisch und konnte es wegen seiner Schwerhörigkeit auch nicht mehr erlernen. Wir hatten keine freie Minute, aber die Leute waren so lieb und freundlich, daß mir die Dolmetscherei Freude bereitete. Außerdem

15 Elsie Altmann tanzt den »Radetzky-Marsch«, 1920.

16 Tanzabend in Paris, Maison
   de l'Oeuvre: Elsie Altmann
   tanzt die »Altdeutschen
   Tänze« von Beethoven.

17 Elsie Altmann tanzt die »Ga-
   votte« von Méhul, 1920.

18 Adolf und Elsie Loos, am Gänsehäufel in Wien.

19 Adolf und Elsie Loos in Westerland auf Sylt, Sommer 1921.

20 »Loos wollte eine Photographie von mir haben, mit den Tauben
    auf dem Markusplatz.«

21 Kaminnische der Wohnung von Adolf Loos, seit 1958 im Historischen Museum der Stadt Wien aufgestellt. Links das Kokoschka-Porträt von Elsie Altmann-Loos.

lernte ich viele Dinge in Paris, die man in Wien nicht lernen kann. Ich lernte Austern, Schnecken und Artischocken essen, ich lernte, nicht zu erschrecken, wenn ich nackte Frauenkörper auf der Bühne sah. Aber es gab auch viele Sachen, die ich nie erlernen konnte und nie erlernte. Jedoch während dieses ersten Besuches war von ihnen noch nicht die Rede. In all den nächsten Jahren reisten wir sehr viel.

Loos versäumte keine Gelegenheit. Im Sommer 1921 tanzte ich zwei Monate in Karlsbad und in Marienbad in Nachtlokalen. Es handelte sich dabei um gutbezahlte Engagements. Loos erschien am letzten Tag des Vertrages, und wir fuhren sofort nach Hamburg. Wir durchkreuzten ganz Deutschland in einem Abteil 4. Klasse. Um 5 Uhr früh kamen wir in Hannover an. Dort hatte der Zug eine Stunde Aufenthalt. »Komm«, sagte Loos, »wir werden uns Hannover ansehen.« Und so liefen wir im Morgengrauen durch Hannover, eine schöne, alte Stadt. Natürlich war alles geschlossen, und die Menschen schliefen noch. Wir rannten durch die Straßen, bewunderten alles, und glücklicherweise versäumten wir nicht die Abfahrt des Zuges. Als wir um 7 Uhr in Hamburg eintrafen, stiegen wir in einem ganz guten Hotel ab, und ich stürzte mich sofort in die Badewanne, mit der Hoffnung, nachher mindestens sechs Stunden schlafen zu können. Aber ich war noch in der Wanne, als Loos schon stürmisch an die Tür klopfte und rief: »Beeile dich, in fünfzehn Minuten nehmen wir einen Touristenautobus, der uns durch ganz Hamburg führt.« 15 Minuten später kletterten wir tatsächlich in einen zweistöckigen Bus und besichtigten Hamburg. Ich war sehr schläfrig, aber die frische Luft und Loos' Begeisterung weckten mich auf. Mittags aßen wir dicke Beefsteaks in einem kleinen Restaurant mitten auf der Elbe. Am Nachmittag fuhren wir zum Alsterpavillon und tranken Tee, dann gingen wir durchs Hamburger Villenviertel spazieren. Gegen Abend bestiegen wir ein kleines Schiff, das uns in zwei

Stunden den ganzen Hafen zeigte, und nachts gingen wir nach St. Pauli. Dort muß ich zwischen Matrosen und Prostituierten eingeschlafen sein, denn ich erinnere mich nicht, wie ich nach Hause kam.

Von Hamburg fuhren wir nach Westerland auf Sylt. Loos wollte diese Insel kennenlernen, und es war der Mühe wert. Wir wohnten in einem billigen Zimmer und lebten fast ausschließlich von geräuchertem Fisch. Wir wanderten auf der Insel umher und besichtigten den Fischerfriedhof mit seinen uralten Grabsteinen, das Dorf, in dem eines Tages alle Männer ertrunken waren, wir sahen die kleinen Robben, die paarweise auf den Felsen sitzen und ins Meer platschen, wenn sich ihnen jemand nähert. Wir badeten in den riesigen Wellen der Nordsee, und bald waren wir gesalzen wie Heringe. Wir gewöhnten uns allmählich an den ständig auf der Insel wehenden Wind, und als wir uns endlich ganz an ihn gewöhnt hatten, merkten wir, daß unser Geld zu Ende ging. Loos ging in eine Konditorei und organisierte einen Tanzabend für mich. Obwohl das Podium nur zwei mal zwei Meter groß war und der Klavierspieler ein wahres Ungeheuer, hatte ich einen großen Erfolg und konnte den Abend wiederholen. Damit hatten wir das Geld zur Rückfahrt. Wir fuhren durch das Wattenmeer nach Berlin, wo wir bereits wieder in Geldnot waren. Es folgte ein Tanzabend in Berlin und dann die Heimfahrt. Kaum waren wir in Wien angekommen, begann Loos schon an eine neue Reise zu denken.

Wir reisten öfter nach Paris, immer war ein Grund dazu vorhanden. Anfang 1922 hatte ich ein sehr gutes Engagement in Zagreb. Zu meinem Erstaunen erklärte Loos, er wolle mit mir fahren. Im allgemeinen interessierten ihn nämlich die Provinzengagements nicht besonders. Er pflegte zu sagen: »Fahre, wohin du willst, denn das ist dein Beruf, aber trachte immer, ins ferne Ausland zu fahren. Du weißt nicht,

wie schön es ist, den Leuten sagen zu können: Meine Frau
ist in Paris oder in London, und wie scheußlich es ist,
gestehen zu müssen, daß sie in Mährisch-Ostrau oder in
Brünn ist.« Natürlich konnte ich mir das nicht immer aussu-
chen und fuhr überall hin, wo man mich gut bezahlte.
Loos begleitete mich also nach Zagreb; wir blieben 14 Tage
dort, und ich gab drei Tanzabende, die mir sehr viel Geld
einbrachten. Wir wohnten in einem scheußlichen Hotel (das
beste in Zagreb!), aber wir aßen immer bei Freunden, wo
man uns die herrlichsten Truthähne auftischte. Als das Engagement beendet war, erklärte Loos, daß ich dringend Erholung bräuchte, und so reisten wir nach Triest. An der
italienischen Grenze mußten wir aussteigen und in einem
kleinen Grenzort bleiben, weil der Zug nach Italien nur
zweimal in der Woche durchfuhr. Der Ort bestand aus fünf
Häusern, es gab nicht einmal ein Wirtshaus. Irgend jemand
vermietete uns ein Zimmer. Es regnete und schneite abwech-
selnd, und man konnte nicht auf die Straße gehen, weil
einem der Kot bis zu den Knöcheln reichte. Es gab keine
Zeitung, es gab gar nichts. Wir lagen die ganze Zeit im Bett
und warteten auf Donnerstag, den Tag, an dem der Zug nach
Italien durchfuhr. Ich war schon frühmorgens nervös und
wollte auf den Bahnhof. Aber da begann Loos mit seiner
Theorie über die Österreicher, die nicht reisen könnten.
»Die Wiener«, sagte er, »sind, wenn sie auch nur nach Neu-
lengbach fahren, schon eine Stunde vor Abgang des Zuges
am Bahnsteig. Das muß man von den Amerikanern lernen:
Zwei Minuten vor Abgang des Zuges erscheinen sie und
besteigen diesen mit einer Seelenruhe, als ob sie in ihr Schlafzimmer gingen. Nur die Österreicher haben immer Angst
und sind nervös, weil sie eben nicht reisen können.« Ich ließ
ihn ruhig reden, denn ich wußte, daß dieses Gespräch eine
seiner Lieblingsdiskussionen war. Ich aber wollte zeitgerecht auf dem Bahnhof sein. Er vertrödelte die Zeit absicht-

147

lich, sprach mit dem Schuster, ging Zigaretten kaufen, und als wir endlich am Bahnhof ankamen, sahen wir gerade noch den Zug aus der Station fahren. Wir hatten ihn verpaßt. »Lauf, lauf«, schrie Loos, »lauf ihm nach und spring hinauf, ich werfe dir dann die Koffer nach.« Aber ich konnte unmöglich so schnell laufen, der Zug war mindestens schon 100 Meter entfernt und meine Koffer zu schwer. Wir mußten in den Ort zurück und warteten drei Tage auf den nächsten Zug. Loos sprach in diesen Tagen weniger von den tüchtigen Amerikanern, aber er war sichtlich böse mit mir, weil ich dem Zug nicht nachgelaufen war. Den nächsten versäumten wir nicht.

Von Triest fuhren wir nach Venedig. Ich kannte Venedig, aber Loos wollte eine Photographie von mir haben, mit den Tauben auf dem Markusplatz. Wir verbrachten den ganzen Tag auf dem Platz, aßen Eis und fütterten die Tauben. Unser Gepäck hatten wir auf dem Bahnhof gelassen. Der Zug, der uns an die italienische Riviera bringen sollte, fuhr gegen Abend ab. Wir hatten nur noch wenig Zeit, um den Vaporetto zum Bahnhof zu nehmen, als Loos plötzlich ausrief: »Wir haben den Colleone nicht gesehen. Hast du den Colleone schon einmal in deinem Leben gesehen?« Obwohl ich ihm versicherte, daß ich die Statue kenne, behauptete Loos, er müsse sie mir noch einmal zeigen. So liefen wir rasch durch die kleinen Gäßchen und über die Brücken zum Colleone. Ich muß gestehen, daß Loos' Gegenwart mich beeinflußte und ich zum erstenmal den Colleone wirklich »sah« und die Schönheit der Statue fühlte. Hinter dem Denkmal steht eine kleine Kirche, und Loos sagte zu mir: »Schau die Kirchentür an, ihretwegen bin ich eigentlich hergelaufen. Schau dir diesen Steinfries an, hast du schon je so etwas Schönes und Zartes gesehen?« Er blieb lange vor dem Kirchenportal stehen und bewunderte die Arbeit des Steinmetzes, der dieses Kunstwerk geschaffen hatte, ein Fries mit zartesten Blätt-

chen um die ganze Kirchentür, das Kunstwerk eines unbekannten Meisters. Als wir zurückkehrten, war der Vaporetto bereits abgefahren, aber wir konnten den nächsten nehmen. Als wir bereits im Zug saßen, meinte Loos: »Wir werden rasch nach Portofino fahren, damit du auch diesen Ort kennenlernst. Es liegt zwar etwas abseits von unserer Route, aber wer weiß, ob du jemals wieder hierherkommst.« Ich wußte bisher noch nicht, wohin wir eigentlich fuhren, Loos wollte es mir nicht sagen. Wir kamen abends in Portofino an und wohnten in einem kleinen und einfachen, aber bezaubernden Hotel. Am frühen Morgen besichtigten wir in Eile den Hafen, das Meer, die kleinen Trattorias, mir gefiel es so gut, daß ich unbedingt bleiben wollte. Aber davon war keine Rede. Mittags saßen wir schon wieder im Zug und jetzt verriet mit Loos unser Reiseziel: San Remo.
San Remo gefiel mir bedeutend weniger als Portofino, trotzdem blieben wir eine Woche dort. Wir stiegen in einem kleinen Hotel ab, und Loos organisierte einen Tanzabend für mich. Wir befreundeten uns mit einem jungen Studentenehepaar aus Indien, das überaus schweigsam war, wodurch unsere Zusammenkünfte sich schrecklich langweilig gestalteten. Loos fragte mich hie und da: »Was haben sie gesagt?«, in der Meinung, daß wir uns unterhielten und er es nicht hören konnte. Aber die beiden hatten nie etwas zu sagen. Wir saßen alle vier da und betrachteten das Meer. Eines Tages sagte Loos zu mir: »Morgen fahre ich nach Nizza. Du bleibst da.« Er fuhr nach Nizza, mit Photos und Programmen von meinen Tanzabenden, und nach zwei Tagen war er zurück und hatte einen Vertrag für mich in der Tasche, 14 Tage im »Eldorado« in Nizza zu tanzen. Am nächsten Tag reisten wir nach Nizza und blieben bis Saisonschluß. Ich tanzte im »Eldorado«, einem Varieté, dann gab ich einen Tanzabend, schließlich arbeitete ich mit einer russischen Kleinbühne, lernte dadurch die ganze russische Ko-

lonie in Nizza kennen, und bald begann ich russisch zu sprechen. Wir lebten in einem kleinen, aber billigen und sauberen Hotel. Plötzlich fuhr Loos auf eine Woche nach London zum Gartenstadt-Kongreß. Ich blieb ganz mittellos zurück und begann während seiner Abwesenheit meine Kleider zu verkaufen, um leben zu können. Als Loos zurückkam, war die Saison schon so flau, daß wir meinem Vater ein Telegramm schickten und um Geld für die Heimreise baten. Als wir nach Wien kamen, meinte Loos: »Nächstes Jahr fahren wir schon im Dezember nach Nizza. Du mußt dir einen Namen an der Côte d'Azur machen. Dieses Jahr war nur der Anfang, die Zeit war zu kurz.«

Loos auf Reisen war ein Abenteuer am laufenden Band. Einmal fuhren wir von Nizza nach Italien. Wir saßen schon im Zug, und alles schien glattzugehen. Unglückseligerweise hing eine Landkarte von Italien im Waggon. Loos begann sie zu studieren, und in der nächsten Station stieg er aus. Als er zurückkam, erklärte er mir, daß er die Fahrkarten umgetauscht hätte, damit wir eine andere Strecke fahren könnten, eine Strecke, die wir noch nicht kannten und die uns direkt an die italienischen Seen führen würde. Von Como könnten wir dann nach Mailand fahren und Finetti besuchen. Wir kamen zur Grenze und mußten durch die Zollkontrolle. Dabei stellte es sich heraus, daß unser großes Gepäck (damals reiste ich bereits mit zwei Hängekoffern voll mit Kostümen) nicht mit uns gefahren war. Loos hatte darauf vergessen, und die Koffer waren natürlich die erstgeplante Route gefahren. So mußten wir wieder zurück und die Koffer holen. Das kostete viel Zeit, die wir hatten, und viel Geld, das wir nicht hatten. Aber in Como waren wir schon gerettet, Finetti kam und löste uns aus.

Ein anderes Mal fuhren wir von Italien über Bozen nach Hause. In Bozen hatten wir eine halbe Stunde Aufenthalt. Es war ungefähr 9 Uhr, und Loos schlug vor: »Du kennst

Bozen nicht. Wir lassen das Gepäck im Zug, belegen unsere Sitze und laufen rasch zum Kirchenplatz, damit du ihn kennenlernst.« Gesagt, getan. Vor dem Kirchenplatz meinte Loos: »Schau dir den Platz an, ich gehe woanders hin, etwas ansehen, das dich nicht interessieren wird, es ist ein Detail an einem alten Haus, nur zwei Minuten von hier entfernt. Wir treffen uns in zehn Minuten wieder an dieser Ecke.« Ich marschierte folgsam über den Platz und wartete dann an der Ecke. Loos kam nicht zurück. Die Uhr auf dem Kirchturm zeigte an, daß nur noch wenige Minuten bis zur Abfahrt des Zuges fehlten. Ich entschloß mich daher, zum Bahnhof zurückzulaufen, um wenigstens das Gepäck zu retten. Ich konnte mir nicht erklären, was Loos passiert sein könnte. Als ich auf den Bahnhof kam, war der Zug nicht da. Ich erschrak zutiefst, denn ich hatte keinen Groschen Geld bei mir, auf Reisen war immer Loos der Finanzminister. Ich fragte einen Träger, und dieser wies auf einen anderen Bahnsteig; man hatte den Zug auf ein anderes Geleise verschoben. Als ich die Geleise überkreuzte, sah ich Loos lächelnd beim Fenster des Abteils sitzen. Er winkte mir zu und machte begütigende Bewegungen mit der Hand. Nimm dir Zeit, schien er zu sagen, die Amerikaner usw. Er konnte mir niemals erklären, was eigentlich passiert war, ob er mich vergessen hatte, ob er mich auf die Probe stellen wollte, ich weiß es bis zum heutigen Tage nicht. Damals war ich so wütend auf ihn, daß ich lieber schwieg. Und er lächelte nur und rieb sich die Hände.

Noch heute sehe ich ihn vor mir stehen. Loos auf Reisen. In jeder Hand eine Reisetasche, unter dem Arm die unvermeidliche Rolle Pläne und das große Architektenlineal in T-Form. Nie ließ er dieses Instrument zu Hause. Ich trachtete manchmal, es zu verstecken, damit er darauf vergäße. So ein Lineal kann man doch überall kaufen, dachte ich. Aber er vergaß es nie. Im letzten Moment, wenn wir schon bei der

Türe waren, schrie er: »Das Lineal, beinah hätte ich es vergessen.« Und da mußte ich es rasch heraussuchen.

Meistens beschimpften uns die Mitreisenden, wenn wir im letzten Moment mit unserem ganzen Gepäck in ein Abteil stürzten. Aber Loos hörte sie ja nicht, Gott sei Dank.

19.

Salon d'Automne 1920

Im Frühsommer des Jahres 1920, wenige Wochen nach unserer Heimkehr aus Paris, erhielt Loos die Einladung, im »Salon d'Automne« auszustellen. Es war dies eine der größten Genugtuungen und Freuden, die Loos in seinem ganzen Leben erfahren hatte. Seine Augen leuchteten. Ich wußte genau, was er dachte: Frankreich erteilte ihm eine Ehre, die ihm sein Vaterland immer und immer wieder verweigert hatte. Aber er sprach nicht aus, was er dachte.
Der Sommer verging rasch mit Vorbereitungen und einigen Ausflügen ins Salzkammergut. Ende September waren wir bereits in Paris, um alles in Ruhe vorbereiten zu können.
Loos hatte einen sehr schönen Platz im Ausstellungsgebäude zugewiesen bekommen. Im Erdgeschoß stellten die Architekten aus, im ersten Stock die Maler und Bildhauer. Unser Platz war, wie ein mittelgroßes Zimmer mit drei Wänden, sehr günstig gelegen. Ich hatte drei Tage Zeit, unter Loos' Anordnung und mit Assistenz von Henry Berque die Wände zu tapezieren, die Pläne aufzuhängen, die Maquette und alles, was wir an sonstigem Material mitgebracht hatten, Photographien, Zeichnungen etc. anzuordnen. Wir hatten nur eine einzige Maquette, das Projekt des Wintersport-Hotels auf dem Semmering, aber dieses Modell bezauberte alle Leute, obwohl ihm die bergige Umgebung fehlte. Ich selbst konnte mich nie an ihm sattsehen. In ihm kommen alle »Regeln für den, der in den Bergen baut«, zur Geltung.
Loos war sehr beschäftigt. Seine Freunde, vor allem Georges

Besson, der die Einladung für den Salon d'Automne in die Wege geleitet hatte, beschlagnahmten ihn völlig. Sie gingen mit ihm zu den Zeitungen und zu allen Leuten, die irgendwie von Bedeutung für ihn sein konnten. Trotzdem erschien Loos täglich im Salon, um die Vorbereitungen für die Ausstellung zu überwachen. Abends gingen wir manchmal aus, aber in den ersten Tagen waren wir zu erregt, um uns für etwas anderes als die Ausstellung zu interessieren. Endlich wurde sie eröffnet. Ich sage endlich, denn die drei Tage erschienen mir wie drei Ewigkeiten. Die Leute begannen in den Saal zu strömen. Es kamen unglaublich viele Menschen. Ich hätte nie geglaubt, daß sich so viele Menschen für Kunst und Architektur interessierten. Ich hatte mich verpflichtet, den ganzen Tag in unserem Stand zu bleiben und eventuelle Erklärungen abzugeben. Die Tage verflogen, so viel gab es zu erklären. Die Besucher wollten alle Einzelheiten wissen. Wer Loos war, wo er baute, wo das Semmeringhotel stünde, was Semmering bedeutete. Sie studierten die Pläne, die an den Wänden hingen, mit größter Gewissenhaftigkeit und bewunderten die Photographien. Natürlich kamen alle Leute, die Loos kannten, Le Corbusier, der japanische Maler Foujita, der im ersten Stock ausstellte, und viele andere. Die Ausstellung blieb zehn Tage geöffnet. Unter der Woche flauten die Besuche ein wenig ab, aber samstags und sonntags waren die Räume so überfüllt, daß man sich kaum umdrehen konnte. Und endlich wurde die Ausstellung geschlossen, wir packten alles ein und waren wieder normale Menschen. Wir ruhten einen Tag aus und entschlossen uns dann, den ganzen Monat in Paris zu bleiben. Jetzt, da unsere Erregung abgeklungen war und nur die angenehme Erinnerung blieb, begannen wir uns alles anzusehen, was wir bei unserem letzten Besuch versäumt hatten. Damals feierte Raquel Meller, die spanische Sängerin, Triumphe in Paris. Sie war wirklich bezaubernd und eine große Künstlerin. Die

Franzosen vergötterten sie, auch wegen ihres Privatlebens. Sie verdiente sehr viel Geld, lebte jedoch äußerst bescheiden in einem kleinen Hotel und kochte sich ihr Essen selbst. Das begeisterte die Presse und das Publikum. Raquel Meller, die eine fabelhafte Karriere machte und jahrelang in den Pariser Revuetheatern dominierte (sie war eine große Konkurrentin für Mistinguett und Josephine Baker), starb im Jahre 1965 arm und verlassen in Madrid. Ihre einzige Begleiterin war eine Katze.

Während unseres Aufenthaltes in Paris fand auch ein anderes großes künstlerisches Ereignis statt. Isadora Duncan trat zum erstenmal nach dem Krieg wieder auf, und zwar tanzte sie im »Trocadero«. Das »Trocadero«, das später niedergerissen wurde, war einer der größten Säle, den ich je gesehen habe. Loos erzählte mir begeistert von der Duncan, von ihrem ersten Auftreten in Wien, 1904, im Carltheater. Als junge Tänzerin, barfuß, ohne Trikot, nur mit einer leichten griechischen Tunika bekleidet, vernichtete sie an einem einzigen Tanzabend alles, was bisher »klassisches Ballett« geheißen hatte. Das war eine echte Revolution. Ihr Auftreten gab Grete Wiesenthal den Mut, die Spitzenschuhe in eine Ecke zu werfen, das Opernballett zu verlassen und sich selbst zu realisieren. Loos kaufte sofort zwei Karten für den Abend der Duncan, dabei durften wir natürlich nicht fehlen. Nie sah ich wieder etwas Ähnliches in meinem Leben.

Das Programm war imponierend. Isadora tanzte eine ganze Beethoven-Symphonie von A bis Z, dann noch Chopin, Tschaikowski und andere Klassiker. Ein Symphonieorchester mit mindestens 80 Musikern begleitete sie, und ein bedeutender Dirigent, ich glaube, es war Reynaldo Hahn, leitete das Orchester. Der Saal war überfüllt, das Publikum kam aus allen Schichten der Bevölkerung, alte Leute, junge, reiche, arme. Alle waren unbeschreiblich erregt und schon vor dem Erscheinen der Duncan begeistert. Als das Konzert

155

begann, wollte ich meinen Augen nicht trauen. Eine ziemlich dicke, ältere Dame in griechischer Tunika und wirklich zu nackt sprang auf der Bühne herum, trampelte, wenn Beethoven grollte, hüpfte, wenn die Musik lieblicher wurde. Es war ein unbeschreiblich lächerlicher Anblick. Die Musiker fiedelten und bliesen aus Leibeskräften, und Isadora sprang herum, sie schüttelte den Bubikopf, man konnte sehen, daß sie sich großartig unterhielt. Sie ließ Schleier wehen, sie ballte die Fäuste, stampfte mit den Füßen und gab nicht auf. Die Beethoven-Symphonie dauerte sehr lange, aber die Duncan stand es durch. Der Applaus nach dem Gehopse war unbeschreiblich. Die Leute brüllten vor Begeisterung. Ich sah Loos an, ich war entsetzt. Loos lachte und sagte: »Applaudier, applaudier«, und ich gehorchte ihm. Dann meinte er: »Ja, das ist wirklich unglaublich. Wenn du sie vor fünfzehn Jahren gesehen hättest, damals war sie reizend. Sie war die erste Frau, die nackt tanzte und die Regeln des alten Balletts verwarf. Sie ist eine Pionierin, das darf man nicht vergessen, und deswegen applaudieren die Leute so. Man darf nicht vergessen, was sie für den modernen Tanz getan hat.«

Loos hatte sicher recht, aber ich war zu jung, um sie bewundern zu können. Ich dachte an unsere Grete Wiesenthal, die göttliche, wienerische, an ihre Zartheit und Suggestivkraft, die mit ihren feinen Händen Donaulandschaften hervorzaubert, ich dachte an ihren Respekt vor der Musik, an ihren Humor und ihre zarten, schlanken Glieder. Natürlich applaudierte ich heftig, während ich an all das dachte, und Isadora kam und verbeugte sich immer wieder. Loos ging ins Künstlerzimmer, um sie zu begrüßen. Ich streikte, und er bestand nicht auf meiner Begleitung. Er ging ein Grab seiner Erinnerungen besuchen.

Am nächsten Tag suchten wir die Tanzschule auf, die Isadoras Schwester Elizabeth und ihr Bruder Raymond in Montparnasse führten. Leider war gerade keine Übungsstunde, und so unterhielten wir uns mit den beiden. Elizabeth war ebenso zu mager wie ihre berühmte Schwester zu dick. Der Bruder war als Maler verkleidet, mit einer Samtkappe auf dem Kopf und einer großen Masche als Krawatte. Die Schule war ein recht großes Lokal, alles war sicherlich von Mr. Singer, dem Nähmaschinenkönig, finanziert, denn dieser war Isadoras größter Mäzen. Die Familie Duncan war nicht sympathisch. Trotzdem bedauerte ich das tragische Schicksal Isadoras genauso wie alle anderen.

Während unseres Aufenthaltes in Paris begannen auch die Verhandlungen mit dem Verlag Georges Crès wegen der Herausgabe des ersten Loos-Buches »Ins Leere gesprochen«. Diese Verhandlungen führten uns später zu einem Erfolg. M. Crès kam nach Wien, und das Buch erschien im Jahr darauf. Es war dies das erste Buch in deutscher Sprache, das in Frankreich erschien. Auch das war für Loos ein großer Triumph.

Ich hatte wieder im Theatre de L'Oeuvre getanzt. Ich bekam einen Antrag, mit dem Casino de Paris nach Südamerika zu reisen, aber Loos wollte nichts davon wissen. Der Augenblick für Südamerika war eben noch nicht gekommen. Im November mußte ich in Prag auftreten, und so fuhren wir in den letzten Oktobertagen nach Wien zurück.

Loos war damals sehr glücklich. Der Erfolg seines Werkes in Paris, der Kontakt mit seinen Pariser Freunden, der Vertrag mit M. Crès, all das machte ihn sehr froh. Ich denke gern an diese Zeit zurück. Ich sehe einen glücklichen Loos, der das Leben genießt und voll Hoffnung in die Zukunft blickt.

Weihnachten war dieses Jahr besonders schön. Loos schenkte mir so viele Sachen, daß sie kaum unter dem Weihnachtsbaum Platz hatten. Jedes Geschenk von Loos war etwas Besonderes. Ich glaube, er mußte monatelang gesucht haben, bis er all diese herrlichen Dinge zusammentragen konnte. Leider sind alle diese Geschenke verlorengegangen. Das einzige Geschenk von Loos, das ich heute noch besitze, ist eine kleine Aktentasche chinesischer Herkunft, die einem Mandarin gehört hat. In ihr bewahre ich meine Dokumente auf.

20.

Atelierfest bei Pascin

Während der ersten Woche unseres Pariser Aufenthaltes waren wir so beschäftigt, daß mir manchmal schwindelte. Loos war schon vor dem Kriege in Paris gewesen und hatte daher viele Freunde und Bewunderer, er war ununterbrochen unterwegs, man schleppte ihn hin und her, um ihn zu begrüßen und zu feiern. Aber ich war das erste Mal in Paris und lernte nicht nur Loos' Freunde, sondern auch diese unglaubliche Stadt kennen. Man führte mich in den Louvre; damals stand die »Venus von Milo« am Eingange des Museums und ich wollte nicht weitergehen, so viel Schönheit strahlte diese armlose Göttin aus – aber wir hatten keine Zeit für meine Wünsche und ich mußte durch alle Säle weiterlaufen. Vor der »Gioconda« erlaubte man mir eine kleine Bewunderungspause, aber Loos mußte um 12 Uhr in einem Café sein, wo eine Gruppe von Freunden ihn erwartete und so galoppierten wir weiter. In Wirklichkeit sah ich kaum etwas, doch ich konnte sagen, ich bin im Louvre gewesen. Eines Tages sagte Loos: »Ich muß mich mit Pascin in Verbindung setzen«, dann lief er davon und als er nach einer Weile wieder zurückkam, teilte er mir mit: »Morgen abend sind wir bei Pascin eingeladen, er gibt mir zu Ehren ein großes Atelierfest.« Ich wußte mehr oder weniger, wer Jules Pascin war. Zu dieser Zeit war er schon sehr berühmt, aber ich kannte nur seine Zeichnungen aus dem »Simplicissimus« und aus den »Fliegenden Blättern«. Ich wußte auch, daß er in Berlin von George Grosz gefördert worden war, anschließend in der Welt herumreiste und sich schließlich in Paris niedergelassen hatte. Er war einer der ersten Expressionisten und verkaufte sehr viel und teuer. Und jetzt war ich zu seinem Atelierfest eingeladen! So etwas passierte mir zum erstenmal. In Wien gab es zwar auch Ateliers, aber durch die Wohnungsnot waren sie meistens an arme junge Ehepaare vermietet, die als kleine Beamte tätig waren und sicher keine Atelierfeste gaben . . .

Obzwar wir den ganzen Tag sehr beschäftigt waren, kreiste meine Vorstellungskraft fast ausschließlich um das Atelierfest. Ich stellte mir alles so zauberhaft vor: feenhafte Beleuchtung, tropische Blumen, wehende Schleier, schöne Frauen (die Modelle!), zarte leise Musik und alle berühmten Maler und Dichter versammelt – also so etwas wie ein kleiner Olymp. Außerdem hatte man mir erzählt, daß Pascin von Haus aus ein reicher Mann wäre, weder Not noch Hunger kenne und als einer der freigiebigsten Menschen auf Erden gelte. Man sagte mir auch, daß er einen Harem von acht Frauen hätte, die alle mit ihm lebten und sich gut miteinander vertrugen – aber das glaubte ich nicht. Obzwar er Bulgare war, und im Balkan ist ja alles möglich.

Wir gingen abends auf den Boulevard de Clichy, wo Pascin sein Atelier hatte. Es bestand aus vielen großen Räumen, war in eine eher graue Beleuchtung getaucht (wo war die feenhafte, die ich erwartet hatte?), es gab weder tropische noch andere Bäume, keine wehenden Schleier und auch keine besonders schönen Modelle. Aber es standen viele junge Männer herum, so viele, daß man sie nicht zählen konnte. Sie waren junge Künstler – Maler, Bildhauer, Dichter – alle so mager wie Heringe, halb verhungert, in ziemlich zerlumpten Kleidern. Aber alle waren sie sauber und von großer Begeisterungsfähigkeit. Als wir eintraten, stürzten sie sich auf Loos und umringten ihn – und da kam auch Pascin, ein eher kleiner Mann mit einem gütigen und hübschen

Gesicht. Als ich ihm vorgestellt wurde, umarmte und küßte er mich, und dann stellte er mich einfach weg. Ich hatte also einen freien Abend, denn Pascin sprach auch deutsch und konnte meine Dolmetscherei für Loos übernehmen. Er stand neben ihm und die jungen Künstler begannen Loos mit Fragen zu bestürmen, sie hielten seine Hände, umarmten ihn und alle sprachen auf einmal. Ich stand in einer Ecke und sah zu. Und plötzlich mußte ich weinen, aus Rührung weinen – denn in Wien hätte es so etwas nicht und nie gegeben. Plötzlich kamen vier oder fünf Frauen auf mich zu. Sie waren bescheiden gekleidet, freundlich und begeistert darüber, daß ich französisch sprach. Sie führten mich in die Nebenzimmer, denn der Tumult um Loos fand nur im größten Raum des Ateliers statt. In den anderen Zimmern waren riesige Tische gedeckt, sie bogen sich förmlich unter der Last der Speisen. Es gab Würste, Schinken, gebratene Hühner, geräucherte Fische... Und das Originellste waren riesige Fischernetze, die von der Zimmerdecke herabhingen und zum Platzen mit harten Eiern gefüllt waren. Auf allen freien Plätzen, in allen Ecken standen Flaschen mit Wein. Die Mädchen sahen mich stolz an. »Cela te plait?« fragten sie, »gefällt es dir?« Sie waren stolz, denn sie hatten selbst alles hergerichtet. Dann gingen wir in ein anderes Zimmer mit einer großen Couch, auf der zwei Mädchen lagen, die eher aussahen wie Modelle. Nicht daß sie besonders schön gewesen wären, doch sie waren leicht bekleidet und hatten geschminkte Gesichter. Auch sie waren nett und liebenswürdig und luden mich zu sich auf die Couch ein. Und so erfuhr ich im Laufe unseres Gesprächs, daß sie der Harem waren: Die älteste von ihnen war als erste zu Pascin gekommen und dann kam eine nach der anderen dazu und überließ mit Freuden ihren Vorzugsplatz der jeweils Neuen... Aber keine wollte weggehen und Jules verlassen – und Jules fand das ganz richtig. Die acht Mädchen schliefen zusammen auf

der großen Couch und vertrugen sich untereinander prächtig. Unglaublich, aber so war es.

Ich ging in den großen Atelierraum zurück, wo der Tumult
etwas ruhiger geworden war. Loos sah müde aus, aber
glücklich. Ich betrachtete Pascin, er erinnerte mich an jemanden – seine dunkle Haut, die sanften schwarzen Augen,
die Gesichtszüge – aber ich wußte nicht, an wen. Loos sah
auf seine Uhr. »Ja«, sagte Pascin, »geh nur, wenn du willst,
wir sehen uns ja morgen wieder. Die Burschen müssen ja
essen und solange du hier bist rühren sie sicher nichts an.«
Wir verabschiedeten uns also und gingen.

Auf der Straße rief Loos ein Taxi und wir fuhren in unser
Hotel. Er war schweigsam, wie immer, wenn er über etwas
nachdachte. Zu Hause fragte er mich, wie mir das Fest
gefallen hätte. »Oh, sehr gut«, sagte ich, »alles war so ver-
schieden von dem, was ich erwartete. Und das war das
Schönste.« Dann erwähnte ich, daß mich Pascin an jeman-
den erinnerte, nur wüßte ich nicht, an wen. »Na ja«, sagte
Loos, »er erinnert sehr an seine Schwester. Er ist der Bruder
von Frau Goldman (Goldman & Salatsch, das Haus am
Michaelerplatz) und heißt in Wirklichkeit Julius Pincas.
Aber er ist ein großer Künstler und außergewöhnlicher
Mensch.«

Das war das Atelierfest bei Pascin. Ich ging später niemals
mehr zu einem Atelierfest, aber oft denke ich an dieses
zurück, an die vielen jungen Hoffnungen und Talente, an die
Eiernetze, die aussahen wie Lampions und an den friedli-
chen Harem. Und daß man ein bulgarischer Jude sein kann
und trotzdem weltberühmt und von aller Welt geliebt.

Im Jahre 1930 verübte Jules Pascin Selbstmord, als er fünf-
undvierzig Jahre alt war.

Niemand weiß, warum.

21.

Loos und der liebe Gott

Loos war katholisch getauft, aber seine wirkliche Weltanschauung hatte nicht mehr viel mit katholischen Dogmen zu tun. Wir sprachen nicht oft über diese Dinge. Aber ich machte mir doch Gedanken über das Leben nach dem Tode, und viele Zweifel bedrückten mich. So fragte ich Loos einmal über seine Ansicht. Er antwortete mir: »Der Geist des Menschen ist unsterblich, er kehrt immer wieder auf die Erde zurück, um sich zu vervollkommnen. Natürlich gibt es Geschöpfe, deren Geist keine Rückkehr mehr braucht. Goethes Geist kehrt nicht mehr auf die Erde zurück, er schwebt mit dem Geist Gottes über den Welten.«

Für Loos gab es nur eine Sünde, die Sünde gegen den Heiligen Geist. Diese wird begangen, wenn man den schöpferischen Künstler verhindert, sein Kunstwerk zu schaffen. Das ist Todsünde und wird nicht vergeben. Immer wieder betonte er das. Ansonsten sprach er nie von Sünden und Geboten.

Wir hielten die kirchlichen Fasttage, aber hauptsächlich, weil wir Feinschmecker waren. Loos behauptete immer, daß man an den Fasttagen (Karwoche und Weihnachtsabend) viel mehr und besser esse als das ganze übrige Jahr hindurch. Er hatte recht. Da gab es Donaukarpfen, andere Fischspeisen mit Mayonnaise, Hummer und Süßigkeiten.

Er ging einmal im Jahr in die Messe, und zwar am Ostersonntag in die Hofburgkapelle. Aber sooft er über den Stephansplatz ging, betrat er den Dom. Er bekreuzigte sich nicht, er betete nicht, er badete seinen Geist in diesem Raum.

Loos war nicht abergläubisch, er war gläubig. Das ist kein Wortspiel, sondern die Wahrheit. Einer der Menschen, an die er glaubte, war Rafael Schermann, der Graphologe. Er war ein sehr guter Freund von uns, und Loos sagte mir immer: »Wenn du einmal unsicher bist, wie du handeln sollst, frage den Schermann. Zeige ihm deine Schrift und die Schrift der Leute, die mit dir zu tun haben, und er wird dir raten, wie du vorzugehen hast.«

Einmal waren wir bei Bekannten eingeladen, und Loos nahm Schermann mit, damit er bekannt würde. Man zeigte ihm viele Schriftproben, und Schermann erklärte mit großartiger Sicherheit die Persönlichkeit der Schreiber. Alle waren begeistert, als plötzlich ein Herr fragte, ob er ihm einen Gegenstand zeigen dürfe und ob Schermann sagen könne, woher dieser Gegenstand stamme. Schermann willigte ein, und der Herr gab ihm ein kleines Stückchen Stoff, einen kleinen grauen Fetzen. Schermann ergriff ihn und wurde plötzlich totenbleich. »Um Gottes willen«, rief er aus, »laßt mich heraus.« Er drehte sich um sich selbst und wurde ohnmächtig. Man brachte ihn in ein Nebenzimmer, wusch seine Schläfen und gab ihm Kognak. Das Stoffstückchen war auf den Boden gefallen, und der Besitzer hatte es rasch an sich genommen. Da alle um Schermann bemüht waren, fragte niemand, woher es stammte. Als Schermann zu sich kam, sagte er: »Um Gottes willen, was war das? Ich sah nur Feuer und Rauch und fühlte eine schreckliche Hitze, ich hatte Angst zu verbrennen.« Es stellte sich heraus, daß das Stoffrestchen aus einem abgestürzten Flugzeug stammte. Bei diesem Flugzeugunglück waren viele Menschen ums Leben gekommen. Der Besitzer des Stoffrestchens war einer der wenigen Überlebenden. Wir führten Schermann sofort nach Hause, und obwohl nach diesem Ereignis Loos mehr denn je an ihn glaubte, nahm er ihn niemals mehr zu Gesellschaften mit. Ein Hellseher ist kein Spielzeug.

Loos glaubte also an den sechsten Sinn, und wenn man an den sechsten Sinn glaubt, glaubt man an unzählige Sinne mehr. Einmal war ich monatelang von Zahnschmerzen befallen. Ich ging immer wieder zum Zahnarzt und ließ mich untersuchen, der aber fand nichts und behauptete, ich hätte Nervenschmerzen. Ich tanzte damals viel in der österreichischen Provinz, in Linz, in Graz usw., und war wöchentlich ein oder zwei Tage von zu Hause weg. Die übrige Zeit verbrachte ich im Bett und nahm schmerzstillende Mittel. Eines Tages sagte Loos: »Das kann nicht so weitergehen. Heute noch suche ich den alten Beer und bringe ihn nach Hause. Er wird herausfinden, was du hast.« Abends erschien er mit einem bärtigen alten Juden, dem »alten Beer«. Loos erklärte mir nie, wer er eigentlich war; jedenfalls war er ein Wundertäter. Er steckte mir einen langen schmutzigen Finger in den Mund und befühlte meine Zähne und mein Zahnfleisch langsam, Zahn für Zahn. Dann sagte er: »Dieser Zahn ist krank.« Und bezeichnete ihn mit einem leichten Druck. »Gehen Sie morgen zu Ihrem Zahnarzt und bestehen Sie darauf, daß er ihn öffnet. Und wenn er sich weigert, gehen Sie zu einem anderen.« Der alte Beer nahm kein Geld für seinen Besuch. Er ging ruhig und lächelnd weg. Am nächsten Tag fand der Zahnarzt ein riesiges Abszeß unter dem Zahn, den der alte Beer bezeichnet hatte. Bald war ich von meinen »Nervenschmerzen« geheilt. Ich fragte Loos, wieso der alte Beer mehr wußte als mein Zahnarzt und wieso er mit solcher Sicherheit den scheinbar gesunden Zahn herausgefunden hatte. Loos sagte nur: »Es gibt Dinge, an die man glauben muß, ob man will oder nicht. An den alten Beer muß man glauben. An Schermann muß man glauben. Und an viele andere Dinge auch.« »An welche anderen Dinge?« Loos dachte nach: »An die Tücke des Objekts, zum Beispiel. Du hast ja Vischer gelesen, nicht wahr?«
Eines Morgens träumte ich, ich ginge in einem herrlichen

Park spazieren. Der Park war voll von Damen in Krinolinen und mit weißen Perücken und Herren in seidenen Fracks. Im Vordergrund stand ein Stühlchen, auf dem ein kleines Kind saß, das ganz in Samt gekleidet war. Schwarze Sklaven reichten Erfrischungen herum und verbeugten sich tief vor den Herrschaften. Es waren große Bäume im Park, und zur rechten Hand stand ein alter Palast, zu dem eine Steintreppe führte. Ich ging zwischen den Leuten umher und bestaunte alles, besonders die Kleider der Damen, ihre Fächer und Spitzentücher. Plötzlich wachte ich auf. Loos lag schon wach und sah vor sich hin. Ich erzählte ihm meinen Traum, und er sagte: »Aber das ist doch unglaublich, das ist das große Bild, das beim Eingang im Palais Lobkowitz hängt, ich war gestern dort und habe es lange betrachtet, und gerade jetzt, als du noch schliefst, habe ich daran gedacht und es mir ins Gedächtnis gerufen. Und du hast es geträumt. Das ist ein unglaublicher Fall von Gedankenübertragung.« Er jagte mich sogleich aus dem Bett, und wir gingen ins Palais Lobkowitz. Ja, da hing mein Traum, ich konnte es nicht leugnen. Alles war so, wie ich es gesehen hatte.

Es wäre lächerlich zu sagen, daß Loos Antisemit gewesen sei, da fast alle seine Kunden und Freunde Juden waren. Er machte den Juden lediglich einen Vorwurf: Daß sie intelligenter, weitblickender und gescheiter waren als die Christen. »Der Jude«, so pflegte er zu sagen, »schlägt viel mehr aus seinem Leben heraus als wir. Aber das ist nicht seine Schuld. Wir sind die Gleichgültigen. Die Juden gehen in die besten Theatervorstellungen, sie kaufen die besten Bilder, sie lesen die besten Bücher. Sie machen die schönsten Reisen und lassen sich ihre Wohnungen von mir neu einrichten. Und sogar die armen Kaftanjuden leben besser als wir. Wenn ich in eine Milchhandlung gehe, ist sie voll von armen Juden, die um ein paar Kreuzer ein Glas Milch trinken. Sie wissen, das ist gesund. Aber der Christ trinkt lieber ein

Krügel Bier. Dann sind die Christen zornig, wenn die Juden sie überall verdrängen. Warum leben sie nicht auch so wie die Juden? Jeder hat die Möglichkeit, in die Oper zu gehen oder Milch zu trinken.«

22.

Die Doppelchiffonniere

Es dauerte viele Monate, bis die Sache richtig in Schwung kam. Beratungen, Besprechungen, Streitigkeiten mit den Behörden und den Amtskollegen waren an der Tagesordnung. Endlich wurde dem Siedlungsamt der nötige Baugrund zugewiesen. Es handelte sich um ein ausgedehntes Baugelände, das in der Nähe des Eingangs zum Lainzer Tiergarten lag. Loos sollte die ersten Häuser errichten, es wurden ihm acht Grundstücke zur Verfügung gestellt: schmal und lang, dahinter Platz für den Schrebergarten. Auch andere Architekten bekamen Grundstücke, aber nur eines oder zwei. Der einzige, der sofort zu bauen begann, war Loos.

Das war aber nicht so einfach. Loos wollte seine acht Häuser in einer Reihe nebeneinander bauen. Die Häuser sollten einander gleichen, damit kein Siedler sich übervorteilt fühlen konnte. Im Innern des Hauses konnte dann jeder seine Persönlichkeit geltend machen, und außerdem ergab sich eine große Ersparnis, da bei dieser Bauweise je zwei Häuser eine gemeinsame Feuermauer haben. Loos begründete seinen Wunsch, die Häuser nebeneinander zu bauen, mit diesem Argument. Aber da auch die künftigen Mieter Mitspracherecht hatten, stieß Loos auf Schwierigkeiten. Es gab viele, die von einem kleinen Häuschen träumten, mit einem schönen Blumengarten rundherum, andere wieder wollten eine richtige Straße haben, zu beiden Seiten Häuser, wie in der Stadt. Das war gerade das Gegenteil von dem, was Loos wollte. Er sagte: »Die Leute sollen in ihren Häusern wohnen und sich nicht belästigt fühlen. Nachbarn vertragen sich umso besser, je weniger sie einander sehen. Bei einer Häuserreihe, bei der ein Haus sich an das andere schmiegt, können die Bewohner einander nicht in die Fenster sehen. So haben die Frauen keine Gelegenheit, sich gegenseitig zu bekritteln und zu beneiden. Wer glücklich sein will, soll womöglich kein Gegenüber haben.«

Loos setzte seinen Plan durch. Erst mußten die Grundstücke von den großen Baumstrünken befreit werden, und dann begann Loos zu bauen. Während der Bauarbeiten fuhr ich nur zwei- oder dreimal nach Lainz hinaus, denn ich arbeitete damals sehr intensiv. Loos hatte begonnen, sich für mein »Gehopse« zu interessieren, und bestand darauf, daß ich regelmäßig Stunden nähme. So studierte ich täglich mit Cecilie Cerri, einer Laban-Schülerin, und auch mit dem Ballett von Ellen Tels. Aus diesen verschiedensten Stilrichtungen trachtete ich, meinen eigenen Stil zu entwickeln. Ich arbeitete auch immer abends, und so kam es, daß das erste Haus in Lainz plötzlich unter Dach war, ohne daß ich bemerkt hatte, wie schnell die Zeit verflogen war. Das zweite Haus war bereits im Bau.

Die Lainzer Siedlung sollte Anfang September 1921 nach Fertigstellung des ersten Hauses feierlich eröffnet werden. Den Siedlern sollte an diesem Tag Zutritt zu dem Haus gestattet werden, damit sie sehen konnten, wie ihre Häuser endgültig aussehen würden. Bei uns zu Hause waren alle überaus festlich gestimmt: Loos, Mitzi, Kulka, Fischer und ich. Loos hatte auf eigene Kosten die Wohnküche und das angrenzende Sitzzimmer (ein einziger Raum) mit Möbeln ausstatten lassen, und zwar mit eingebauten Möbeln. Wir fuhren am Tag vor der Einweihung hinaus. Ich erinnere mich genau an den Plan des Hauses. Dieser war nämlich ein Wunder an Raumausnützung. Da das Haus sehr klein war, konnte ich das sofort verstehen, bei großen Gebäuden kann

der Laie die Genialität des Architekten, der im Raum zu denken weiß, nicht erfassen. Aber in der Lainzer Siedlung fiel diese Genialität am meisten ins Auge. Das Haus war von außen ganz winzig. Betrat man es, befand man sich plötzlich in einem kleinen Palast. Wenn man über die Schwelle trat, stand man in einem langen, engen Gang, der das Erdgeschoß in zwei Teile teilte. Die gegenüberliegende Türe am anderen Ende des Ganges führte in den Gemüsegarten, und durch diese Türe fiel das grüne Licht der Pflanzen. Zur linken Hand waren zwei Zimmer, die zwar fertiggestellt und mit schönen Fenstern versehen waren, aber sie waren unmöbliert, damit jeder Mieter sie nach seinem eigenen Wunsch einrichten konnte. Die Zimmer hatten unter sich keine Verbindungstüre, damit die Bewohner sich nicht gegenseitig stören konnten. Das erste Zimmer war als Arbeitszimmer des Vaters gedacht, in ihm hatte ebenso eine Hobelbank wie ein Schreibtisch Platz, das, was eben dem Vater Spaß machte. Das andere Zimmer am Ende des Ganges konnte eventuell in ein Badezimmer verwandelt werden; denn es befand sich auf der Seite, wo die Wasserrohre lagen, die in ein großes Waschbecken mündeten, das an der Außenseite des Hauses angebracht war. Dort konnte Wäsche oder Gemüse gewaschen werden. Das Waschbecken war überdacht, damit die Hausfrau bei Regen nicht naß würde; es hatte ein kleines Podium unter sich, das man direkt vom Haus aus betrat. Wer aber keine Vorliebe für Badezimmer hatte, konnte den Raum für etwas anderes verwenden. Es konnte ein Spielzimmer für die Kinder, ein Bügel- oder Nähzimmer für die Hausfrau oder auch eine Vorratskammer daraus gemacht werden, diese Entscheidung lag bei den Siedlern.
Zur rechten Hand der Eingangstüre führte eine Tür in die Wohnküche. Loos hatte eine Eckbank und einen schönen Tisch anfertigen lassen. Die Fenster waren groß und mit hellen Vorhängen versehen, und das Licht fiel freundlich

herein. Unter den Fenstern befanden sich die Gestelle für die Teller und das Kochgeschirr. Auf dieser Seite des Hauses war keine Trennwand, und man ging direkt von der Küche ins Wohnzimmer. Eine schöne Sitzbank stand unter einem großen Fenster, an der Wand hingen Büchergestelle und am Ende des Raumes, bei der Tür zum Garten und zum Wasserbecken, führte eine Holzstiege in die Mansarde hinauf. Dort befanden sich zwei Schlafräume, ein großer und ein kleinerer. Die Stiege bildete mit einem Mauervorsprung eine kleine Wandnische auf der Seite der Wohnküche, und in dieser Nische war der Herd untergebracht. Er hatte eine Metallhaube, die eventuelle Speisengerüche durch ein Rohr ins Freie führte. Denn der Wiener, der mit Begeisterung ins »Griechenbeisl« geht, wo man schon mindestens 300 Jahre kein Fenster geöffnet hat, damit nur ja kein Atom von dem kostbaren Gulaschgestank verlorengehen könnte, ist plötzlich sehr heikel, wenn es sich darum handelt, ein Geschenk in Form eines Siedlungshauses anzunehmen.

Die Möbel waren aus Weichholz, weiß gestrichen, außerdem war eine eventuelle Trennung des Küchenraumes vom Wohnraum in Form eines Kretonvorhanges vorgesehen. Ja, es stimmte, die Stiege war eng und unbequem, sie hatte sehr hohe Stufen, aber es war die einzige Art von Stiege, die dort Platz hatte, und die Höhe der Stufen war eine Holzersparnis. Der Raum war so bezaubernd schön, daß einem das Armsein plötzlich wie ein Privilegium vorkam.

Am Vorabend der Eröffnung fuhren Loos, Kulka, Fischer und ich nach Lainz und brachten aus unserer Wohnung alles das hinaus, was ein Haus wohnlich macht: Bücher, Bilder, Aschenschalen, Kochgeschirr, Sofapolster und vieles anderes. Wir füllten Blumenvasen mit Blumen und Zweigen und legten japanische Strohmatten auf den weißgescheuerten Holzboden. Es war schon finster, als wir alles gut versperrten und wieder heimfuhren. Als der Schlüssel im Schloß umgedreht wurde, dachte ich: ›Jetzt liegt der ganze Zauber im Haus eingeschlossen, wie der Geist in der Flasche in Grimms Märchen.‹

Als am nächsten Tag die Leute durch das Haus zu strömen begannen, verwelkte der Zauber nach und nach. Loos stand mit den Schülern bei der Eingangstüre, begrüßte die Leute, und die Schüler führten sie durchs Haus. Ich saß bei der Ausgangstüre und sollte aufpassen, was die Leute sagten. Nie wieder im Leben habe ich so viele unsympathische Menschen und so viel Dummheit gefunden. Alle diese Leute, die in jämmerlichen Zinskasernen lebten, waren über das Haus wütend und fanden an allem etwas auszusetzen. Die Frauen sagten: »Nein, da wohne ich nicht, wie soll man denn da kochen?« In den Proletarierhäusern hatten mehrere Familien ein gemeinsames WC und eine Wasserleitung auf dem Gang. Aber die Frauen sagten: »Ja, was denn, um Wasser zu holen, muß ich aus dem Haus hinausgehen?« Alle waren wütend über die Stiege, jeder wollte eine Marmortreppe aus dem Belvedere. Und ein überaus ordinärer Kerl brüllte: »Ja, wie bringe ich denn in dieses Schlafzimmer meine Doppelchiffonniere hinauf? Meine Doppelchiffonniere ist ja größer als das ganze Haus!«

Als wir abends absperrten, waren wir sehr müde, aber wir lachten noch immer über die Doppelchiffonniere. Dann bemerkten wir, daß man uns alle Aschenschalen, alle Vasen und Bücher gestohlen hatte. So hatten wir wieder etwas dazugelernt. Loos war wirklich unermüdlich in seiner Güte. Er verzieh den Leuten alles und wollte ihnen nur immer wieder helfen. Er zerbrach sich den Kopf darüber, wie sie ihre Siedlung gut ausnützen könnten. Er kaufte weiße Angorakaninchen und ließ abseits von der Siedlung einen Kaninchenstall bauen. Er lehrte mich, die Tiere zu kämmen und die Wolle zu sammeln, und ich sollte dies dann den Siedlerfrauen beibringen. Wir sprachen öfters mit einigen Mieterin-

172

nen; sie sagten ja zu allen Vorschlägen, die Loos machte, aber sobald er ihnen den Rücken zudrehte, deuteten sie mit dem Zeigefinger an die Stirn. Das war ihre einzige Reaktion. Der Lainzer Tiergarten war eines unserer liebsten Ausflugsziele. Der Park war jetzt für das Volk geöffnet, jeder konnte den Tag dort verbringen, die einzige Bedingung war: Es durfte nicht gejagt werden. Kein Schuß fiel in der riesigen Wildnis. Oft saßen wir unter einem Baum und sahen auf einer großen Lichtung eine Rehmutter mit ihrem Kitz spielen. Obwohl wir laut sprachen, hatten die Tiere schon vergessen, daß die Menschen böse sein können, sie erschraken nicht und ästen ruhig weiter. Eines Tages gingen wir ziemlich weit in den Park hinein. Plötzlich hörten wir einen fürchterlichen Lärm, ein Getrampel, das von weither kam und sich näherte. Loos blieb stehen und sagte: »Wildschweine«. Wir stellten uns hinter einen großen Baum und warteten. Loos umschlang mich mit seinen Armen und meinte: »Rühr dich nicht und hab keine Angst, sie tun einem nichts, wenn sie nicht angegriffen werden.« Gleich darauf tobte eine Horde von Wildschweinen an uns vorbei, man sah die Zähne der Eber blitzen, und die Säue keuchten mit den kleinen Ferkeln, den Frischlingen, hinter ihnen her. Es waren sicher mehr als hundert Schweine, sie waren in eine Wolke von Staub und Blättern gehüllt und rannten wie irrsinnig. Dann verschwanden sie im Dickicht, und ich atmete auf. Ich hatte keine Ahnung, daß in solch geringer Entfernung vom Stephansplatz Wildschweine hausten. Loos, der alles wußte, erzählte mir daraufhin, daß Kaiser Franz Joseph die Wildschweine für seinen Sohn Rudolf nach Lainz hatte bringen lassen, damit dieser sie mit seinen Freunden jagen könne. – ›Wie die Zeit vergeht‹, dachte ich. Der Kronprinz ist schon lange tot, auch der Kaiser ist gestorben, aber die Wildschweine leben herrlich und in Freuden, und niemand darf sie schießen.

Bevor ich Ende 1933 Wien für immer verließ (Loos war bereits gestorben), fuhr ich einmal nach Lainz hinaus, um die Häuser der Siedlung ein letztes Mal zu sehen. Ich glaube, es standen nur zwei oder drei Loos-Häuser da, man hatte andere Häuser daneben gebaut, die, ehrlich gesagt, scheußlich waren. Die Loos-Häuser erschienen so klein, sie verkrochen sich fast in die Erde. Ich bat eine Frau, mich ihr Haus von innen ansehen zu lassen, doch sie verweigerte es mir. Vielleicht hatte sie Angst um ihre Aschenschalen.

23.

Chicago Tribune

Zu Beginn des Jahres 1922 veröffentlichte der Besitzer der
»Chicago Tribune«, Mr. McCornick, ein Preisausschreiben
für ein neues Gebäude seiner Zeitung. Das Preisausschreiben
galt für die Architekten auf der ganzen Welt, und seine
Bedingungen wurden in allen Zeitungen verlautbart. Mr.
McCornick wollte ein großes Gebäude haben, eine Art Wolkenkratzer, wo alle Büros und die Maschinenräume seines
mächtigen Unternehmens untergebracht werden konnten,
außerdem besonders luxuriös ausgestattete Büroräume für
die Pressechefs und auch einige Wohnungen. Der erste Preis
(es gab keinen zweiten) war eine märchenhafte Geldsumme
und außerdem die Ausführung und Leitung des Baues.
Loos entwarf eine enorme dorische Säule, so etwa, wie wir
uns einen babylonischen Turm vorstellen könnten. Es war
wirklich ein großartiges Projekt. Loos arbeitete viele Monate
an dem Entwurf, Kulka und Fischer halfen ihm. Die letzten
Tage waren furchtbar, da das Projekt mit einem bestimmten
Schiff abgehen mußte, um zeitgerecht in Chikago einzutref-
fen. Kulka und Fischer arbeiteten bei uns zu Hause wie
besessen, die letzten Tage half sogar ich mit, die Pläne mit
Tusche auszuziehen sowie beim Einpacken. Der einzige, der
keine Eile zeigte und die Arbeit beinahe aufhielt, war Loos.
Ich hatte das unbestimmte Gefühl, daß er beinahe wünschte,
die Sendung käme zu spät an, denn irgendwie muß er geahnt
haben, daß der erste Preis nur an einen Amerikaner vergeben
würde. Loos war übrigens nicht der einzige europäische

175

Architekt, der an dem Preisausschreiben teilnahm, es gab noch zwei andere Bewerber. Die Sendung mit dem Loos-Projekt traf tatsächlich nicht zeitgerecht ein und nahm daher nicht an der Verlosung teil. Den Preis erhielt ein Amerikaner für ein recht mittelmäßiges Projekt. Womit ich der Menschheit keine Neuigkeit mitteile.

Was aber niemand weiß, ist folgende Geschichte: Als Loos und ich im Jahre 1923 in Nizza weilten, es war ungefähr Februar, las Loos in der englischen Zeitung, daß Mr. McCornick, der sich in Monte Carlo aufhielt, an einem bestimmten Abend zu einem Fest nach Cannes fahren würde und dazu den »Train Bleu« nehmen wollte. Der Train war damals der größte Luxuszug, und sicher war es feiner, ihn zu benützen als sein eigenes Auto.

An diesem bestimmten Tag fuhr Loos schon früh nach Monte Carlo und löste dort ein Billett für den »Train Bleu« nach Nizza. Er war überzeugt, daß er in der kurzen Stunde, die der Zug von Monte Carlo nach Nizza benötigte, die Sympathie und das Verständnis von Mr. McCornick gewinnen konnte. Er wollte ihm erklären, daß sein Projekt nicht zur Zeit angekommen wäre, und ihn bitten, es doch genau zu studieren, denn er hatte es ja sicherlich gar nicht angesehen. Er war der festen Meinung, daß Mr. McCornick alles verstehen würde und auch seine geniale Idee, ihn im »Train Bleu« aufzusuchen, bewundern würde, denn im Hotel hätte er ihn sicher nicht empfangen. Mr. McCornick war doch ein typischer Amerikaner.

Als Loos abends nach Nizza zurückkam, war er müde und enttäuscht. Mr. McCornick hatte wohl den »Train Bleu« in Monte Carlo bestiegen, aber in Gesellschaft von zwei anderen Amerikanern. Alle drei waren sehr lustig und sprachen viel und laut miteinander. Loos betrat das Abteil des berühmten Mannes ohne Anmeldung und begann sofort zu erzählen: Von seinem Projekt, wie es wäre, wie es geplant war, seine Form und daß es nicht rechtzeitig angekommen sei. Mr. McCornick war sichtlich ungeduldig und fühlte sich durch den Überfall belästigt. Er sagte Loos, er hätte mit seinen Mitreisenden wichtige Geschäfte zu besprechen. Loos bestand auf seiner Bitte. Er wollte Mr. McCornick durchaus überzeugen, daß er sein Projekt ansehen müßte, denn dann wäre der Bau der neuen »Chicago Tribune« ein wirkliches Weltereignis. Mr. McCornick ersuchte Loos nicht sehr höflich, das Abteil zu verlassen und ihn nicht mehr zu belästigen. Der Preisträger wäre des Preises würdig, und andere Bauten oder ihre Pläne interessierten ihn nicht. Für Loos war das ein fürchterlicher Schlag. Er konnte es nicht fassen, daß ein Amerikaner sich so benahm. In Wirklichkeit hatten wir nie große Hoffnung auf den Preis gesetzt, es wäre dies zu traumhaft gewesen. Aber Loos verteidigte sein Geschöpf, das Projekt, wie eine Mutter ihr Kind. Er war gewohnt, für seine Ideen kämpfen zu müssen, er war es gewohnt, immer und immer wieder zurückgestoßen zu werden. Aber niemals hätte er ein solches Benehmen von einem Amerikaner erwartet.

An diesem Abend legte er sich erschöpft zu Bett, ohne etwas gegessen zu haben. Um ihn irgendwie zu trösten, meinte ich: »Der Mann war sicherlich betrunken. Du weißt ja, wieviel die Amerikaner trinken, und dann vergessen sie ihre gute Erziehung.« Loos schwieg eine lange Zeit. Und als ich schon im Einschlafen war, sagte er: »-du hast recht, Elsili, der Kerl war sicher besoffen, sonst hätte er mich nicht so behandelt.« Wir schliefen ein, und die Sache wurde nie wieder erwähnt. Aber heute und hier erwähne ich sie. Hätte Mr. McCornick das Projekt von Loos angesehen und verstanden, hätte er es gebaut, so hätte Chikago heute ein bedeutendes Gebäude und nicht einen Wolkenkratzer mehr. Mr. McCornick, der prominente amerikanische Millionär, gehört auch zu der Legion, die Loos Wunden schlug.

24.

Côte d'Azur

Als wir im Frühjahr 1922 Nizza verließen, hatte Loos vorausgesagt: »Nächstesmal kommen wir schon im Dezember her.« Und die Dinge fügten sich so, daß sein Plan sich verwirklichen ließ. Im November desselben Jahres erhielt Loos die Summe ausbezahlt, die seine Mutter ihm angeboten hatte, damit er ihr Testament, in welchem sie ihn enterbte, nicht anfechten möge. Es waren 10 000 tschechische Kronen. Kaum hatte Loos das Geld in der Tasche, als er sagte: »Jetzt fahren wir nach Nizza.« Ich hätte Weihnachten sehr gern zu Hause gefeiert, aber Loos wollte nichts davon wissen. »Diesmal müssen wir zur Zeit dort sein«, meinte er, »um alles richtig vorbereiten zu können. Dieses Jahr ist entscheidend für dich an der Côte d'Azur. Und jetzt, wo wir etwas Geld haben, müssen wir es für deine Karriere verwenden.« Tatsächlich hatten wir auch keine anderen Verpflichtungen in Wien, meine Tänze und Kostüme waren fertig und erprobt, ich hatte zwei Tanzabende im Großen Konzerthaussaal gegeben und großen Erfolg gehabt. Wir konnten also reisen. »Dir fehlen nur zwei schöne Abendkleider«, sagte Loos. Er ging zu Spitzer und suchte mir ein Kleid aus goldbraunem Lamé aus, das richtige Kleid für eine Frau, die keinen Schmuck besitzt. Es war ein feines, wenn auch etwas konventionelles Kleid. Loos dachte nach. Dann führte er mich zu Renée Goldschmidt, die einen Modesalon am Neuen Markt leitete. »Sie ist eine kleine bucklige Jüdin«, erklärte er mir, »aber sie hat unwahrscheinlichen Chic.«

Renée Goldschmidt sah genauso aus, wie Loos sie beschrieben hatte, und strahlte sehr viel Charme aus. Sie sah mich an, dann ging sie in ihr Atelier und kam mit einem schwarzen Abendkleid zurück. Das Kleid war einfach im Schnitt, ließ eine Schulter frei und war auf der anderen Seite etwas drapiert. Der Träger, den die andere Schulter hielt, sowie das ganze Kleid waren mit Straßsteinen bestickt, aber eigentlich recht sparsam, so wie die ersten Sterne am Abendhimmel. Das Kleid paßte mir wunderbar, ich sah mit Begeisterung in den Spiegel und las auch Bewunderung in den Augen von Loos und Renée. »Zeigen Sie uns nichts anderes«, sagte Loos. »Das ist das richtige Kleid. Ja, aber was kostet es? Sie wissen ja, wir haben wenig Geld, außerdem fahren wir nach Nizza, und ich will so wenig wie möglich hier ausgeben, damit wir die ganze Saison bleiben können. Aber es ist das richtige Kleid für meine Frau, es ist wie für sie geschaffen.« Renée Goldschmidt sah mich an, dann sagte sie zu mir. »Bitte, drehen Sie sich um.« Wieder sah sie mich an, und dann meinte sie: »Nehmen Sie das Kleid, ich schenke es Ihnen. Es kostet 2000 Kronen, aber es wäre eine Sünde, es an eine andere zu verkaufen. Vergessen Sie den Preis, Herr Loos, es macht mir eine besondere Freude, Ihrer schönen jungen Frau dieses Kleid schenken zu dürfen.« Wir zierten uns nicht und nahmen das Geschenk an. Natürlich bedankten wir uns aufrichtig, das Ganze kam mir wie ein Märchen vor. Ich erzähle dies hier aus Dankbarkeit gegenüber Renée Goldschmidt. Dieses schwarze Kleid mit den Straßsteinen war das schönste, das ich im Leben besessen habe. Ich trug es jahrelang, und immer brachte es mir Glück. Ich sah in diesem Kleid viel schöner aus, als ich tatsächlich war. Es war wie ein Zaubergewand, in welchem der ganze Idealismus und die Selbstlosigkeit der kleinen, buckligen Renée Goldschmidt eingewoben waren.

Diesmal fuhren wir direkt nach Nizza, wie immer 3. Klasse,

und schnappten nur Luft, wenn wir den Zug wechseln mußten. Nach endloser Reise kamen wir schließlich ans Mittelmeer. Wir erwachten gerade von einem Schläfchen auf den
harten Holzbänken in einem zufälligerweise leeren Abteil.
Bevor wir nach Mentone kamen, öffneten wir die Fenster,
und die wunderbare, salzige Meeresluft, mit dem Duft blü-
hender Mimosen gemischt, füllte das Abteil. Wir sahen einander an und atmeten tief ein. Loos sah sehr müde aus. Es
war das erstemal, daß ich ihn müde und gealtert fand, aber
ich schrieb diesen Umstand der langen Reise zu. Und tatsächlich erholte er sich bald in Nizza.
Loos stürzte sich sofort in unermüdliche Tätigkeit. Während
ich die alten Bekannten aufsuchen mußte, meinen Agenten
van Cleff, die russischen und französischen Freunde aus dem
vergangenen Jahr, lief er den ganzen Tag herum, um
»meine« Saison vorzubereiten. Nach wenigen Tagen hatte er
mir einen kleinen Saal ausfindig gemacht, wo ich Stunden
geben konnte. Er gab eine Annonce in die Zeitung und
nannte das Ganze meine »Tanzschule«. Es kamen jedoch
nur vier oder fünf junge Mädchen und Kinder, um bei mir
zu studieren, lauter Anfängerinnen, und die meisten hatten
kein Geld, um ordnungsgemäß zu bezahlen. Dafür hatten sie
aber auch sehr wenig Talent. Diese Tanzstunden, die ich
geben mußte, verbitterten mein Leben sehr. Ich war nie eine
begeisterte Lehrerin. Loos verbündete sich mit einer armen
alten Russin, die ihre Seele für ein Mittagessen verkauft
hätte, und sie verpflichtete sich, uns zu helfen. Sie brachte
mich zu einer alten Dame, die die Exgeliebte irgendeines
Expräsidenten von Frankreich war. Diese Dame, die über 70
Jahre alt war und ständig in Nizza lebte, leitete eine Tanzschule in ihrer eigenen Wohnung und war mit gut zahlenden
Schülern überlaufen. Alle Kinder der guten französischen
Gesellschaft lernten bei Madame Yolande tanzen. Das heißt,
sie lernten hüpfen, Knickse machen und vollführten eine Art

von Reigentanz, eine Erfindung von Madame Yolande. Tanzen lernten sie nicht. Aber die alte Dame engagierte mich als Tanzlehrerin, und ich nahm den größten Teil ihrer Arbeit auf mich. Madame Yolande saß mit den Müttern der Kinder in kleinen Fauteuils, während ich mit ihnen herumsprang und sie so gut es ging im Zaume hielt. Aber niemals sprach eine der Mütter ein Wort mit mir. Ich war eben nicht die Exgeliebte eines Expräsidenten, sondern nur eine Tänzerin. Madame Yolande war ein liebenswerter Mensch. Sie war nicht reich; sparsam wie alle Franzosen, wußte sie ihr Kapital gut auszunützen. Im Augenblick rechnete sie mich zu ihrem Kapital. Ihre Wohnung war geräumig, aber sie hatte fast keine Möbel, nur die Sessel und Fauteuils für die Mütter. Außerdem war die ganze Wohnung, auch ihr kleines Schlafzimmer und die Küche, mit künstlichen Blumen förmlich tapeziert. Wo man hinsah, nickten einem Rosen, Nelken und Orchideen von den Wänden zu. Madame Yolande war auf diese Erfindung sehr stolz, und wir ließen sie bei dieser ihrer Einstellung zum Leben, zur Schönheit und zur Dekoration. Die Kochgeschirre in der Küche waren fast alle alt und verbrannt, aber jedes hatte eine rosa oder hellblaue Schleife am Henkel; dies verschönere das Dasein, behauptete sie.

Die unangenehmsten Tage waren die Abrechnungstage, denn wenn ein Franzose einem Fremden Geld geben muß, leidet er schwer. Madame Yolande alterte sichtlich an jedem Zahltag. Aber wenn ich zwei Tage fehlte, ließ sie mich rasch holen. Ihr Rheumatismus war stärker als ihr Geiz.

Weihnachten war überaus traurig. Ich hatte Sehnsucht nach meinen Eltern, es war das erstemal, daß ich das Weihnachtsfest nicht in Wien verbrachte. In Nizza gibt es keine Christbäume, doch Loos brachte von der Grande Corniche Föhrenzweige mit nach Hause und baute in einer Vase etwas Baumähnliches auf. Geschenke gab es in diesem Jahr nicht, aber Loos hatte uns einen Tisch zum »Reveillon« im Hotel Ruehl reserviert, das Diner kostete 100 Francs, das war sehr teuer. Ich trug mein goldenes Kleid und Loos seinen Frack, er sah wie ein englischer Lord aus. Wir saßen unter lauter fremden Menschen, wir kannten keine Menschenseele im Saal, auf unserem Tisch stand eine Flasche Pommery, und wir aßen die kostbaren Speisen der reichen Leute. Trotzdem war ich sehr unglücklich, und das passiert mir immer, wenn ich mich nicht am richtigen Platz fühle. Als das Reveillon endlich vorbei war und wir wieder in unserem kleinen Hotel angelangt waren, atmete ich auf. ›Ich hätte das schwarze Sternkleid anziehen sollen‹, dachte ich. »Was ist mit dir los?« fragte Dolfili. »Jede andere Frau auf der Welt wäre selig, wenn sie Weihnachten im Hotel Ruehl in Nizza verbringen könnte.« Möglicherweise hatte er recht. Ich war aber gar nicht selig. Mir fehlte der Schnee. Mir fehlte der Duft der Tannenzweige. Mir fehlte der wunderbare Geruch nach Weihnachtsstriezel, der aus allen Bäckereien strömt. Mir fehlten die tropfenden Kerzen und die Zimtsterne, mir fehlte Wien.

Im Jänner 1923 gab ich meinen ersten Tanzabend. Loos war dauernd unterwegs. Er fuhr nach Antibes, wo die englische Königsfamilie weilte, und lud sie zum Tanzabend ein. Die ganze erste Reihe war für sie reserviert. Ich tanzte einen Marsch von Louis Ganne, und Loos fuhr nach Monte Carlo, wo Ganne Direktor des Theaters war, und lud den neunzigjährigen Mann ein. Alle Presseleute und alle Impresarios wurden eingeladen, van Cleff bereitete eine sehr gute Propaganda vor, und der Tanzabend wurde ein großer Erfolg. Die englischen Aristokraten erschienen vollzählig und füllten die erste Reihe, unter ihnen der Herzog von Kent und der Herzog von Connaught. Unsere Russin hatte auch fleißig gearbeitet und einen Großteil der russischen Großfürsten mit ihren Familien eingeladen, natürlich waren auch sie un-

sere Gäste. Der Saal war übervoll, und die Leute schienen
von der Darbietung begeistert. Der Herzog von Kent und
der Herzog von Connaught kamen in meine Garderobe und
küßten mir die Hand. Sie luden mich nicht ein, aber am
nächsten Tag schickten sie mir einen Theateragenten, der
mir ein Engagement für die »Alhambra« in London anbot,
das ich natürlich annahm. Die Russen hingegen luden mich
alle ein, und in den nächsten Tagen tranken wir unseren Tee
mit zahlreichen Nikolais, Iwan Iwanowitschs und Alexejs,
ihren Frauen und Kindern in den guten Hotels von Nizza.
Ich kam aus den Hofknicksen nicht heraus. Louis Ganne
stellte mich der Prinzessin von Monte Carlo vor, und sie lud
mich ein, bei einem Wohltätigkeitsfest im Schloß zu tanzen.
Ich gab noch weitere zwei Tanzabende in Nizza mit neuem
Programm, das bedeutete neue Proben und viel Arbeit.
Während der ganzen Zeit gab ich nebenbei meine Tanzstunden. Durch die Tanzabende waren einige neue Schülerinnen
gekommen, und außerdem setzte ich meine Arbeit bei Madame Yolande fort. Ich erhielt ein Engagement für 14 Tage,
zur Teestunde im Casino in Cannes zu tanzen. Das bedeutete eine tägliche Reise von Nizza nach Cannes und zurück,
aber es bedeutete auch etwas mehr Geld und Propaganda.
Außerdem war es eine Ehre, denn ich tanzte im selben
Programm mit der berühmten Antonia Mercè, la Argentini-
ta. Ich arbeitete ununterbrochen, war sehr müde und öfter
schlecht gelaunt. Ich konnte nicht begreifen, wozu diese
Hetzjagd dienen sollte. Die Presse von Nizza gab ein Fest,
und ich mußte tanzen. Ich mußte tanzen, wann und wo
immer Loos es für wichtig hielt. Und so tanzte ich ununterbrochen. Im »Figaro« erschien ein Artikel auf der ersten
Seite, und Hervé Lauvick, ein berühmter Kritiker, schrieb:
»Wir sahen in Nizza Elsie Altmann tanzen und müssen
sagen, daß uns nachher die Dolly Sisters blaß erschienen.
Mademoiselle Elsie ist die Sensation der Saison an der Côte

d'Azur.« Ich traute meinen Augen nicht, als ich meinen Namen auf der ersten Seite des »Figaro« las. Und dabei kannten wir Hervé Lauvick gar nicht.

Loos mußte für eine Woche nach Wien fahren, um mit dem Siedlungsamt zu verhandeln. Ich benützte die Woche dazu, nach Paris zu fahren, und mit dem »Figaro« in der Hand begann ich Verhandlungen mit einem Agenten für das Casino de Paris. Der Agent war ein Tscheche, ein sehr unangenehmer Mensch, aber schließlich versprach er mir ein Engagement im Casino de Paris für den kommenden Herbst. Es war nur ein Versprechen, aber es war ein Schritt weiter. Loos war sehr, sehr zufrieden mit meinem Unternehmungsgeist und lobte mich sehr, als wir uns in Nizza wieder trafen. Der Plan zum »Grand-Hotel Babylon« war wohl im ersten Jahr unseres Aufenthaltes in Nizza entstanden, aber im zweiten Jahr reifte dieser Plan in allen seinen Einzelheiten heran. Es ist für mich eines der schönsten Werke von Loos (obwohl es nie gebaut wurde). Aber auch bei dieser Gelegenheit arbeitete mehr seine Vorstellungskraft als die Wirklichkeit. Das Hotel war für jenen Platz geplant, an dem das Hotel Negresco stand und noch immer steht. Das von Loos geplante Hotel hatte aber zwei Bauelemente vorgesehen, und Loos erklärte mir immer wieder, daß der Besitzer des Hotels dieses niederreißen würde, weil es schon zu altmodisch wäre. Neben dem Negresco befand sich ein anderes Hotel, bei weitem nicht so luxuriös und teuer wie das Negresco, sondern ein großes, gutes Familienhotel. Loos war fest davon überzeugt, daß der Besitzer des Hotels Negresco, sobald er die Pläne des »Grand-Hotels Babylon« gesehen hätte, das Hotel neben seinem eigenen kaufen und gleichzeitig mit dem Negresco niederreißen würde, um so den nötigen Bauplatz für das Hotel Babylon zu gewinnen.

Loos arbeitete jede freie Minute an diesem Plan. Er ging unzählige Male um das Hotel herum, nahm die Maße und

Dimensionen der beiden Gebäude, zu Hause arbeitete und zeichnete er dann stundenlang und machte viele kleine Skizzen. Es war nicht seine Gewohnheit, Einzelheiten seiner Werke mit mir zu besprechen. Sein Werk entstand in ihm, und ich konnte beobachten, wie sehr er das Schaffen genoß. Das muß ihn für viele Enttäuschungen entschädigt haben.

Wir gingen sehr häufig ins Negresco, oft nachmittags zum Tee, und Loos trachtete, das Vertrauen der Angestellten zu gewinnen, denn er wollte eine Unterredung mit dem Besitzer des Hotels herbeiführen. Eines Tages kam der Schah von Persien nach Nizza und stieg im Hotel Negresco ab. Man gab ihm zu Ehren ein großes Fest, und Loos und ich gaben viel Geld aus, um an dem Bankett teilnehmen zu können. Ich zog mein schwarzes Glückskleid an, und durch die große Ausgabe für das Bankett und durch Trinkgelder rechts und links erreichte Loos schließlich die Besprechung mit dem Besitzer des Hotels. Die Antwort lautete weder »Ja« noch »Nein«. Loos möge weiterarbeiten, wenn er wollte, da erst im nächsten Jahr eine endgültige Entscheidung über den eventuellen Umbau oder Neuaufbau des Hotels getroffen werden würde. Loos war mit der Antwort sehr zufrieden. Und er arbeitete an seinem Projekt weiter.

Das Hotel Negresco steht heute noch, mit seinen Palmen und altmodischen Zinnen, es hat sich nicht geändert. Es ist altmodisch, noch viel altmodischer als im Jahr 1923. Aber es gibt eben auch heute noch Menschen, die in dieses altmodische Hotel passen und gerne dort wohnen.

Oskar Kokoschka hat im Jahre 1933, nach Loos' Ableben, anläßlich der Gedächtnisfeier des österreichischen Werkbundes, einen sehr schönen Artikel über Loos geschrieben. Kokoschka bringt ewig gültige Wahrheiten in diesem Aufsatz, unter anderem: »Ohne Namen, ohne Denkmal wird die Zeit bleiben, die der Kunst den Rücken kehrt.« Aber er sagt auch etwas, das ich in aller Bescheidenheit bestreiten möchte: »Daß man den Baumeister nicht bauen ließ, das kann eine posthume Ehrung nicht gutmachen. Der Baumeister ist kein Komponist, ist kein Maler.« Das ist wohl wahr. Aber ich sage: Das »Hotel Babylon« an der Côte d'Azur besteht, obwohl es nie gebaut wurde. Freilich hat der Baumeister keinen Verdienst beim Schaffen gehabt, aber er erlebte die Befruchtung seines Geistes, die Auseinandersetzung mit dem Raum, die Vorstellung der in Betracht kommenden Materialien. Er sieht und fühlt sein Werk, für ihn besteht es, und er folgt im Geiste Schritt für Schritt seiner Fertigstellung. Nicht der Baumeister, der nicht bauen durfte, ist zu bedauern, sondern die Menschheit, die ihn nicht bauen ließ und die kein Denkmal besitzt, das von seinem Genie Zeugnis gibt. Da wir aber im Atomzeitalter leben und nicht wissen können, ob wir und unsere Häuser morgen noch bestehen werden, da wir in einer Zeit leben, in der selbst die Pyramiden verschwinden können, trösten wir uns mit dem Gedanken an die Ewigkeit, die so lange dauert, daß kein Gebäude sie überlebt, nicht einmal das Hotel Negresco. Das aber, was der Baumeister in seinem Geiste geschaffen hat, ist unsterblich, lebt im Raum, nur wir sind die Blinden, die es nicht sehen können. Der Baumeister hat sein Werk gesehen und erlebt.

Die Saison an der Côte d'Azur ging ihrem Ende entgegen. Man hatte mir für den ganzen April ein Engagement in Zürich angeboten. Ich war sehr müde, hatte sehr viel gearbeitet und meine freie Zeit fast ausschließlich im Zug nach Monte Carlo oder Cannes verbracht. Außerdem war ich niedergeschlagen, weil all diese Arbeit mir plötzlich nutzlos erschien, denn wir hatten schon wieder gar kein Geld, und ich begann mir Sorgen zu machen, wie wir mit unserem Gepäck bis Zürich kommen würden. Eines Tages beklagte ich mich bei Loos, ich erklärte ihm, daß ich dieses Lebens überdrüssig wäre; das ewige Hasten von einem Ort zum anderen, das Unterrichten, das Auftreten bei allen möglichen Festen, gratis oder schlecht bezahlt, hatten mich erschöpft. Ich wäre der Prinzessinnen und Fürsten überdrüssig, ich wollte leben wie andere Menschen. Da entgegnete Loos sehr ernst, daß er das alles gemacht hätte, damit ich mir einen Namen an der Côte d'Azur machen und wir für immer dort leben könnten. Ich würde mit der Zeit eine Tanzschule in Nizza eröffnen, so wie sie die Duncans in Paris hätten, und er wäre glücklich, sein Alter an der Côte d'Azur verbringen zu können. Jetzt verstand ich seine unermüdliche Tätigkeit für mich, denn, ehrlich gesagt, ich habe mich nie ernst genug genommen, um all dieser Mühe wert zu sein. Ich wollte tanzen, um reisen zu können, neue Länder zu sehen, um leidlich gut leben zu können. Aber niemals hielt ich es der Mühe wert, daß ein Genie, wie Loos es war, sich so heftig für mich einsetzen sollte. Nun, da es auch für seine Zukunft wichtig war, verstand ich die Situation besser. Nur war ich nicht so optimistisch wie er. Denn von den Kämpfen, die eine Tänzerin hinter den Kulissen auszufechten hat, wußte er wenig, und außerdem maß er diesen Vorfällen wenig Bedeutung zu. Mich aber deprimierten alle Zusammenstöße mit frechen Menschen, an denen es nie fehlte, sehr. In Wien war Adolf Loos »der Loos«, der bekannte Architekt, in Nizza war er ein tauber alter Mann, der eine Tänzerin managte.

Im März hatte ich einen Monatsvertrag im Hotel Cap Ferrat. Loos lebte natürlich mit mir in diesem schönen Hotel. Ich tanzte nur zweimal in der Woche drei Tänze, und die ganze übrige Zeit gehörte uns. Zwischen Beaulieu und Cap Ferrat liegt eine Bucht, die Saint-Jean heißt, Saint-Jean de Cap Ferrat. Loos zog es immer zu dieser Bucht hin, die einen ganzen Uferstreifen unbebauter Grundstücke hatte. Loos umwanderte sie beinahe täglich. Zur rechten Hand sah man Beaulieu und die Hügel der Grande Corniche dahinter, zur linken Hand Cap Ferrat und die Landzunge, die weit ins Meer reicht, mit der berühmten schwarzen Muttergottes. Eines Tages sagte Loos zu mir: »Siehst du, hier will ich unser Haus bauen, das ist der richtige Ort und gefällt mir am besten. Hier will ich alt werden. Und wenn ich dann das Hotel in Nizza baue und du deine Tanzschule aufmachst, bleiben wir für immer hier.«

Unser Haus wurde nicht gebaut. Das Hotel wurde nicht gebaut. Meine Tanzschule wurde nie eröffnet. Ich kehrte niemals mehr nach Nizza zurück. Aber ich sehe Loos vor mir, wie er um die Grundstücke in Saint-Jean herumgeht. Ich sehe ihn stundenlang auf der Promenade des Anglais vor dem Hotel Negresco sitzen und auf dieses Hotel und das danebenliegende blicken und nachdenken. Er steht vor mir und korrigiert meinen Hofknicks, denn ich neige den Kopf, und es ist strengste Etikette, den Hochgeborenen ins Gesicht zu sehen, während man knickst. Wir gehen zusammen über den Blumenmarkt in Nizza und stecken die Nasen in alle Sträuße. Wir essen in einem kleinen Matrosengasthaus, und Loos entdeckt einen wunderbaren Weißkäse, der in Binsen verpackt serviert wird. Wir gehen über den Friedhof in Beaulieu, wo fast nur Ertrunkene und Kriegsopfer, die hinter der Front starben, begraben sind, und lachen über die praktischen Franzosen, die ihre Grabkränze aus Glasperlen herstellen, damit sie niemals welken. Ich sehe Loos mit dem polnischen Arzt sprechen, der ein kleines Kästchen unter dem Arm trägt, in welchem er angeblich einen Klumpen Radium verborgen hat, der viele Millionen wert ist und um den herum er an der Côte d'Azur ein Sanatorium bauen will. Wir steigen zu Fuß zu den Filmstudios von Pathé und Gaumont hinauf, wir gehen dort oben in herrlichen Gärten spazieren, viele hundert Meter über dem Meer, das aus der Ferne leuchtet. Wir kehren nach Nizza zurück und besuchen ein altes Ehepaar, das eine Sammlung von Gemälden

Goyas besitzt, die eigentlich in ein Museum gehören. Und wir besuchen Baron Nicolai, einen Serben, in seiner Villa, die ihm die Franzosen nach dem Krieg zurückgegeben haben. Die Plafonds sind durchgebrochen, die Parkettböden verfault, aber Baron Nicolai restauriert das Haus selbst, er arbeitet allein mit seinen Händen, und Loos hilft ihm von Zeit zu Zeit. Nicolai will das Haus verkaufen und nach Amerika auswandern. Dort will er Chauffeur werden. Loos sagt: »Amerika? Nein. Ich bleibe hier, hier scheint immer die Sonne.«

25.

Ball im Bullier

Jedesmal, wenn wir in Paris waren, hoffte Loos, daß der
»Bal des 4 arts« stattfinden würde und wir ihn besuchen
könnten. Immer erzählte er mir von diesem kolossalen Ereignis, das von den bildenden Künstlern und ihren Modellen
veranstaltet wurde. Die große Sensation dabei war, daß die
Modelle splitternackt auf den Ball gingen und ohne falsche
Scham die ganze Nacht so verbrachten und daß man sich
großartig unterhielt. Aber er hatte kein Glück, scheinbar
hatte nach dem Kriege noch kein »Bal des 4 arts« stattgefun-
den und es war auch keiner in Aussicht. Einmal gingen wir
nachts in Paris spazieren, es war schon spät und auf der
Straße waren wenig Menschen. Wir gingen über einen Boulevard und plötzlich sahen wir auf der anderen Seite drei
große, schlanke Mädchen stehen; sie waren in dunkle Capes
gehüllt und schienen darunter keine Kleider zu tragen, also
wirklich nackt zu sein. Sie hielten nach einem Taxi Aus-
schau, riefen alle Fahrzeug an, aber keines blieb stehen.
»Komm«, rief Loos, »das sind Modelle, die auf den ›Bal des
4 arts‹ gehen, er findet also doch statt! Wieso habe ich es
nicht gewußt? Komm, wir wollen ihnen helfen, ein Taxi zu
finden und bringen sie dann auf den Ball.« Mit diesen Worten zerrte er mich über den breiten Boulevard. Aber als wir
an die Ecke zu den Mädchen kamen, hatten sie gerade ein
Taxi gefunden und waren dabei, einzusteigen.
»Erkläre ihnen, daß wir sie hinführen«, sagte Loos, und ich
erklärte den erstaunten Mädchen den Grund unseres Über-

falls. Sie sahen erstaunt drein. Nein, sie gingen auf keinen Ball, sie waren Akrobatinnen und waren in großer Eile, um zur rechten Zeit in ihren Zirkus zu kommen. Sie waren auch nicht nackt, sondern hatten fleischfarbene Trikots an. Und schon waren sie im Wagen und dieser flog davon. Loos sah mich enttäuscht an. Ich mußte lachen und dann fing auch er zu lachen an und sagte: »So ein Pech. Wir haben kein Glück mit diesem Ball.«

Mit der Zeit vergaß er auf den famosen Ball, er wurde ja ein richtiger Pariser und vielleicht ist es ihm in späteren Zeiten doch noch einmal gelungen, dieses große künstlerische Ereignis mitzumachen. Ich weiß es nicht, ich war nicht mehr dabei . . .

Einmal war ich ein paar Tage allein in Paris, Loos war gerade in London bei einem Architektenkongreß. Ich wollte mit meinem Pariser Agenten verhandeln. Ich wohnte in einem kleinen italienischen Hotel, in dem wir oft abstiegen, denn es war nicht teuer, aber sauber und das Essen war sehr gut. Tagsüber war ich bei den Verdiers, bei den Berques und Bessons.

Wo könnten wir sie abends hinführen, meinte Besson zu seiner Frau, damit sie etwas neues kennenlernt? Heute ist ein Ball im Bullier, schlug Mme Besson vor, warum führst du sie nicht hin? Eine großartige Idee! Und sie erklärten mir, daß diese Bälle im Bullier von den Künstlern veranstaltet wurden, es waren Kostümbälle und galten für unterhaltend und interessant. Ich hatte kein Kostüm mitgebracht, aber ich hatte das Sternenkleid, das schwarze Glückskleid mit und M. Besson wollte seinen Smoking anziehen. Mme Besson ging nicht mit, aber sie war stolz, daß wir ihren Vorschlag mit Begeisterung annahmen. Ich ging zurück ins Hotel, um mich vorzubereiten.

Das Bullier war ein enormes, sehr altes Gebäude, man könnte sagen: ein richtiger Schuppen. Als wir ankamen, war

191

es schon so voll mit Leuten, daß man kaum vorwärts konnte. Doch es gab einen großen freien Platz zum Tanzen und das Orchester spielte. Die Leute hatten die unglaublichsten Kostüme an, einige waren maskiert, man studierte gegenseitig die Kostüme mit größtem Ernst. Es waren auch viele Modelle da, nicht ganz nackt, aber ziemlich; sie bedeckten sich mit Shawls und Schleiern, saßen meistens still da und rauchten. Alle benahmen sich tadellos. Wenn ich an unser heutiges Strandleben denke, an die »Tangas« und die »Topless«-Mode, muß ich sagen, daß diese Modelle wahre Nonnen dagegen waren.

Ich glaube, man hielt uns für Engländer, man behandelte uns mit viel Respekt. Ich wollte mir alle Kostüme genau ansehen, aber ich hatte keine Zeit dazu, denn das Orchester begann zu spielen und ich flog von einem Arm in den anderen. Nie im Leben habe ich so viel getanzt. Alle wollten mit mir tanzen. M. Besson tanzte nicht, er saß stolz lächelnd auf einer Balustrade und nickte mir immer freudig zu. Schließlich konnte ich nicht mehr und setzte mich zu ihm. Wir tranken Limonade, und jetzt erst konnte ich die Kostüme betrachten: nun, sie waren nicht anders als die Kostüme auf anderen Bällen auch – Teufel, Engel, Pierrots, Zauberer etc. alle sehr farbfreudig und die meisten mit Masken. Da ich ja sehr wenig Bekannte in Paris hatte, erkannte ich nur zwei Personen. Einer war der Maler Foujita – mit dem hatte ich mich bei der Loos-Ausstellung im Salon d'Automne angefreundet. Er war der einzige, der es gewagt hatte, splitternackt auf diesen Ball zu kommen. Er trug nur einen winzigen Lendenschurz, unter die Nase hatte er ein weißes Tuch gebunden, als ob er Zahnweh hätte. Er tanzte die ganze Zeit allein um sich selbst herum und schien sich gut zu unterhalten. Als er mich sah, steuerte er auf mich zu, riß sich das Tuch vom Gesicht und wollte mir mit tanzen. Aber er war mir zu nackt. Das sah er auch ein. Und so tanzte er ein

THE CHICAGO TRIBVNE COLVMN

22 Adolf Loos' Wettbewerbs-
entwurf für das Zeitungsge-
bäude der »Chicago Tribune«
1922.

23 Adolf Loos' unausgeführtes
Projekt »Grand Hotel Babylon«, das er in Nizza anstelle
des Negresco errichten
wollte. 1923.

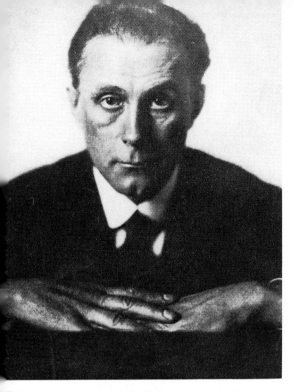

24 Adolf Loos, zur
Zeit seiner Ehe mit
Elsie Altmann
(1919–1926) Foto
von Trude Fleisch-
mann.

25 Elsie Altmann zur
Zeit ihrer Ehe mit
Adolf Loos.
Foto von d'Ora.

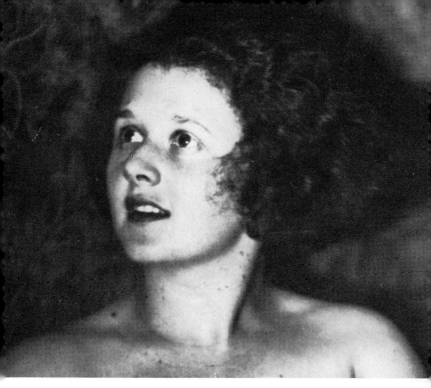

26 D'Ora-Foto aus
»Der Abend«,
Wien 1924. Der
Text dazu lautet:
»Frauen aus drei
Erdteilen: der Wie-
ner liebt die natür-
liche Anmut, wie
sie Elsie Altmann
zeigt, die bekannte
Tänzerin, die sich
der Operette zuge-
wendet hat.«

27 Adolf Loos in spä-
teren Lebensjahren.

28 Hochzeit mit Claire Beck, am 28. Juli 1929. Rechts der Trau-
zeuge Heinrich Kulka, links Mitzi Schnabl, Adolf Loos' treue
Haushälterin.

bißchen um mich herum und verschwand dann in der Menge. Ich lief auf die Balustrade zurück. Durch die Menschenmenge schritt ein festlich gekleideter Pierrot, er trug einen bestickten Mantel und eine ebenso bestickte Kappe, die den Kopf einschloß. Er war sehr geschminkt, trug aber keine Maske. Plötzlich blieb er vor mir stehen und sah mich schweigend an. Da erkannte ich ihn – es war Alexander Sacharoff*, aber er schien mich nicht zu erkennen, obwohl ich ihn und seine Frau, Clotilde von Derp, sehr gut kannte. »Sascha«, sagte ich, »erkennst du mich nicht?« Er antwortete nicht, sah mich nur ernst und nachdenklich an. Dann ging er weiter und ich verlor ihn aus den Augen. »Wie komisch« sagte ich zu Herrn Besson, »er hat mich nicht erkannt.« Und da sagte M. Besson etwas, das ich in meinem ganzen Leben nicht vergessen werde. Er sagte: »Ja Elsie, merken Sie denn nichts?« Nein, ich merkte nichts. »Elsie«, sagte er, »wissen Sie denn nicht, daß Sie die schönste Frau auf diesem Ball sind?« Ich konnte nichts sagen, so erstaunt war ich. Das Sternenkleid, dachte ich . . .

Bald darauf gingen wir nach Hause, ich in mein Hotel. Besson übergab mich der Besitzerin – eine Italienerin, die mich wie eine Mutter behandelte – und verabschiedete sich. Ich kroch in das große Ehebett, ich war sehr müde. Dieser letzte Ausspruch von Besson hatte mich irgendwie aus dem Gleichgewicht gebracht. Ich wollte nicht die Schönste sein, nicht einmal im Bullier. Ich hatte plötzlich Angst. ›Wenn nur Dolfili bald zurückkäme‹, dachte ich. Dann schlief ich ein.

---

* Alexander Sacharoff, russischer Tänzer, der sich schon vor dem 1. Weltkrieg in München mit seinen Tanzschöpfungen ohne Musikbegleitung, meist inspiriert von griechischen Mythen, einen Namen gemacht hatte. Clotilde von Derp war seine Tanzpartnerin.

26.

In Memorium Madame d'Ora

Vergangene Zeiten stehen vor mir auf, wenn ich Photos von d'Ora betrachte. War ich wirklich so schön, so zauberhaft? Oder war es ihre große Kunst, die mich plötzlich zum Cover Girl machte? Dora (in Wirklichkeit hieß sie Dora Kallmus), liebe gute Freundin – wer könnte dich je vergessen?

Aller Anfang ist schwer. Das ist ein altes Sprichwort und höchstwahrscheinlich hat es recht. Zur darstellenden Kunst – Theater, Tanz, Mimik – gehört natürlich vor allem Talent. Aber Talent allein, so groß es sein mag, genügt nicht. Außer vielleicht in ganz außergewöhnlichen Fällen. Normalerweise umringen viele helfende Faktoren das Talent: Regisseure, Modekünstler, Friseure und – last not least – Photographen. Man sollte nicht glauben, wie wichtig diese sind. Anfangs, bevor dich keine Katze kennt, bist du aber schon voll Ehrgeiz, weil dich dein »Talent« ja nicht einmal schlafen läßt. Du mußt dich jedoch gedulden – kein großer Meister der Fotografie will seine Zeit mit dir verlieren.

Du gehst also zu einem Photographen, der Zeit für dich hat – und ein großes Atelier, wo er meistens Gruppenbilder macht, von Hochzeiten, vom Gesangsverein und ähnlichem. »Ah, Fräulein Talent«, sagt der Photograph, »Tanzbilder wollen Sie, Ja, warum denn nicht? Ziehen Sie nur Ihr Kostüm an.« Und du verkleidest dich als Zigeunerin, als Elfe, als Schmetterling, nimmst alle möglichen Stellungen ein – und er knipst fleißig, knipst und knipst. »Heben Sie den linken Fuß – blicken Sie nach oben – verdrehen Sie den Kopf

– ja, so . . . nein, so nicht . . .« Zum Schluß seid ihr beide so müde. Du läßt das Köpfchen hängen und er macht den letzten Knipser und meistens ist dieses letzte Photo – ein Abbild der Erschöpfung und Ergebenheit – das einzige, das dann irgendwie in Betracht kommt. Außerdem kommt eine hohe Rechnung für so viel Arbeit und Mühe. Und das Talent bezahlt folgsam. Man ist klein, man ist arm, man ist unbekannt – also bitte, keine Geschichten machen. Draußen wartet schon der Turnverein von Ottakring auf seinen Phototermin.

Dann kommt der Erfolg mit allen seinen Konsequenzen. Jetzt haben alle Zeit für dich, die Schneider laufen dir nach, du kannst alles haben, Kleider, Hüte, Pelze, Schuhe – und alles ohne Geld, alles auf Kredit. Jetzt hast du endlich alles und auch einen Berg Schulden.

Aber was hat all dies mit Madame d'Ora zu tun?

In Wien gab es damals – in den »Tollen Zwanzigerjahren« – zwei große Photographen: Setzer und d'Ora. Obwohl Adolf Loos auch ein Freund von Madame d'Ora war, kam es irgendwie nie zu einem Phototermin. Loos ließ sich von Setzer photographieren. Setzer war ein sehr guter Photograph, aber er war vielleicht zu trocken, zu ernst – seine schönsten Porträts waren meistens solche von eleganten, bedeutenden Männern. Jedoch fehlte ihnen der Charme, der Zauber, der aus allen d'Ora-Bildern strahlte. Und wenn es auch niemand offen aussprach – wer konnte, ging zu d'Ora. Wer konnte: das heißt, wer ihr gefiel und wen sie empfing.

»Elsie« – d'Oras Stimme klingt am Telefon – »hast du viel zu tun? Ich bin nämlich den ganzen Tag frei und habe große Lust, etwas Schönes zu machen. Kannst du kommen?« Und schon bin ich bei ihr, mit einem Handkoffer voll Kostümen. Ihre kleine Tanagrafigur tanzt und hüpft freudig durch das Atelier, sie lacht, sie ist gut gelaunt. Sie ist klein und zierlich, gar nicht hübsch, aber ihre Persönlichkeit ist so stark, daß niemand auch nur auf die Idee käme, Schönheit bei ihr zu vermissen. Ihr Auftreten, ihre freudige Sicherheit überwältigen. »Da bist du endlich, mein Schatz«, sagt sie, beutelt mich bei den Haaren und küßt mich auf die Nase. Dann wühlen wir im Kostümkoffer herum. »Das«, sagt sie, »das zieh an.« Dann sitze ich ruhig da – oder stehe und schaue hin, wo ich will und sie hüpft um ihren großen Photoapparat herum, guckt hinein, wechselt die Platte, spricht über alles Mögliche, lacht und ist stets gut aufgelegt. Trotz der schlechten Zeiten. »Ja, ja«, sagt sie, »wir sitzen auf einem Vulkan – na schön, auch das ist eine Erfahrung, meinst du nicht?« Und während man denkt, das wären alles nur Vorbereitungen zum Photographiertwerden, bist du schon längst konterfeit. Xmal hat sie geknipst und du hast es nicht gemerkt. »Steige herab von deinem Thron«, sagt sie, »jetzt werden wir Café trinken.« Und dann trinken wir Café und sie geht sofort ins Laboratorium. Kommt zurück: alles in Ordnung.

Ein paar Tage darauf bekommst du die Bilder. Alle sind wunderschön. Du bestellst natürlich alle, in verschiedenen Formaten – und dabei hast du keine Ahnung, daß dies für die Ewigkeit ist – oder sagen wir, für den winzigen Teil der Ewigkeit, den wir miterleben.

27.

Der kleine Finger

Nizza, Paris, Nizza, Monte Carlo, Cannes, Nizza, Zürich, London, Mailand . . . Endlich war ich wieder in Wien. Loos war von Zürich direkt nach Wien gefahren, denn man erwartete ihn dringend im Siedlungsamt. Das Projekt der Arbeiterhäuser und die Probleme der Siedler beschäftigten ihn vollauf. Immer war er von einem Schwarm junger Architekten und Beamten umgeben und kümmerte sich sehr wenig um mich. Er mußte nachholen, was er in all der Zeit, die wir auf Reisen verbrachten, versäumt hatte.

Ich stand vor meinem offenen Koffern und konnte mich nicht entschließen, auszupacken. Die Kostüme waren schmutzig, sie rochen nach Rauch und Schminke, ich hatte sie so oft getragen, daß ich sie gar nicht mehr ansehen wollte. Auch meine Kleider waren verbraucht und vom vielen Ein- und Auspacken ruiniert. Ich hatte einen richtigen Katzenjammer, und nicht einmal die Tatsache, wieder in Wien und zu Hause zu sein, brachte mich in bessere Stimmung. Unsere Mitzi stand neben mir und sah mich verständnisvoll an. Dann begann sie auszupacken, und ihr Geplapper ließ mich ein wenig meine schlechte Laune vergessen. Unter anderem erzählte sie mir, daß das Siedlungsamt während meiner Abwesenheit Loos den Posten eines bezahlten Leiters angeboten hatte; bisher war er wohl Leiter des Amtes gewesen, aber es war ein Ehrenamt, er wollte nie etwas von Bezahlung wissen, um sich seine Freiheit bewahren zu können. Freiheit, um reisen zu können, Freiheit, um seine Meinung laut aussprechen zu können, Freiheit im allgemeinen, jetzt aber bot man ihm eine recht gute Bezahlung an.

Ich sah vor mich hin. Er hatte mir kein Wort von dieser Neuigkeit erzählt, sicher, damit ich nicht den Versuch machen könnte, ihn zur Annahme zu überreden. Aber es war nicht ich, die ihn dazu brachte, den Posten anzunehmen. Es war Mitzi. Sie sah meine Müdigkeit, meine Enttäuschung, nach vielen Monaten kam ich von einer sehr erfolgreichen Tournee zurück und war ärmer als vorher. Nicht nur ärmer an Geld, sondern ärmer an Kraft und Lebensfreude, vollständig erschöpft. Ich hatte nicht einmal mehr die Gabe, mich in Wien wohl zu fühlen. Mein Innenleben war genauso zerknittert wie meine Tanzkostüme. Und das schlimmste war, daß sich niemand für meinen Seelenzustand interessierte. Aber die Mitzi verstand mich. Sie wußte, ich wollte zu Hause bleiben, nicht immer in schmutzigen Zügen schlafen, in kleinen Hotels wohnen, Abend für Abend ins Theater oder Kabarett gehen, von der Garderobe zur Bühne und zurück, immer dieselben Tänze, denn es fehlte an Zeit, neue einzustudieren, immer zuwenig Geld, immer schlechtes Gasthausessen und kein Mensch, der sich wirklich um mich kümmerte. Sie wollte mich zu Hause haben und wieder »auf gleich« bringen, wie sie sagte. »Mit dem Gehalt vom Herrn Loos im Siedlungsamt könnten wir sehr gut leben.« Keine Schulden mehr beim Greißler und Fleischhauer und ein bißchen ausruhen, das täte mir gut. So sprach die Mitzi. Ich war sehr pessimistisch, denn ich kannte Loos zu gut, und außerdem wollte ich ihn nicht beeinflussen. Es war Frühsommer 1923, und ich hatte bis November kein Engagement angenommen. Ich hatte große Sehnsucht, zu Hause bleiben zu können. Ich wollte singen lernen. Ich träumte von einem ständigen Engagement an einem Theater. Aber ich brauchte Zeit dazu und wenigstens das nötige Geld, um leben zu können, ohne ununterbrochen zu arbeiten.

Und da geschah das Wunder: Mitzi überzeugte Loos von der Notwendigkeit einer Erholung für mich. Und Loos nahm den Posten eines bezahlten Leiters im Siedlungsamt an. Er nahm ihn an, zähneknirschend, sehr schlecht gelaunt, und vielleicht hat er es mir nie verziehen, daß er es meinetwegen tat. Aber ich hatte einige Monate vor mir, in denen ich leben konnte, wie ich wollte. Ich begann singen zu lernen, ging ins Dianabad schwimmen und sonnen, las alle Bücher, die ich auf Reisen nicht hatte lesen können. Und die Mitzi pflegte mich. Loos kümmerte sich nicht sehr viel um mich, er hatte zuviel in seinem Amt zu tun. Trotzdem fühlte ich mich an seiner Seite glücklich und beschützt. Im Sommer fuhr er einige Male fort, einmal nach Paris, einmal nach Berlin und ins Salzkammergut. Ich blieb in Wien, weil ich wußte, daß ich nur wenig Zeit hatte, um meine Stimme halbwegs in Ordnung zu bringen. Im September nahm ich ein Engagement im Raimundtheater an, wo ich einen kurzen Tanz in einem Schauspiel tanzte. Den Verdienst dieses Monatsengagements verwendete ich dazu, um mein Engagement im November vorzubereiten. Es handelte sich dabei um zwei Tanzabende in Paris und anschließend eine kleine Tournee durch einige französische Provinzstädte.
Je näher der November rückte, desto besser wurde Loos' Laune. Und dann fuhren wir wieder, wie schon so oft vorher, nach Paris, nicht ohne vorher Finetti in Mailand zu besuchen. Diesmal wohnten wir auf der Rive Gauche, im Hotel Foyot, gegenüber dem Palais Luxembourg. Das Restaurant Foyot war eines der besten und teuersten in Paris, aber das Hotel war klein, jedoch sehr sauber und billig. Alle englischen Studenten und viele Maler wohnten dort. Rainer Maria Rilke lebte immer, wenn er in Paris war, im Hotel Foyot. Alles wäre sehr schön gewesen, aber Loos hatte sich irgendwie verändert. Ich bin fest davon überzeugt, daß seine lange Krankheit damals begann.

199

Er, der sein ganzes Leben immer auf die Drahdilettanten schimpfte (so nannten er und Peter Altenberg die Leute, die sich vom Nachtleben große Sensationen erwarten), wollte plötzlich in Bordelle gehen, natürlich in meiner Begleitung, und suchte alle möglichen Gründe und Ausflüchte, um diese Gelüste zu rechtfertigen. Ich nahm die ganze Sache nicht tragisch, aber heute bin ich davon überzeugt, daß dies die ersten Anzeichen seines Leidens waren.

Und dann bekam unsere Ehe plötzlich den ersten Sprung. Der tschechische Agent, der mir den Vertrag ins Casino de Paris versprochen hatte, wartete eines Tages auf mich, um den Vertrag fertigzustellen. Ich sollte Ende November mit der neuen Revue debütieren, natürlich nicht als erster Star, aber gut placiert und mit einer recht guten Gage. Ich hatte alles mit dem Agenten abgesprochen und sollte am folgenden Tag den Vertrag unterzeichnen. Als ich wieder ins Büro des Agenten kam, empfing er mich sehr unfreundlich und sagte mir, daß ich mir alle Gedanken an ein Engagement ins Casino de Paris aus dem Kopf schlagen solle, denn es gäbe dort keinen Platz für mich. Ich vermutete, der Mann wäre über Nacht verrückt geworden, denn am Vortag waren wir in allen Punkten einig gewesen. Ich protestierte daher heftig gegen seine Gesinnungsänderung und hielt ihm sein unkorrektes Vorgehen vor Augen, als er sich plötzlich umdrehte (er ging während unserer Unterredung wie ein Löwe im Käfig auf und ab) und mich anschrie: »Wollen Sie wissen, warum Sie das Engagement nicht erhalten? Ihres Mannes wegen. Er war gestern abend hier bei mir und sagte mir, daß Sie nicht tanzen können und daß Sie eigentlich eine große Schauspielerin wären, aber keine Tänzerin. Bedanken Sie sich bei Ihrem Mann, was er für Sie getan hat.«

Als mir Loos im Hotel diese Unterredung bestätigte, zerbrach etwas in mir. Loos wollte dem Mann sicher erklären, daß ich mehr Mimikerin als Tänzerin wäre. Aber es war nicht das erstemal, daß er auf diese Weise in meine Karriere eingriff und mir Unannehmlichkeiten bereitete. Aber diesmal war es zuviel für mich. Ich wußte, daß seine Absichten nicht böse waren, aber er hatte mir den ersehnten Vertrag, für den ich das ganze Jahr gearbeitet hatte und der vielleicht ein Sprungbrett für meine Zukunft gewesen wäre, verdorben. Ich stritt nicht mit ihm, denn er war selbst so betroffen über das Vorgefallene, daß er mir leid tat. Aber innerlich war ich zerbrochen.

Vor unserer Abreise aus Paris sah ich die Erstaufführung der neuen Revue im Casino de Paris. Die Dolly Sisters, dieselben, die Hervé Lauvick blaß neben mir erschienen waren, waren die großen Stars, hatten eine fabelhafte Präsentation, und wenn sie auch nur zwei akrobatische Tänzerinnen waren, die Aufmachung war so gut, daß sie einen entscheidenden Erfolg hatten. Sie eroberten Paris. Vielleicht hätte ich Paris nicht erobert. Aber Loos hatte mir die Gelegenheit verdorben, es zu versuchen. Ja, unsere Ehe hatte einen Sprung bekommen. Ich begann mich zu verschließen. Niemals wieder würde ich Loos anvertrauen, was ich vorhatte. Warum ließ er dem Direktor des Casino de Paris nicht die Möglichkeit, herauszufinden, ob ich für eine große Karriere taugte oder nicht? Warum griff er den Ereignissen vor? So brütete ich vor mich hin.

Nach unserer Ankunft in Wien ging ich allein ins Theater an der Wien, und Hubert Marischka ließ mich an einem Sonntagnachmittag in der »Rose von Stambul« auftreten. Drei Monate später kreierte ich die Soubrettenrolle der »Gräfin Mariza« und erhielt ein Engagement für zwei Jahre ins Theater an der Wien. Loos war nicht sehr erfreut über den Wechsel der Ereignisse. Aber er hatte das Recht verloren, über mich bestimmen zu können.

Wie jung war ich damals, wie wenig wußte ich vom Leben! Loos war meine ganze Welt, er war mein Vater, mein Geliebter, mein Mann. Er behandelte mich wie ein Kind, ich mußte in allen Dingen folgen, aber mir gefiel das, ich tat es gerne, ich *war* ja noch ein Kind. Aber dann wurde nach und nach aus dem Kind eine Frau und begann ihren eigenen Willen zu haben. Loos konnte das nicht verstehen und wollte es auch nicht wahr haben – aber das ist doch der Lauf der Welt und gegen den kann niemand an, nicht einmal Adolf Loos.

Er konnte nicht verstehen, daß ich mir selbst Kleider kaufen wollte, ohne um seine Meinung zu fragen – nie gefiel ihm, was ich kaufte, obzwar es immer Modelle aus Paris waren. Ich war immer eine große Leserin und für mich ist noch heute ein gutes Buch das Liebste auf Erden. Einmal waren wir im Sommer in St. Gilgen und verbrachten dort die Ferien mit Schwimmen, Essen und Schlafen. Ich hatte ein Buch von Romain Rolland mit und vergrub mich darin. Da kam Loos plötzlich ins Zimmer und sagte: »Komm, wir steigen jetzt auf den Schafberg, ich habe plötzlich eine große Lust bekommen, auf den Schafberg zu klettern. Komm rasch, Elsili.« Aber Elsili hatte keine Lust dazu – ich war in diesem Jahr schon zweimal oben gewesen – außerdem war es am Nachmittag und ich bin eine Feindin von Kraxlereien nach dem Essen. Ich wollte also nicht mit. Loos war wütend: »Natürlich, das Buch ist schuld, das Buch ist wichtiger als ich.« Er ging wütend weg. Es war vielleicht das erste Mal, daß sein ›Kind‹ einen eigenen Willen durchsetzte. Er konnte das nicht verstehen, daß ich hie und da einen eigenen Wunsch und Willen hatte.

In Nizza waren wir ja immer sehr beschäftigt, aber manchmal hatten wir einen freien Nachmittag und Loos sagte: »Komm, wir fahren auf die Grande Corniche« – dort gab es eine kleine Konditorei und wir gingen hin, um Tee zu trinken. Wir saßen im Freien und betrachteten die herrliche Aussicht aufs Meer, genossen die Ruhe und die Milde der

Luft. Da sagte Loos immer: »Warum spielst du nicht ein
bißchen, lauf doch herum, es ist ja niemand hier, den man
stören könnte. Spiel doch ein bißchen.«
Spielen? Ich war 22 Jahre alt. Ich stand also auf und begann
durch die leeren Tischreihen zu gehen und grübelte nach,
was ich spielen könnte. Aber es fiel mir nichts ein und ich
ging langsam zu Loos zurück. Er saß in Gedanken versunken da. Dann zahlte er und wir gingen nach Hause. Aber
Loos blieb mürrisch und schweigsam.
Im Mai des Jahres 1924 starb mein Vater. Obwohl er schon
sehr lange krank gewesen war, traf uns sein Tod schmerzlich. Er war ein Jahr jünger als Loos gewesen, und Loos
betrauerte ihn sehr. Er hatte uns so oft geholfen.
Im Juni und Juli hatte ich Ferien im Theater und nahm ein
Engagement an ein Münchner Revuetheater an. Zur selben
Zeit wurde in Wien im Stadtbauamt über die Projekte für die
Arbeiterhäuser beraten. Das Projekt, das Loos vorlegte, war
ein großer Bau, für jede Wohnung war eine Terrasse vorgesehen, damit die Arbeiterkinder auf ihr spielen konnten und
Luft und Sonne nicht auf der Straße suchen mußten. Diese
Terrassen verteuerten die Wohnungen beträchtlich, und
Loos hatte unzählige Unterredungen mit den Stadtbauräten,
die die Entscheidung über die Zuweisung des Baues zu
treffen hatten. Ich war bereits in München, als Loos mir
einen kurzen Brief schrieb. Er teilte mir mit, daß er, da sein
Projekt abgewiesen worden wäre, seinen Posten im Siedlungsamt zurückgelegt hätte und nach Paris übersiedeln
würde. Er wolle niemals mehr nach Wien zurückkehren. Er
erwarte mich nach dem Münchner Engagement in Paris. Ich
aber besuchte meine Mutter am Millstättersee, fuhr nach
Venedig und dann nach Wien. Ich hatte plötzlich gelernt,
unfolgsam zu sein. Ab 1. September nahm ich einen Vertrag
im »Pavillon« an und setzte außerdem meine Arbeit im
Theater an der Wien fort.

Nun begann ein stiller Kampf zwischen Loos und mir. Er kämpfte für Paris, ich für Wien. Er kam im September nach Hause und wollte mich überreden, meine Wiener Verpflichtungen aufzugeben und mit ihm nach Paris zu übersiedeln. Ich jedoch wollte nicht vertragsbrüchig werden, außerdem wußte ich, daß weder Loos noch ich einen Verdienst in Paris finden würden. Er klammerte sich an Projekte, wie zum Beispiel das Haus für Helena Rubinstein, das Haus für Paul Verdier, das Haus für Berque. Nur das Haus für Tristan Tzara wurde zur Wirklichkeit. Aber das war erst zwei Jahre später. Schließlich gelang es mir, Loos zu überzeugen, daß meine Wiener Engagements uns beide erhalten würden, während wir in Paris dem sicheren Hungertod ausgeliefert wären. Er fuhr also allein nach Paris zurück, denn in Wien wollte er auf keinen Fall bleiben. Während des Jahres kam er einige Male nach Wien, und ich besuchte ihn des öfteren in Paris. Obwohl Loos einen Auftrag für ein Haus in der Nähe von Brünn hatte, fuhr er nur von Zeit zu Zeit hin, um die Fortschritte des Baues zu kontrollieren.

Wir waren noch immer Mann und Frau, aber das Verhältnis zwischen uns hatte sich sehr geändert. Loos war jetzt stets unzufrieden mit mir. Nichts konnte ich ihm recht machen. Er, der immer freigebig und großzügig gewesen war, wurde jetzt böse, wenn ich mir neue Kleider machen ließ. Er kontrollierte meine Diät, und es gefiel ihm nicht, daß ich mein Menü nicht aus vielen Speisen zusammensetzte, wie es die Franzosen tun, sondern nur ein Gericht aß. Er wurde über Nichtigkeiten zornig, und ich sah Ärger und Haß in seinen Augen. Er ging selten mit mir aus, und stets fuhr er so schnell er konnte nach Paris zurück.

Meine Pariser Reisen waren sehr unangenehm. Ich fand Loos jedesmal völlig verschuldet vor, meist handelte es sich um Hotelschulden, und ich blieb ein paar Tage, um alles zu bezahlen. Dann übergab ich ihm noch mein ganzes restliches

Bargeld und fuhr nach Wien zurück, um weiterzuarbeiten. Während einer dieser kurzen Aufenthalte in Paris führte mich Loos in eine der ersten »Caves«, die später Saint-Germain-des-Près so berühmt gemacht haben. Es war das »Jokkey«. Loos war Stammgast in diesem Lokal, Abend für Abend saß er dort und sah zu, wie die jungen Bohemiens tanzten. Er selbst tanzte nicht. Auf mich machten weder die Caves noch die jungen Leute, die sich da aneinanderdrückten und alle ziemlich ungewaschen aussahen, besonderen Eindruck, und Loos war wütend auf mich. Wie so oft jetzt waren wir Fremde im fremden Land und in einer Umgebung, die mir nichts sagte. Genauso wie im Hotel Ruehl in Nizza. Wir saßen die ganze Nacht da, und ich langweilte mich sehr.

Loos unternahm alles mögliche, um mich nach Paris zu locken. Er stellte eine Verbindung mit dem Verleger Salabert her, der die amerikanische Operette »Sally« aufführen wollte und keine Soubrette fand. Im Frühjahr des Jahres 1925 nahm ich vierzehn Tage Urlaub vom Theater an der Wien und fuhr nach Paris, um mit Salabert zu verhandeln. Loos wohnte schon wieder in einem anderen Hotel, er wechselte ununterbrochen und war von einer Schar von Nichtstuern umgeben, lauter junge Leute, die ihn sichtlich schlecht beeinflußten. Er war nicht mehr derselbe. Unter den Jugendlichen war einer, an dessen Namen ich mich leider nicht mehr erinnern kann, der Sohn eines Prager Rabbiners. Dieser junge, schmutzige Kerl übte einen unheimlichen Einfluß auf Loos aus. Er lockte ihm alle Altenberg-Briefe heraus mit dem Versprechen, diese drucken zu lassen. So sind diese Briefe verlorengegangen, denn sie wurden nie verlegt und nie zurückgegeben. Außerdem trank Loos plötzlich sehr viel Whisky, was er früher niemals getan hatte, und sprach überaus viel von pornographischen Angelegenheiten. Wenn ich auch weiß, daß Sexus nichts mit Moral zu tun hat, es fiel mir schwer, mich an alle diese Neuigkeiten zu gewöhnen. Besuche in Bordellen, Orgien und andere Vergnügungen waren an der Tagesordnung. Und dann kam noch etwas hinzu. Ich war immer ein kindlicher Frauentyp, und eben das liebte Loos an mir. Jetzt aber fand er plötzlich, daß ich keinen Sex-Appeal hätte und außerdem zu kurze Beine. Hätte ich längere Beine, würde sich mein ganzes Leben ändern, meinte er. Und so hatte Loos beschlossen, mit mir zu einem Chirurgen zu gehen, mir beide Beine brechen und sie dann dehnen zu lassen. Er behauptete, daß dies in meinem Alter (ich war 25 Jahre alt) eine ganz einfache Operation wäre. »Man bricht dir die Beine und dann hängt man dir Gewichte an die Füße, und die Knorpelmasse, die sich zwischen den gebrochenen Knochen bildet, dehnt sich um mindestens zehn Zentimeter«, sagte Loos. »Dann heilen die Beine, und du bist ein Vamp wie Mae West.« Wie leicht ist das gesagt. Ich weiß nicht, ob diese Idee in seinem Kopf entstanden war oder ob sie ein Rat seiner neuen Freunde war; jedenfalls wollte ich nichts davon wissen. Und über diese Angelegenheit stritten wir beinahe täglich. Ich konnte nicht verstehen, warum er mich der Gefahr, eventuell ein Krüppel zu bleiben, aussetzen wollte.

Eines Abends hatten wir die geplante Unterredung mit dem Agenten von Salabert, einem jungen sympathischen Menschen. Wir sollten ins Theater gehen und anschließend in ein Nachtlokal. Im letzten Augenblick fühlte Loos sich nicht wohl und legte sich zu Bett. Er bestand jedoch darauf, daß ich die Verabredung einhalten müsse. Der junge Mann führte mich ins Theater und in ein Nachtlokal und fragte mich im Verlauf des Abends, ob ich seine Geliebte werden würde, wenn der Vertrag mit Salabert zustande käme. Ich sagte natürlich nein, ich fand das ganze Gespräch absurd. Aber der junge Franzose erklärte: »Warum nicht? Sie müssen doch einen Geliebten haben, wenn Sie in Paris leben.

Und außerdem müssen Sie sich daran gewöhnen, daß hier jede Frau käuflich ist. Es handelt sich nur um den Preis. Sogar die Frau des Präsidenten hat ihren Preis, wollen Sie mehr sein als alle anderen?« Plötzlich kam mir der Gedanke, daß Loos sich gar nicht schlecht gefühlt haben mag, sondern nur wollte, daß ich mit dem jungen Mann allein sein sollte. Als ich nach Hause kam, war er ganz munter und fand nur, ich wäre zu früh gekommen. »Hast du dich gut unterhalten?« fragte er mich. »Nein«, erwiderte ich. Und am nächsten Tag fuhr ich nach Wien zurück, bevor man mir die Beine brechen konnte.

So verliefen die letzten Jahre unserer Ehe. Ich fuhr immer seltener nach Paris, aber Loos sandte mir zwei- bis dreimal in der Woche seine Gläubiger, und ich bezahlte seine Schulden. Jeder, der von Paris nach Wien reiste und Loos kannte, stand unausbleiblich nachts beim Bühnentürl des Theaters an der Wien und kassierte seine Schulden. Ich schämte mich sehr vor meinen Kollegen, und außerdem reichte mein Geld nie. Loos jedoch schien es Freude zu bereiten, mir in Wien Schwierigkeiten zu machen. Er schrieb mir regelmäßig, aber die Briefe waren ganz kurz und handelten von Geld und seinen Projekten. Seine ganze Hoffnung war jetzt das Haus für Tristan Tzara. In einem seiner letzten Briefe schrieb er mir: »Jetzt, wo dein Vertrag zu Ende geht, komm sofort nach Paris. Wenn auch Salabert ›Sally‹ nicht aufführen wird, kannst du sogleich in irgendeinem Kabarett auftreten, oder wenn das nicht klappt, kannst du ja Blumen verkaufen. Alles, alles ist besser als in Wien zu bleiben. Die Hauptsache ist, in Paris leben zu können.«

Beim Lesen dieses Briefes wurde mir plötzlich klar, daß wir uns ganz auseinandergelebt hatten. Das tat furchtbar weh, aber man muß die Kraft haben, den Dingen ins Gesicht zu sehen. Plötzlich kam die Nachricht aus Paris, daß Loos den Auftrag für das Tzara-Haus in der Tasche hatte. Er hatte einen großen Vorschuß erhalten und sein Unterhalt war gesichert. Und da erinnerte ich mich an Rafael Schermann und ging zu ihm, um mich beraten zu lassen. Schermann hatte damals bereits eine sehr gut bezahlte Stellung bei der Versicherungsgesellschaft »Phönix«, wo er auf Grund von Schriftproben viele Diebstähle und Brandstiftungen aufklärte. Ich zeigte ihm meine Schrift und Loos' letzten Brief an mich. »Das ist aus«, sagte Schermann. »Lassen Sie sich sofort scheiden. Retten Sie sich.« – Und wie Loos es mir einst befohlen hatte, tat ich sofort, was Schermann mir riet. Ein Vertrag mit dem Shuberttheater in New York entpuppte sich als ein Geschenk des Himmels. Ich fuhr Ende 1926 nach Amerika, und als ich bereits auf der Reise war, führte mein Anwalt die Trennung unserer Ehe durch. Aus der Wohnung hatte ich nur meine eigenen Sachen mitgenommen. Nach meiner Rückkehr aus Amerika ging ich nicht mehr in die Loos-Wohnung zurück.

Im ersten Jahr unserer Ehe stellte ich an Loos die ewige Frage, die alle jungen Frauen an ihre Männer richten. »Hast du mich lieb?« Und er antwortete mir: »Frag doch nicht so dumm. Natürlich habe ich dich lieb, wenn ich es auch nie sage. Du gehörst eben zu mir. So wie zum Beispiel mein kleiner Finger. Er gehört zu mir, ist ein Stück von mir, aber deshalb werde ich nicht jeden Augenblick zu ihm sagen: Kleiner Finger, ich habe dich schrecklich lieb, ohne dich wäre ich ein Unglücksvogel, ich brauche dich zum Leben. Immer wenn du glaubst, ich zeige meine Liebe nicht genügend und sage dir keine schönen Worte, denk daran: Du bist mein kleiner Finger.«

Auf der langen Schiffsreise nach New York (ich reiste auf einem deutschen Schiff, der »Berlin«, und gemäß dem Vertrag von Versailles mußten die deutschen Schiffe eine Reise von fünf Tagen über drei Wochen ausdehnen), auf dieser langen, einsamen Schiffsreise dachte ich ununterbrochen an den Mann, der in Paris geblieben war und seinen kleinen Finger verloren hatte. Ich wußte, daß meine Entscheidung Loos sehr hart treffen würde. Aber ich konnte nicht anders handeln. Loos hatte mir in der letzten Zeit häufig Kälte vorgeworfen. Ich konnte nicht heucheln. Er war für mich noch immer der große Mann, der Genius. Aber ich war nicht mehr sein kleiner Finger. Ich sah ihn in seinem Hotelzimmer in Paris stehen und seine Hände bluteten. Sein Herz und sein Stolz auch. Aber dann dachte ich an das letzte Jahr unserer Ehe und an den vergeblichen Kampf ums Dasein mit ihm. Er hatte Forderungen an mich gestellt, denen ich nicht gewachsen war. Schermann hatte die Sache entschieden, die in meinem Herzen bereits entschieden war.

28.

Der Prozeß

Es gab eine Zeit, da trugen alle Männer ihre Männlichkeit in Form von Vollbärten im Gesicht zur Schau. Es waren schöne, gepflegte Vollbärte (nicht die kleinen struppigen Bärtchen, die sich die Hippies in den Hippiejahren zulegten): blonde, braune, schwarze, graue, weiße, ja es gab sogar auch rote – alle vom Friseur schön zugestutzt, parfümiert, seidenweich gekräuselt ... Jeder Mann war stolz auf seinen Bart, manche ließen ihn immer länger wachsen und ersparten sich so die Krawatte – es war eine richtige Konkurrenz um den schönsten Bart.

Dann kam eine Zeit, da fingen die Männer an, sich rasieren zu lassen, sie waren der Bärte müde geworden. Loos behauptete immer, daß die Mode – jede Mode – unwillkürlich entstehe, wie von selbst, sie wäre keineswegs eine Erfindung der Modekünstler. Als Beispiel nannte er die kurzen und langen Röcke. Seiner Ansicht nach entstand dieses Phänomen – der Wechsel in der Länge der Frauenkleider – auf natürliche Weise, da der Zuschneider niemals die gleiche Rocklänge zweimal schneiden könne, es wäre unmöglich, zweimal das gleiche zu tun; und so entstünden die längeren oder kürzeren Damenröcke.

Ob Röcke und Bärte denselben Naturgesetzen unterstehen, weiß ich nicht. Ich war zu dieser Zeit noch ein Kind. Mein Vater trug einen schönen Bart, denn er war Rechtsanwalt und noch jung und der Bart verlieh ihm die für sein Amt nötige Würde. Seine Freunde waren meistens Theaterleute,

sie waren glattrasiert und versuchten meinen Vater zu überreden, sich glatt zu rasieren wie sie. Vater zögerte, schob die
Entscheidung hinaus – aber in einer denkwürdigen Nacht
überfielen ihn die Freunde und rasierten ihm seinen schönen
blonden Vollbart ab. Mutter nahm es nicht tragisch, ihr
Mann gefiel ihr mit und ohne Bart. Am Morgen rief sie mich
und Vater zeigte sich. Ich erschrak. Das war ein neuer Papa.
Nachher sagte ich zu Mutter: »Ich muß mich erst an ihn
gewöhnen, er hat ein Gesicht wie ein Popo.« Ja, das sagte ich
wirklich. Und ich gewöhnte mich sehr rasch an den Popo.

Nach und nach verloren fast alle Männer ihre Vollbärte,
dann auch die Schnurrbärte und man gewöhnte sich daran.
Endlich sah man die Gesichtszüge der Männer, ohne Matrat-
ze im Gesicht. Loos nannte die Vollbärte »Matratzen«.
Doch gab es wie immer einige Ausnahmen, Männer, die sich
nicht von ihren Bärten trennen wollten. Vielleicht glaubten
sie wirklich, daß ihre Würde darunter leiden könnte. Einer
von ihnen war der Anwalt Dr. Gustav Scheu. Er hatte einen
wirklich schönen Vollbart und er trennte sich nicht von ihm,
obwohl er auch ohne Bart ein schöner Mann geblieben wäre.
Ein Mann mit Vollbart war damals bereits eine Ausnahme.
Und dann kam es zu einem Prozeß mit dem Modesalon
Spitzer in Wien, wo Loos jahrelang Schulden gemacht hatte,
da er Frau Spitzer vertraute, die ihm versprochen hatte, mich
immer gratis zu kleiden. Wie ich schon erwähnte, übertrieb
er es ein bißchen. Da er viel freie Zeit hatte, ging er sehr oft
zu Spitzer, ließ sich die ganze Kollektion vorführen und
dann suchte er aus. Loos war wirklich ein Modekünstler.
Einmal kaufte er mir eine Kette und einen Gürtel aus roten
Halbedelsteinringen chinesischer Herkunft. Bei Spitzer
suchte er dazu ein Modell aus und ließ es in Tabakfarbe
kopieren: das helle Braun mit den roten Steinen, die schöne
Seide – es war wirklich ein herrliches Kleid.

Ein anderesmal bestellte er für mich ein cremefarbiges Spitzenkleid, dazu ein Cape und einen roten Fischreiherhut – es war die Bekleidung für eine Multimillionärin. Ich hatte nie Gelegenheit, diese Prachtstücke zu tragen, und wenn ich sie doch trug, sah es eher lächerlich aus.

Dann kam Loos immer seltener nach Wien und der Mann von Frau Spitzer, der auch Rechtsanwalt war, zitierte mich in sein Büro, um mir eine riesige Rechnung vorzulegen, die sich im Laufe all der Jahre angesammelt hatte, in denen der Salon Spitzer für mich gearbeitet hatte. Ich konnte diese Riesenrechnung nicht bezahlen, denn alles Geld, das ich verdiente, ging immer darauf auf, Schulden zu bezahlen – Schulden, die nicht ich gemacht hatte ... Als ich dem Mann erklärte, daß ich nicht das nötige Geld besäße, sagte er mir etwas sehr Freches: »Sie haben das Geld nicht? Es wird Ihnen sicher nicht schwerfallen, es zu bekommen. Es gibt Männer, die sicher gerne bereit sind, diese Rechnung für Sie zu bezahlen. Sie verstehen mich doch?«

Ich ging direkt zu meinem Onkel, der auch mein Anwalt war, und erzählte ihm die Geschichte. Dann klagte uns der Salon Spitzer auf Bezahlung der Rechnung, er klagte Loos und mich. Der Termin für den Prozeß kam sehr bald. Ich hatte eine gute Zeugin, Ernestine – die erste Verkaufskraft im Modesalon Spitzer –, die bezeugen konnte, daß alle Bestellungen von Loos gemacht worden waren, nicht von mir – daß er also der Käufer war. Herr Spitzer vertrat seine Frau, er trug einen kleinen grauen Vollbart und war sehr unsympathisch. Loos erschien nicht vor Gericht, er wurde von Dr. Gustav Scheu mit seinem schönen blonden Vollbart vertreten. Mich vertrat mein Onkel Ludwig, glattrasiert.

Der Prozeß begann, ich wurde aufgerufen. Der graue Vollbart stellte mir eine Menge Fragen, aber Ernestine widerlegte mit ihrer Aussage alle seine Beschuldigungen gegen mich, sie blieb bei der Wahrheit. Nun griff der blonde Vollbart ein, seine Anschuldigungen prasselten auf mich nieder. Doch meine Nervosität ließ nach, als ich mir die Bärte der Reihe nach ansah und ich ließ mich nicht aus der Fassung bringen. Da schrie Dr. Scheu plötzlich: »Sagen Sie doch dem Richter, was Ihnen der Dr. Spitzer anriet!« Ich sah den blonden Bart an und dachte: Warum hat er denn so eine Wut auf mich? Er wiederholte es immer wieder: »Sagen Sie doch, was Ihnen Spitzer in seinem Büro sagte. Sagen Sie es!«

Da der Richter sah, daß ich mich nicht entschließen konnte, die freche Zumutung Herrn Spitzers zu wiederholen, wandte er sich an mich: »Sie müssen nichts sagen, wenn Sie nicht wollen, das gehört nicht hierher. Schweigen Sie ruhig.« Ich schenkte dem Richter einen dankbaren Blick. Dann begann Dr. Scheu wieder: »Wie können Sie es wagen, sich zu weigern, diese Rechnung zu bezahlen? Alles was Sie sind, verdanken Sie Loos, er hat aus Ihnen eine große Tänzerin gemacht, er hat Sie zur Tänzerin erzogen – und das ist der Dank! Das ist der Dank!«

Da unterbrach ihn der Richter: »Das ist der Beweis, daß man seine Frau nicht zur Tänzerin erziehen soll.« Ein guter Richter. Auch er hatte keinen Bart. Loos wurde verurteilt, die Rechnung zu bezahlen. Auch er hatte keinen Bart. Er bezahlte die Rechnung, wenigstens berichtete man mir das. Ich ging niemals mehr zu Spitzer einkaufen.

29.

Die kleinen Mädchen

Jetzt, da Loos Arbeit in Paris hatte – er baute das Haus für Tristan Tzara – fuhr er plötzlich so oft er konnte nach Wien. Er schüttelte die lästige Begleitung der Freunde, die er in Paris um sich gesammelt hatte, von sich ab. In Paris sah man ihn immer allein und die Leute sagten, daß er zu viel tränke, obwohl ihm der Arzt den Alkohol verboten hatte. Es zog ihn nach Wien, um mit unseren gemeinsamen Freunden schlecht von mir zu sprechen. In Paris interessierte das niemanden. Aber in Wien gaben ihm alle recht ... Sicher fand er in diesen Gesprächen Erleichterung. Alles dies erfuhr ich nach meiner Rückkunft aus Amerika. Ich war nicht lange dort geblieben, es gefiel mir nicht. Ich kehrte an das Theater an der Wien zurück, das Gastspiel in New York erhöhte plötzlich mein Renommée. Die Revueautoren begannen sich um mich zu reißen, ich war plötzlich ein ›Star‹. Ich wohnte in einer eigenen Wohnung, die ich mit all den Dingen einrichtete, die ich vor Jahren, als ich heiratete, schon besaß, aber nicht in die Loos-Wohnung mitnehmen konnte, weil dort kein Platz war. Meine Couch, meine Kästen, meine Fauteuils und der japanische Wandschirm aus dem Dorotheum, mit dem unsere Liebe begonnen hatte. Jeden Morgen, wenn ich die Augen aufschlug, saß Mitzi bei meinem Bett, mit unserem Hund Wipsy. Da wir ihn nicht in zwei Stücke schneiden wollten, nahm Mitzi ihn zu sich und er begleitete sie zu Loos und zu mir. So sahen wir ihn beide. Er war schon ziemlich alt und beinahe blind.

214

Mitzi war über unsere Trennung verzweifelt. Sie versprach mir, Loos immer zu betreuen, aber täglich sagte sie: »Meine Gnädige muß zum Herrn Loos zurückkommen. Die Gnädige weiß nicht, wie sehr er sie braucht. Er spricht so schlecht von meiner Gnädigen, ich kann das gar nicht anhören, es sind doch lauter Lügen. Er sagt, die Gnädige wäre eine richtige Hur gewesen, aber so was, er weiß doch, daß das nicht wahr ist.« Und so weiter. Es ging ihr nicht ein, daß es zu Loos keinen Weg zurück gab. Und daß ich ihn nicht sehen wollte. Sie lebte in der Hoffnung einer Versöhnung.

Und dann, im Herbst 1928, begann der Skandal mit den kleinen Mädchen. Wem gefallen kleine Mädchen nicht? Sie sind das schönste, das Liebste auf Erden. Duftender als Blumen, seidenweich, lieblich und angenehm. Männer und Frauen sind sich darüber einig. Nur muß man sie richtig behandeln, mit größter Vorsicht. Man darf sie nicht verwöhnen, man darf sie nicht zu viel betasten, man darf ihnen auch nicht trauen. Sie sind wie kleine Katzen. Nur gefährlicher, weil sie Eltern haben.

Natürlich spreche ich nicht von allen kleinen Mädchen. Von denen, die in einem guten Heim, betreut von anständigen Eltern, leben, will ich nicht reden. Aber was könnte ich noch hinzufügen, nachdem Nabokov seine ›Lolita‹ geschrieben hat, ist alles schon gesagt.

Oft sagte ich mir: Hättest du ihn nicht allein gelassen, hätte er sich nicht so einsam gefühlt, hätten ihm die Erpresser nichts anhaben können. Ich wußte, er suchte mich in allen kleinen Mädchen. Er suchte das Kind, das ich war, als ich ihn kennenlernte, das ihn liebte und ihm vertraute. Er muß schrecklich einsam gewesen sein.

Wie die Geschichte begann, weiß ich nicht. Aber eines Tages kam Mitzi um 7 Uhr früh zu mir. Sie war totenbleich. Man hatte Loos verhaftet. Ich erinnerte mich sofort an die Truhe

mit den Photographien. »Laufen Sie zu Dr. Scheu«, sagte ich
zu ihr, »und laßt die Truhe verschwinden, bevor eine Hausdurchsuchung kommt.« Und die Truhe verschwand eine
halbe Stunde vor der polizeilichen Hausdurchsuchung.
Mitzi erzählte mir dann: die Hauptschuldige an dem ganzen
Skandal wäre ein kleines Mädchen, 11 Jahre alt. Ihre Eltern
waren Freunde des Hausbesorgers. Sie ging oft zu Loos in
die Wohnung. Und Loos schickte Mitzi immer weg, wenn
sie kam. Sie blieb ein paar Stunden, Loos ließ sie baden und
schenkte ihr Süßigkeiten und Geld. Mitzi wußte alles das.
Sie wollte mir nie davon erzählen. Die Eltern des kleinen
Mädchens begannen mit Geldforderungen, und Loos gab
ihnen Geld. Das kleine Mädchen brachte plötzlich zwei
Freundinnen mit, und die drei Kinder und der einsame
Mann spielten miteinander. Wenn es kalt war, legte er sich
mit ihnen auf die Couch und wärmte sein armes altes Herz
an ihrer Jugend. Aber die Eltern der Kinder, und jetzt waren
es drei Elternpaare, forderten mehr und mehr Geld. Der
Hausbesorger auch. Es war eine richtige Erpresserbande.
Der einsame alte Mann, der in Paris viel Geld verdiente, war
ein leicht zu fangendes Opfer.
Unsere Trennung war im Prozeß von Vorteil. Denn wäre ich
noch Frau Loos gewesen, hätte meine Zeugenschaft keinen
Wert gehabt. So aber konnte ich bezeugen, daß Loos kein
lasterhafter Mensch gewesen war, daß er als Ehemann treu
und gut war und mir nie Grund zur Eifersucht gegeben
hatte. Das konnte ich alles mit gutem Gewissen beschwören
und tat es auch.
Er wurde trotzdem verurteilt, aber mit Vorbehalt in Freiheit
gelassen. Er war sich gar nicht bewußt, daß er verurteilt
worden war. Abends sagte er zu der Mitzi: »Jetzt muß ich
mich ein paar Monate gut benehmen, denn sonst werde ich
eingesperrt.« Und lachte und rieb sich die Hände. Nein, er
war sich schon nicht mehr der Wirklichkeit bewußt. Er war

eben sehr krank. Und daran hätte auch ich nichts ändern können.

Einige Monate später heiratete er Claire Beck.

30.

Claire

Claire Beck entstammte einem sehr wohlhabenden Bürgerhaus in Pilsen. Loos kannte ihre Familie aus früheren Jahren. Claire schien ihren Eltern ziemlich viel Sorgen zu bereiten. Sie war ein junges Mädchen, vier Jahre jünger als ich, aber sie wollte ihren Eltern nicht gehorchen. Und so fuhr sie eines Tages nach Paris. Dort lebte sie frei vom elterlichen Zwang mit einer Freundin in Montparnasse, saß im »Dôme«, tanzte in den »Caves« und gab das Geld ihres Vaters aus. Nicht sie, sondern ihre Freundin knüpfte Beziehungen mit Loos an, und beide Mädchen folgten ihm nach Wien. Sie verbrachten ihre Tage in der Loos-Wohnung, gingen abends mit ihm aus, fuhren mit ihm nach Paris zurück und so fort. Mitzi erzählte mir haßerfüllt von den beiden, was ich sehr komisch fand, aber mein Lachen änderte nichts an ihrer Stellungnahme. Mitzi haßte die beiden Mädchen.
Trotz der Begleitung der beiden ergab sich der Vorfall mit den Kindern. Als der Prozeß zu Ende war, verschwand Claires Freundin. Nun war sie die einzige, die für Loos in Betracht kam. Claires Vater kam nach Wien und sprach mit Loos. Sicher hatte der arme Mann Angst um sein Kind. Er wußte, daß Claire in Loos verliebt war, er wußte, daß sie immer und immer wieder aus Pilsen weglaufen würde. Er kannte seine Tochter. Deshalb schlug er Loos vor, Claire zu heiraten. Und alle Freunde fanden diese Idee großartig, denn so hatte Loos wenigstens Begleitung, eine junge Frau aus

gutem Haus, wohlhabend und nicht unangenehm, so war er wenigstens vor Fehltritten geschützt. Auch ich fand, daß dies ein guter Ausweg wäre, obwohl mich natürlich niemand um meine Meinung fragte. Nur eine einzige Person war gegen die Heirat: unsere Mitzi.

Trotzdem heiratete Loos im Jahre 1929. Er fuhr mit seiner jungen Frau an die Côte d'Azur, Claires Vater verschaffte Loos einige Bauaufträge, ließ auch sein eigenes Haus umbauen, und alles schien gutzugehen.

Auch ich hatte mittlerweile einen neuen Eheversuch gewagt. Aber es war ein ganz kurzer Ausflug und mißglückte vollkommen. Ich beschloß, allein zu bleiben, und ich muß sagen, ich war wirklich sehr allein. Denn mit Loos hatte ich fast alle meine Freunde verloren. Ich wohnte im Haus meiner Mutter und arbeitete in den Theatern Marischkas, bei Jarno und in den Kammerspielen.

Eines Tages, es muß Ende 1929 gewesen sein, bekam ich einen Anruf. Es war Claire Loos, die ich gar nicht kannte und die mich dringend bat, sofort zu ihr in die Wohnung in die Bösendorferstraße zu kommen. Loos sei krank, fühle sich sehr elend, und sie hätte Angst. »Haben Sie den Arzt gerufen?« fragte ich. »Ja«, antwortete Claire, »er war bereits da, aber ich habe Angst, mit ihm allein zu bleiben, bitte, bitte, kommen Sie. Er ruft ja dauernd nach Ihnen.«

Graf Wurmbrandt, »Paukerl«, war soeben bei uns zu Besuch, und ich bat ihn, mich zu begleiten. Paukerl sagte nie nein, wenn man ihn um etwas ersuchte, außerdem kannte er Loos und wollte sehr gerne bei dieser Gelegenheit die Wohnung sehen. Und so gingen wir denn in mein altes Heim. Es war Nachmittag, und Claire empfing uns, einfach und elegant gekleidet. Die Wohnung war unverändert geblieben, mein Bild von Kokoschka hing an der Wand, nur die Möbel waren frisch gepolstert und mit neuem Kreton überzogen.

219

Claire war keine Schönheit, aber sie war auch nicht häßlich. Sie sah aus wie ein schlimmer, kleiner Bub.

Loos lag im Bett und ich erkannte sofort, daß er sehr krank war. Er setzte sich auf, als er mich sah, und winkte mich mit seiner Hand ans Bett, und ich setzte mich auf den Bettrand. Claire stand neben dem Bett und Graf Wurmbrandt hinter ihr. Loos begrüßte auch ihn mit der Hand, und dann warteten wir, was er sagen würde. Er aber sagte nichts. Er sah mich nur an.

Claire konnte mir keine Auskunft über die Ansicht des Arztes geben, sie wußte selbst nicht, was Loos fehlte. Jedenfalls war geplant, ihn am folgenden Tag ins Cottage-Sanatorium zu bringen. Dann zeigte Claire dem Grafen Wurmbrandt die kleine Wohnung, und ich blieb mittlerweile bei Loos sitzen. Aber wir schwiegen beide und sahen einander nur an.

Als Claire zurückkam, sagte Loos endlich das erste Wort. Er zeigte auf meine rotlackierten Fingernägel und meinte: »Die letze Mode in Paris.« Er sah Claire an und wiederholte: »Siehst du ihre Fingernägel? Sie weiß immer, was modern ist.«

Für mich war es Zeit, zur Vorstellung ins Theater zu gehen, und so verabschiedete ich mich. Loos sprach kein Wort mehr. Schon im Vorzimmer sagte Claire: »Ich möchte Sie um etwas bitten. Ich werde natürlich mit ihm ins Sanatorium gehen, aber könnten Sie nicht mittags auf eine oder zwei Stunden hinkommen, damit ich essen gehen kann? Ich will ihn nicht allein lassen, und er ruft Sie immer. Er wird sicher nur einige Tage im Sanatorium bleiben.« Ich versprach ihr, sie jeden Mittag abzulösen, sie müßte nur Geduld haben und warten, bis ich von den unausgesetzten Proben im Theater wegkönnte. Aber die Proben dauerten nie länger als bis ein Uhr mittags. Am nächsten Tag fand ich mich pünktlich im Sanatorium ein, Claire wartete bereits fertig angezogen auf mich, dankte mir sehr für meine Freundlichkeit und ging fort. Loos schien zu schlafen. Ich setze mich also an den Tisch und begann Weintrauben zu essen, die ich mitgebracht hatte, und eine Rolle zu studieren. Plötzlich sagte Loos: »Elsili.« Ich drehte mich um, er war aufgewacht und sah mich an. Ich wusch die Trauben für ihn, und er aß mit gutem Appetit. Ich hatte das Gefühl, daß er mir etwas sagen wollte, daß er aber nicht mit der Sprache herausrücken konnte. Und da ich ihn nicht ermüden wollte, setzte ich mich wieder nieder und studierte. Bald kam Claire, und ich verabschiedete mich und versprach, am nächsten Tag wiederzukommen. Trotzdem konnte ich nicht verstehen, warum sie gerade mich gerufen hatte. Am folgenden Tag wiederholte ich den Besuch, nur hatte ich dieses Mal ein großes Paket Obst mitgebracht, besonders viele Weintrauben, die Loos sehr gern aß. Als Claire weggegangen war, sagte Loos zu mir: »Danke für die Trauben, Elsili. Die andere kauft mir ja keine, die ist ja so geizig.« Mir stand das Herz still. Aber was konnte ich sagen? Am nächsten Tag rief man bei mir zu Hause an und ließ mir ausrichten, Frau Claire Loos bäte, ich möge die Besuche im Sanatorium einstellen, da sie Herrn Loos zu sehr aufregten. Also stellte ich meine Besuche ein. Ich verstand die Sache nicht recht, hatte aber keine Zeit, darüber nachzugrübeln. Da Mitzi Claire nach wie vor haßte, wollte ich nicht mit ihr über diesen Vorfall sprechen, wozu denn? Nach einiger Zeit erfuhr ich, daß Loos das Sanatorium verlassen hatte, daß es ihm besser ginge und daß er mit seiner Frau auf Reisen sei.

Ich sah Loos das letzte Mal in Mailand im Jahre 1931. Ich spielte in »Wunderbar« die unglaublich komische Rolle der Elektra Piwonka, in italienischer Sprache, in jenem Theater, in dem sonst das »Piccolo Teatro di Milano« spielte. Da in »Wunderbar« die Bühne in den Zuschauerraum übergeht und mein Tisch fast in der Mitte des Saales stand, sah ich plötzlich in einer Loge neben mir drei bekannte Gesichter: Loos, Claire und Finetti. Alle drei winkten mir zu, Claire und Finetti lachten sehr über mich, wie alle anderen Leute, und Loos deutete mir mit einer Handbewegung an, daß er gar nichts mehr hörte und deswegen nicht lachen könne. In der Pause kamen Claire und Finetti in meine Garderobe und baten mich, nach der Vorstellung mit ihnen im Savigny zusammenzukommen. Ich ging jeden Abend ins Café Savigny und traf mich mit meinen Kollegen. Loos, Claire und Finetti erschienen bald und setzten sich zu mir. Ich fand Loos schrecklich gealtert und sehr dick. Er war vollkommen taub. Aber als Claire mir seinen Block und Bleistift zuschob, die er immer bei sich trug, damit man ihm schriftlich antworten könne, tat er sie beiseite und sagte: »Nein, die (er meinte mich) höre ich immer noch.« Dann sagte er: »Du hast ja wirklich viel Talent. Wie die Leute über dich gelacht haben.« »Ja«, meinte ich, »Talent und einen Hängekoffer, mehr habe ich nicht, aber ich brauche auch nicht mehr.« Loos nickte: »Ja, das ist wirklich genug.« Claire betrachtete mich mit größter Neugier. Sie sah wieder wie ein schlimmer Bub aus. In diesem Moment fiel mir ein, daß es vielleicht Neugier gewesen sein mag, die sie dazu bewogen hatte, mich zu sich nach Hause zu rufen. Vielleicht wollte sie wissen, was an dieser »Elsili«, die Loos immer rief, wenn er sich unbeobachtet glaubte, eigentlich dran sei. Schwerlich hat sie das herausfinden können. Nach einer Weile verabschiedeten sich die drei. Loos und seine neue Frau waren auf einer Reise nach Nizza und hatten einen Abstecher gemacht, um Finetti aufzusuchen. Dieser hatte sie dann ins Theater geführt, denn Loos wollte mich unbedingt spielen sehen. Als sie von meinem Tisch aufstanden, um sich einen eigenen Platz zu suchen, sah ich Loos nach. Er ging schwerfällig zwischen den Tischen durch. Dann setzten sie sich, und meine Freunde begannen mit mir zu sprechen.

Ungefähr drei Monate später lief Claire ihrem Mann mit einem jungen Kerl davon. Sie ließ ihn allein und ziemlich krank in Paris zurück. Von dort brachte man ihn nach Wien. Die Ehe wurde geschieden.

Ich sah Claire noch einmal nach Loos' Tod. Ich bereitete gerade meine Abreise nach Südamerika vor, und Claire kam mich besuchen. Ich wohnte im Hause meiner Mutter. Claire hatte erfahren, daß ich auf Grund seines Testaments die Alleinerbin von Loos wäre, und sie kam, um mich zu bitten, ihr die Loos-Wohnung zu schenken. Ich erklärte ihr, daß ich ihr nichts schenken könne, da mir bis zur Regelung des Nachlasses nichts gehöre; daß ich aber auch nach Antritt der Erbschaft ihr nichts schenken würde, denn ich hatte Loos oftmals versprechen müssen, mich um seinen Nachlaß zu kümmern, und die Wohnung gehöre in ein Museum.

»Warum sind Sie ihm davongelaufen?« fragte ich sie ziemlich brüsk und unfreundlich. Sie schwieg sehr lange, dann sah sie mich an und sagte: »Ich habe es nicht mehr ausgehalten.«

1936 schrieb Claire ein kleines Buch über Loos: »Adolf Loos privat«.

Claire Beck-Loos lebte zuletzt in Prag. Ende 1941 wurde sie als Jüdin ins Konzentrationslager Theresienstadt gebracht und von dort nach kurzem Aufenthalt mit einem Transport nach Riga deportiert. Von dort ist sie nicht mehr zurückgekehrt.

31.

Die Mitzi

Ein Buch über unser Leben zu schreiben und in diesem Buch keinen Platz für ein Kapitel über die Mitzi zu haben, wäre eine wahre Unterlassungssünde. Ja, sie war »nur ein Dienstbot«, aber was für eine treue Seele, immer bereit, alles für uns zu opfern, Zeit Geld, Schlaf und Sicherheit. Sie war unsere Brangäne. Sie kochte, wusch und säuberte, sie machte alle Einkäufe, meistens ohne Geld, sie ging ins Versatzamt, sie verjagte die Gläubiger von unserer Türe, aber unsere Freunde betreute sie auch während unserer Abwesenheit. Sie pflegte unsere Hunde, sie kümmerte sich um meine Nahrung, denn ich vergaß mit Vorliebe aufs Essen. Wenn ich auf Gastspiel war, sorgte sie für Loos, nie gab es irgendeine Klage. Sie putzte das Silber, sie staubte die Bücher ab, sie bügelte und bürstete unsere Kleider, sie war perfekt.

Aber das war nicht alles. Um zu erklären, wer unsere Mitzi war, will ich sie selbst sprechen lassen. In ihrem letzten Brief an mich, kurz vor ihrem Ableben im Jahre 1957, steht: »Oh, meine Gnädige, bitte, bitte, bald nach Wien kommen. Ich bin ja schon über 70 Jahre alt, und wenn mir die Gnädige auch verboten hat zu sterben, bevor ich Sie wiedersehe, lange halte ich es nicht mehr aus, und ich muß immer an die glücklichen Zeiten denken, die wir zusammen verlebt haben, die Gnädige, der Herr Loos und ich. Da sieht man es eben, es müssen sich die richtigen Menschen am richtigen Ort zusammenfinden, um glücklich zu sein.« – Das schrieb die Mitzi in ihrem letzten Brief.

Sie kam zu uns, als wir erst ganz kurze Zeit verheiratet waren. Claire Loos nennt sie in ihrem Büchlein »die hübsche Kärntnerin«. Ich muß zugeben, daß sie großzügiger ist als ich es bin, denn für mich sah sie aus wie ein Zwetschkenkrampus. Sie war erschreckend mager, schwarz wie eine Zigeunerin, und obwohl sie in Fetzen gekleidet war (wie übrigens wir alle nach dem Kriege), trug sie große goldene Ringe in den Ohren. Anfangs empfand ich eher Mißtrauen ihr gegenüber, aber sie arbeitete so freudig, war so aufrichtig und ergeben, daß sie bald mein Vertrauen gewann. Nach kurzer Zeit eroberte sie mich ganz. Denn sie war wirklich demütig in ihrem einfachen Herzen. Damals nannte man das Kleidungsstück, das heutzutage Pullover heißt, »Jumper«. Ich hatte viele Jumpers und nannte sie korrekt mit englischer Aussprache. Mitzi hörte mich dieses Wort unzählige Male aussprechen. Sie aber blieb dabei, die Jumpers »Chumpers« zu nennen. Als ich sie einmal darauf aufmerksam machte, daß sie doch endlich lernen sollte, das Wort richtig auszusprechen, antwortete sie mir leise: »Ja, ich weiß schon, aber das schickt sich nicht für einen Dienstboten.« Wenn ich mich an diesen Moment erinnere, ist mir wie einem Antiquitätensammler zumute, der in einem kleinen Laden einen besonderen Schatz aus alter Zeit findet und ihn für wenig Geld erstehen kann. In diesem Augenblick und mit diesen unglaublich einfachen Worten, in denen die ganze soziale Einstellung einer längst vergangenen Zeit enthalten ist, eroberte sie mein Herz für alle Ewigkeit.

Mitzi wohnte nicht bei uns, sie hatte ihre eigene kleine Wohnung auf der Wieden. Sie hatte auch einen Schatz, den Friedl, und es war ihr Traum, den Friedl heiraten zu können. Herr Friedrich Schnabl war Tischler, ein fescher Mann mit blondem Schnurrbart. Und so heirateten sie denn eines Tages in einer Kirche auf der Wieden, und Loos und ich waren Brautvater und Brautmutter. Der Kärntnerverein war zuge

gen und sang. Der Priester segnete die Ehe, und die Mitzi
sah mich unentwegt an und weinte vor Glück. Ich glaube,
auch ich weinte ein bißchen, jedenfalls verspürte ich große
Lust dazu.
Als Loos und ich uns trennten, war Mitzi verzweifelt. Sie
wollte keinen von beiden im Stich lassen, bis ich sie überzeugte, daß Loos sie mehr brauchte als ich. Sie lebte von der
Hoffnung, daß wir wieder Frieden schließen würden, aber
weder zu ihm noch zu mir gab es einen Rückweg. Das
verstand sie nicht, und als Loos sich dann mit Claire verhei-
ratete, war sie noch unglücklicher. Ihre Freude über Claires
Desertion wäre enorm gewesen, wenn Loos nicht schon so
schwer krank gewesen wäre. Man brachte ihn nach Wien
zurück, und er mußte in einer Pension wohnen, da er die
Stiegen zu unserer Wohnung nicht mehr steigen konnte.
Man gab ihm eine Pflegerin, aber Mitzi war mit dem Benehmen dieser Pflegerin nicht einverstanden, und ich glaube, sie
hatte nicht unrecht. Ich war ununterbrochen auf Gastspiel-
Reisen und bekam dringende Biefe von Mitzi: »Bitte, meine
Gnädige, sofort zurückkommen, der Herr Loos braucht Sie,
er hat eine Pflegerin, die ihn zugrunde richtet, niemand
kümmert sich um ihn.« Ich aber konnte nicht sofort zurückkommen, ich hatte Verträge einzuhalten und eine Gruppe
von zwanzig Tänzerinnen und Tänzern, die ich nicht so
einfach im Stich lassen konnte. Dann erhielt ich die Nachricht, daß Loos im Sanatorium von Dr. Schwarzmann in
Kalksburg war, und das beruhigte uns alle. Dr. Schwarzmann war ein alter Freund von uns, und ich wußte, dort
würde ihm nichts abgehen. Man hatte mir auch mitgeteilt,
daß Loos nicht mehr gehen konnte und an den Rollstuhl
gefesselt war. Geistig war er noch ganz frisch und immer
zum Diskutieren aufgelegt.
Im August 1933 hatte ich endlich alle meine Verpflichtungen
erledigt, gab meinen Tänzern Urlaub und fuhr nach Wien,

um meine Mutter zu besuchen. Mitzi erschien sofort nach meiner Ankunft und wollte mich nach Kalksburg bringen, denn Loos wartete auf mich, sagte sie. Ich versprach, in den nächsten Tagen hinauszufahren, aber am selben Tag erhielt ich ein Telegramm von meinem Agenten in Paris, der mir einen Vertrag für mich und mein Ballett nach Argentinien anbot. Nun kann man aber einen so großen und wichtigen Vertrag, und vor allem nach Amerika, unmöglich brieflich verhandeln, und so nahm ich am selben Abend den Zug nach Paris, um die Einzelheiten und Bedingungen des Vertrages zu besprechen. Ich war überzeugt, in vier oder fünf Tagen wieder zurück zu sein. Aber bis mein Agent und ich endlich einig wurden, waren drei Wochen vergangen.

Und in dieser Zeitspanne ist Adolf Loos gestorben.

Nach meiner Rückkehr fuhr ich mit Mitzi nach Kalksburg, um sein provisorisches Grab zu besuchen und mit Dr. Schwarzmann zu sprechen. Letzterer bestätigte mir Mitzis Berichte, daß Loos auf mich gewartet hätte und mit mir hatte sprechen wollen. Aber Dr. Schwarzmann sagte auch: »Frau Elsie, es ist besser, daß Sie ihn nicht mehr gesehen haben. Er hätte Ihnen schrecklich leid getan, und es ist besser, daß Sie den gesunden Loos in Ihrer Erinnerung behalten.« Dann führte er mich in Loos' Zimmer, das noch ganz so geblieben war, wie er es verlassen hatte, es war noch nicht wieder bewohnt. »Wie ist er gestorben?« fragte ich. »Er ist eingeschlafen«, sagte Dr. Schwarzmann. »Die letzten Tage schlief er fast immer. Er hatte keinen Todeskampf.« – Nein, dachte ich, er hat genug im Leben gekämpft. Ich fühlte keine Traurigkeit, aber eine schreckliche Bitterkeit gegen das Leben. Dr. Schwarzmann wollte mir unbedingt einen Sofapolster geben, den Loos immer benützt hatte. »Nehmen Sie mit, was Sie wollen«, sagte er, »alle Dinge, die er benützt hat, wenn Sie sie als Andenken wollen.« Ich nahm nichts mit. Was bedeutet ein Sofapolster, eine Aschenschale, ein

Glas neben den Erinnerungen, die in meinem Herzen einge-
graben sind?

Nach einigen Tagen kam das Testament zum Vorschein, in
welchem Loos mich zu seiner Alleinerbin eingesetzt hatte.
Jetzt begann ich zu verstehen, warum er mit mir hatte sprechen wollen. Denn immer wieder pflegte er in unseren
glücklichsten Zeiten zu sagen: »Elsili, du darfst nie vergessen, daß du dich nach meinem Tode um meinen Nachlaß
kümmern mußt. Das ist deine Aufgabe.« – Wenn man jung
und glücklich ist, will man nichts vom Tode hören. Als ich
die Erbschaft antrat, war ich schon nicht mehr so jung und
gar nicht glücklich. Vor meiner Abreise nach Argentinien
unternahm ich alles Nötige, damit Dr. Ludwig Münz und
Heinrich Kulka den Nachlaß sichten könnten. Es herrschte
eine schreckliche Unordnung in allen Papieren und hinter-
lassenen Plänen. Da ich meine Abwesenheit nur auf zwei
Monate berechnete (es wurde mehr als ein halbes Jahrhundert daraus!), hoffte ich, nach meiner Rückkehr selbst alles
ordnen zu können. Mittlerweile blieb die Mitzi als Vertrau-
ensperson zurück.

Dann kamen der Anschluß und der Zweite Weltkrieg. Und
obwohl ich die ersten zwei Jahre von Mitzi Nachricht erhielt, kam nach dem Eintritt Nordamerikas in den Krieg
keine Post mehr aus Österreich. Erst nach dem Krieg konnte
ich mich wieder mit ihr in Verbindung setzen. Während des
Krieges konnte sie nicht zwei Wohnungen behalten, also gab
sie ihr kleines Nest auf der Wieden auf und zog mit Friedl in
die Loos-Wohnung. Eine Bombe riß ein Stück vom Dach
ab, aber sie ließ das Dach richten. Außerdem hatte sie ein
kleines Häuserl in Stadlau, das von Loos entworfen worden
war, und dort hatten Friedl und sie viele Leute gerettet, viele
verfolgte Juden versteckt. Ich wunderte mich gar nicht darüber. Sie war ja doch unsere Mitzi.

Ich setzte mich mit Dr. Franz Glück in Verbindung, und er

leitete im Jahre 1956 die Überführung der Loos-Wohnung ins neue Historische Museum der Stadt Wien in die Wege. Mitzi half so gut sie konnte, ich ließ ihr die nötigen Mittel zukommen, um die Übersiedlungszeit überstehen zu können. Doch dann starb sie ganz plötzlich eines unnatürlichen Todes, an einer Gasvergiftung. Bis heute ist es nicht aufgeklärt, ob es ein Unfall war oder ob sie wirklich schon zu müde war, um auf mich zu warten.

Das war unsere Mitzi, wer könnte sie vergessen! Loos hatte ihr alle Kochkünste beigebracht, die er aus dem riesigen Brillat-Savarin, den er mir einmal geschenkt hatte, übersetzen konnte. Ihre Chef-d'oeuvres waren das Filet à la Wellington (Mitzi nannte es File Mengtoni!) und Indianerkrapfen. Aber noch heute unvergeßlich ist mir ihr Kaffee. Als ich bereits von Loos getrennt lebte, ging ich manchmal zu ihr in ihre kleine Wohnung auf der Wieden, um Kaffee zu trinken. Niemals und nirgendwo habe ich solchen Kaffee getrunken wie den, den Mitzi für mich machte. Und ich betone das hier an dieser Stelle, weil ich überzeugt bin, daß ich ihr keine größere Freude bereiten könnte, als das festzustellen.

32.

Tiergeschichten

Loos und ich wechselten im Laufe der Jahre viele Briefe, wenn einer von uns allein auf Reisen war. Seine Briefe waren immer sehr lieb und zärtlich, außerdem auch sehr unterhaltend. Aber ich besaß einen einzigen Liebesbrief von ihm, den er mir ganz zu Anfang unserer Beziehung schrieb. Und diesen Liebesbrief verdankte ich einer Gruppe von Tanzbären.

Loos hatte mich und meine Familie eingeladen, mit ihm ins Ronachertheater zu gehen, das trotz des Krieges seine Pforten geöffnet hatte. Wir saßen in einer Loge und sahen nach langer Zeit wieder eine Bühne, Lichter, hörten Musik. Neben anderen Nummern, wie Akrobaten, Sängerinnen und Tänzerinnen, trat auch ein Tierbändiger auf, der eine Gruppe von dressierten Bären vorführte. Die Tiere waren groß und stark, mit dunklem Pelz. Der Bändiger ließ sie auf kleinen Sesselchen sitzen, dann mußten sie tanzen, zuerst jeder allein, dann zu zweit. Sie hopsten durch Reifen, sie verbeugten sich und mußten sich wieder niedersetzen. Die Leute applaudierten heftig, aber ich hatte ein jämmerliches Gefühl, ich hatte den festen Eindruck, daß die Bären mit dieser ganzen Komödie gar nicht einverstanden waren und sich viel lieber in irgendeinem Wald auf der Erde herumwälzen wollten, und überhaupt: So wie wir Menschen wollten auch sie nur das tun, was ihnen gefiel. Sie hatten rosa Kreppröckchen an, was sie noch armseliger aussehen ließ, und sie taten mir schrecklich leid. Und so sagte ich denn leise vor mich hin: »Mein Gott, warum hat es gerade diese Bären getroffen, uns den Wurstel machen zu müssen? Warum gerade diese fünf unter all den Bären auf der Welt?« Loos fragte: »Was, was hast du gesagt?« Und ich wiederholte es ihm ins Ohr, damit er es gut hören konnte.

Am nächsten Tag bekam ich meinen Liebesbrief. Er ist leider, wie alle anderen Briefe, die Loos mir geschrieben hat, verlorengegangen. Aber es war nur ein kurzer Brief, und ich habe ihn noch sehr gut im Gedächtnis. Loos schrieb: »Elsili, Elsili, ich liebe Dich. Bis gestern wußte ich nicht, wer Du eigentlich bist, aber als Du das über die Bären sagtest, ging mir ein Licht auf. Was für ein Glückspilz bin ich, ich habe einfach hineingegriffen und habe das große Los gezogen. Elsili, ich liebe Dich, und ich mußte es Dir sofort nach der Vorstellung schreiben, denn sonst hätte ich die ganze Nacht nicht schlafen können. Du gehörst zu mir. Dein Adolf Loos.«

Das war der schönste Brief, den eine Frau bekommen kann, und wenn ich recht nachdenke, war es überhaupt der einzige Liebesbrief, den ich im Leben erhielt.

Im großen und ganzen spielten die Tiere keine allzu große Rolle in unserem Leben. Loos war zu sehr mit den Menschen beschäftigt. Aber er hatte seine Lieblinge auch in der Tierwelt. Da waren vor allem die Affen. Er liebte die kleinen Uistitiaffen, die aussehen wie winzige Menschen. Sie haben ein glattes Gesicht und glatte Hände, und die Ohren stehen ihnen in kleinen Haarbüscheln vom Kopfe ab. Loos meinte immer: »Siehst du, wie sie mir ähnlich sehen? Sie haben dieselben Augen wie ich.« Und das war wahr. – Bessie hatte zwei kleine Affen von Loos geschenkt bekommen. Sie hießen Wips und Wops. Eines Tages fiel Wips, das Weibchen, vom Fenster auf die Straße und war tot. Wops war so unglücklich über den Tod seiner Gefährtin, daß er nichts mehr fressen wollte, und 14 Tage später starb auch er.

Wir befanden uns einmal auf der Durchreise in Turin, denn Loos wünschte, daß ich das ägyptische Königsgrab im Museum sehen sollte. Auf der Rückkehr vom Museum gingen wir durch eine Galerie, wo alle möglichen exotischen Tiere verkauft wurden, Papageien, Affen usw. Dort fanden wir die Nachfolger von Wips und Wops. Sie waren eine zweite Auflage von ihnen, und Loos kaufte sie. Wir brachten sie nach Wien, nannten sie auch Wips und Wops, sie lebten frei und glücklich in unserer Wohnung und schliefen hinter den Büchern im Kaminnischerl. Sie fraßen nur kandierte Kirschen, die ich auf dem Tisch vorbereitete, und wenn sie Hunger hatten, kamen sie rasch herbei und holten sie. Jeder steckte drei Kirschen ins Mäulchen, und dann ging's rasch wieder hinauf hinter die Bücher. Manchmal ließen sie sich von mir anrühren und streicheln, aber sonst durfte sie niemand anfassen. Als der Winter kam und es kälter wurde, kamen sie öfters herunter und hielten sich in der Nähe des Ofens auf. Eines Tages mußte ich auf ein Gastspiel, und als ich wieder nach Hause kam, waren Wips und Wops verschwunden. Niemals erfuhr ich, woran sie eigentlich gestorben waren, ob an Kälte, Hunger oder Traurigkeit. Sie waren einfach nicht mehr da. Und Loos brachte mir ein winziges Kaninchen, den Hansi, das lange Zeit im Kamin nistete, bis es ein sehr großes Karnickel war, sehr schlecht roch, uns gerne biß und alle Teppiche benagte. Man riet uns, es zu essen, aber wir wollten kein bekanntes Karnickel essen und brachten es aufs Land, auf den Harthof.

Wir gingen des öfteren in die Spanische Hofreitschule, Loos war ein großer Bewunderer der herrlichen Pferde und ihrer Künste. Und obwohl er das Pferd für das edelste aller Tiere hielt, sprach er immer von einer Abbildung, die er einmal gesehen hatte und die »Das fehlerhafte Pferd« hieß. Es war dies das Bild eines Pferdes, das alle Fehler aufwies, die ein Pferd nur besitzen kann: eingesunkener Rücken, verkrümmte Beine, schlechte Ohren, einfach alles, was ein Pferd häßlich macht. Wenn er von dieser Abbildung sprach, lachte er so sehr wie über einen Clown im Zirkus, und wann immer er Zeit hatte, durchstöberte er einige Buchhandlungen, um solch eine Abbildung zu finden. Aber niemals hatte er Erfolg. Manchmal versuchte er selbst, das »fehlerhafte« Pferd zu zeichnen, und beim Zeichnen erklärte er mir Schritt für Schritt, wie die wirkliche Zeichnung gewesen war, und jedesmal endete der Versuch mit einem Lachanfall und dem festen Vorsatz, das Bild zu finden. Es war jedoch stets vergebens.

Wie gesagt, die Tiere spielten keine große Rolle in unserem Leben. Aber dann kam ein Umschwung. Eine Zeitperiode, in der Loos einen sogenannten Hundefimmel entwickelte. Aber das muß der Reihe nach erzählt werden.

In unserer unmittelbaren Nähe wohnte ein Schauspieler namens Stefan Kunz. Er war kein großer Schauspieler, und als er älter wurde, fand er kein Engagement mehr und verlegte sich auf Hundezucht. Er züchtete die kleinen japanischen Palasthündchen, die viel zierlicher und lieblicher sind als ihre Cousins, die Pekinesen. Sie waren weiß und schwarz oder weiß und hellbraun, die Füßchen höher als die der krummbeinigen Pekinesen und der Körper klein und zierlich; sie sind vor allem die anspruchslosesten und bestgelaunten Hunde, die es gibt. Oder gab, denn ich glaube, sie sind ausgestorben. Stefan Kunz besaß ein wunderschönes Exemplar, winzig klein und der Vater seiner ganzen Zucht. Er kreuzte ihn mit einigen Weibchen und erzielte sehr schöne Exemplare. Unter dem Weihnachtsbaum fand ich die kleine Chichi, sechs Wochen alt, weiß und schwarz und so lieblich wie kein anderes Geschöpf auf Erden. Sie war so klein, daß sie auf Loos' Handfläche Platz fand, und hatte einen Schnurrbart, wie Katzen ihn haben. Wir verliebten uns so heftig in Chichi, daß sich von diesem Tage an alles um sie drehte. Aber die kleinen Japaner belästigen sehr wenig, wenn man sich nicht um sie kümmert, spielen sie allein, wie kleine Katzen, sie sind besonders sauber und fressen sehr wenig. Unnötig zu sagen, daß Chichi uns überallhin begleitete. Wenn wir reisten, steckte ich sie unter meine Bluse, und da verhielt sie sich ganz ruhig, so daß man sie nie entdeckte. Das war auch stets der Fall, wenn wir in ein Hotel gingen, wo Hunde nicht gern gesehen waren. Chichi wußte genau, daß sie sich verstecken mußte. Im Zuge fütterte ich sie mit der Hand, aber sie kroch nie aus meinem Kleid heraus. Manchmal waren die Reisen lang, und dann fühlte ich plötzlich ein warmes Gerinnsel über meinen Körper laufen. Da es jedoch von Chichi kam, war es mir fast ein Vergnügen. Sie wuchs kaum, blieb klein, lieblich, lustig und dankbar. In Nizza bot mir eines Tages eine Amerikanerin 600 Dollar für Chichi. Das war sehr viel Geld, aber ich dachte nicht daran, Chichi zu verkaufen. Die Amerikanerin, die mit Schmuck beladen war, hielt mich für verrückt, denn man konnte sehr gut sehen, daß ich nicht reich war. Eine Woche später stahl man mir Chichi aus dem Hotelzimmer. Wir suchten sie wochenlang, mit der Polizei, mit Privatdetektiven, aber sie blieb verschwunden, und ich habe sie nie mehr wiedergesehen.

Im Laufe des kommenden Jahres schenkte mir Loos ungefähr fünf kleine japanische Hündchen. Keines war so schön wie Chichi, aber sie waren sehr lieblich. Alle starben an Staupe, damals gab es noch kein Mittel gegen diese Krankheit. Stefan Kunz, der sah, wie sehr ich die Hündchen liebte und wie ich jedesmal litt und weinte, wenn sie krank wurden und starben, ernannte mich zu seiner Partnerin im Hundezüchten und sandte mir immer zwei oder drei Pensionäre nach Hause. Aber wenn ich sie dann zurückgeben mußte, begann das Leid von neuem, so daß ich eines Tages erklärte, ich wolle nichts mehr von Hunden wissen, ich mache einen

Strich unter die Rechnung und wolle vergessen, daß es Hunde gibt. Loos verstand mich und Stefan Kunz auch. Wir waren wieder hundelos.

Aber in Loos war etwas zurückgeblieben, ein Trauma aus der Zeit, in der wir Chichi suchten. Meine größte Verzweiflung war damals der Gedanke, wie sehr Chichi wohl unter unserer Trennung leiden müßte. Ich wußte ja, daß ein so kostbarer Hund nicht schlecht behandelt würde. Aber welcher Hundekenner weiß nicht, wie sehr der Hund an seinem Herrn hängt, wie schwer es ihm fällt, sich an ein neues »Herrl« zu gewöhnen. Und da begann etwas Neues. Loos kam häufig nach Hause und brachte irgendeinen Hund mit, meistens ein sehr häßliches Straßenpotpourri, und behauptete, der Hund hätte sich verlaufen. Meine Aufgabe war es dann, den Hund auf die Polizei zu bringen und zurückzugeben. Bis man mir eines Tages in Nizza auf der Polizei erklärte, daß man den Verdacht hege, daß ich diese Hunde stehle, und welchen Beweis ich hätte, daß der Hund sich verlaufen hätte. Der Polizeikommissar bat mich sehr kurz und bündig, ihm keine Hunde mehr zu bringen. Loos hielt sich also zurück, aber es fiel ihm schwer. Es genügte ihm, einen Hund um zwei oder drei Ecken rennen zu sehen, und schon wollte er ihn herbeilocken und ihn »retten«. Jedesmal, wenn er einen häßlichen Hund auf der Straße sah, sagte er: »Armes Tier.« »Warum?« fragte ich. »Weißt du«, meinte Loos, »ich habe immer das Gefühl, daß der Hund weiß, daß er häßlich ist, und daß er darunter leidet.« Ich trachtete, ihm das auszureden, aber ich glaubte selbst, er hatte nicht ganz unrecht. Jedenfalls ist der schöne Hund sich seiner Schönheit wohl bewußt, man kann das auf den diversen Hundeausstellungen beobachten. Warum also nicht auch der häßliche seiner Häßlichkeit?

Ida Roland und Graf Coudenhove-Kalergi hatten einen sehr schönen sibirischen Schäferhund. Er war ein enormes Tier, groß wie ein Kalb, mit langen weißen Haaren, die ihm über die Augen hingen. Es war das einzige Exemplar dieser Rasse in Wien, behaupteten die Coudenhoves. Es war ein ganz harmloses Tier, aber seine Größe schreckte Kinder und Erwachsene, und da der Hund im Garten der Coudenhoves genügend Platz zum Laufen hatte, ließen sie den Hund nie auf die Straße. Eines Tages kam Loos mit dem Hund zu uns nach Hause. »Ich habe ihn auf der Straße gefunden«, sagte er, »in einem Park spielte er mit Kindern, aber niemand wußte, wem er gehörte. Da ich weiß, daß es der Hund von Coudenhove ist, brachte ich ihn erst nach Hause, dann werde ich ihn zurückbringen.« Der Hund war schrecklich hungrig. Er fraß zuerst unser ganzes Mittagessen, dann noch die rohen Kartoffelschalen und andere Reste, trank zwei Kübel Wasser, und schließlich begann er unruhig in der Wohnung auf und ab zu rennen. Da er sehr groß war und unsere Wohnung verhältnismäßig klein, stieß er an alle Möbel, und ich mußte rasch die zerbrechlichen Sachen retten. Dann machte sich Loos auf den Weg zu Graf Coudenhove, denn der Hund sah plötzlich sehr schlecht gelaunt aus. Nach einer Stunde war Loos mit dem Hund zurück. Als ihm bei Coudenhoves das Dienstmädchen geöffnet hatte, stand der wirkliche Coudenhove-Hund neben ihr und alle vier, Loos, das Mädchen und die zwei Hunde, starrten einander an. Coudenhoves waren nicht zu Hause, und Loos blieb nichts anderes übrig, als die Rückkehr mit dem neuen Gefährten anzutreten.

Ich hatte eine Idee. Stefan Kunz kannte alle Hunde in Wien, er mußte auch den Besitzer dieses Hundes kennen. Und so war es auch. Der Besitzer war ein Maler, dem es nicht besonders gut ging und der dem Hund die nötige Freiheit gab, sich eventuell ein neues Herrl zu finden. An diesem Tage holte er seinen Hund ab und führte ihn nach Hause, aber Loos überredete die Coudenhoves, den Hund zu kaufen. Da die beiden Hunde verschiedenen Geschlechts waren, hatten sie bald darauf ein Junges, und es war wirklich sehenswert, die drei Riesenexemplare zu beobachten. Diesmal hatte der Hundefimmel zu einem guten Ende geführt. Und das war auch das letztemal, daß Loos einen verlaufenen Hund nach Hause brachte.

Unser letzter Hund, Wipsy, war ein kleiner brauner Pinscher. Man hatte ihn mir vor die Türe gelegt, als er noch ganz klein war. Er war sehr häßlich, aber da wir ihn pflegten, wurde er allmählich hübscher. Auch er bekam Staupe, jedoch Loos ließ aus Hamburg mit dem Flugzeug zwei Injektionen kommen, die letzte Erfindung auf diesem Gebiet. Wipsy wurde gerettet. Er war Mitzis ständiger Begleiter, und wenn wir reisten, blieb er bei ihr. Zum Schluß nahm sie ihn ganz zu sich. Er überlebte unsere Ehe. Er war 13 Jahre alt und ganz blind, als er starb. Wir liebten ihn sehr, aber niemals konnten wir unsere Chichi vergessen.

Kurze Zeit besaßen wir auch unsere eigene Maus. In unserem zweiten Jahr in Nizza wohnten wir in einem kleinen, sehr netten und nicht zu teuren Hotel. Mittags aßen wir oft kalten Aufschnitt, Käse und Brot in unserem Zimmer und legten uns dann nieder, um ein wenig auszuruhen. Während einer dieser »Siestas« legte Loos mir plötzlich seine Hand auf den Mund, um mich am Sprechen zu hindern. Seine Augen deuteten auf den teppichbelegten Boden des Zimmers, und ich sah eine winzig kleine Maus, die da herumspazierte. Sie war sehr klein, hatte aber unwahrscheinlich große Ohren, sie lief immer ein Stückchen, dann stellte sie sich auf die Hinterbeine, spitzte ihre großen Ohren, um eventuelle Gefahr zu wittern. Sie sah und hörte uns nicht. Ihr Ziel war ein Papier mit Speck und Käseresten, das auf den Boden gefallen war. Sie gelangte glücklich bis dorthin und begann die Bröselchen aus dem Papier zu fressen. Wir waren bezaubert und sahen ihr zu, ohne uns zu rühren. Aber als sie fertig war, das Mahl war nicht sehr üppig gewesen, bemerkte sie uns plötzlich, und wie ein Blitz verschwand sie in einem Loch in der Wand. Von diesem Tag an aßen wir täglich in unserem Zimmer. Sobald wir fertiggegessen hatten, bereiteten wir ein Festmahl für unseren Gast. Auf dem Boden in der Mitte des Zimmers fand unsere Maus auf einem Papier Speck, Käse und Butterbrotstückchen. Wir lagen ruhig auf dem Bett und beobachteten sie. Sie spazierte täglich Punkt zwei Uhr durch ein kleines Loch in der Wand in unser Zimmer und bald hatte sie keine Angst mehr, sie ging ruhig zu ihrem Festmahl und begann zu schmausen. Manchmal warf sie uns einen schnellen Blick zu. Es war eine richtige französische Maus, die ihre großen Ohren so chic trug wie eine Pariserin ihr letztes Hutmodell. Wir freuten uns jeden Tag auf ihren Besuch, und wenn wir einmal nicht zu Hause essen konnten, fand die Maus doch immer ihr kleines Tischlein gedeckt. Eines Tages blieb sie aus. Wir untersuchten das Loch in der Wand, es war nicht verstopft. Wir warteten am nächsten Tag, am übernächsten, aber vergebens. Sie kam niemals mehr, und wir vermißten sie, denn wir hatten uns an sie gewöhnt. Als wir uns überzeugt hatten, daß sie nicht mehr wiederkam, begannen wir wieder auswärts zu essen. Welche Falle hat man ihr wohl gestellt?

Eine interessante Begegnung hatten wir in Cap Ferrat. Wir kamen von unserem täglichen Morgenspaziergang und waren auf dem Weg zum Hotel. Die ziemlich breite Straße führt bergauf, und wir schlenderten langsam unter der heißen Mittagssonne dahin. Plötzlich sah ich zwei große schwarze, grünlich schillernde Käfer, die gemeinsam eine Kugel bergauf rollten. Ich hielt Loos am Rock fest, damit er sie nicht zerträte, und zeigte auf die beiden. »Zwei Mistkäfer«, rief er aus, »das ist das erste Mal, daß ich welche sehe.« Er war begeistert. Dann erklärte er mir, daß in der bereits recht großen Kugel die Eier der Käfer versteckt waren. Die

Käfer beginnen die Eier zuerst in Mist zu hüllen, suchen Plätze, wo recht viel trockener Mist liegt, und beginnen die Kugel zu rollen. Die beiden Käfer schieben fleißig und mit aller Kraft ihre in Mist gehüllte Nachkommenschaft, arbeiten tapfer, um ihren Kindern genügend Nahrung für die ersten Tage ihres Daseins zu verschaffen. »Siehst du, wie weise die Natur ist, welchen Instinkt sie ihren Geschöpfen gegeben hat, die beiden sind nur Insekten, und doch wissen sie, daß durch das Bergaufschieben der Kugel die Reibung und der Druck stärker sind und sich dadurch mehr Mist anklebt. Und sie scheuen keine Arbeit. Schau nur, wie tapfer sie schieben.« – Und das war tatsächlich der Fall. Die beiden Tierchen arbeiteten mit der ganzen Kraft ihrer kleinen Körper. Sie bewegten sich sehr langsam weiter, und wir beobachteten sie. Die Kugel wuchs und wuchs. Schließlich war sie mindestens dreimal so groß wie die Käfer selbst, und plötzlich änderten sie ihre Richtung und verschwanden unter einigen grünen Büschen. »Jetzt verstecken sie die Kugel«, sagte Loos. Dann überlassen sie sie ihrem Schicksal, und wenn die Larven auskriechen, fressen sie den Mist, der sie umgibt, und sind vor Hunger und Kälte geschützt. Wenn der Mist aufgefressen ist, sind sie schon richtige, selbständige Mistkäfer und können sich ihre Nahrung selbst suchen.« Loos' Augen glänzten. Er sah vom Boden auf und seine Blicke schweiften über das blaue Mittelmeer, das tief unter uns lag. Plötzlich sah ich die Welt mit seinen Augen, sah die Schönheit der Landschaft, bewunderte die Weisheit des Schöpfers, der all dies geschaffen hatte: die vom Wind bewegten Wellen, die von der Sonne beschienenen Sträucher und Bäume, die Berge, den leisen Wind und die Weisheit der Mistkäfer. Wir sahen einander in die Augen und waren sehr glücklich.

Als ich Loos kennenlernte, hatte er natürlich schon alle Bücher gelesen, die ich gerade las. Er war bereits kein großer

Leser mehr. Er las immer »Die Fackel« und die Zeitungen, aber Romane und Novellen interessierten ihn nicht mehr. Nur Dostojewski las er hin und wieder. Seine Lieblingslektüre aber war Brehms »Tierleben«. Immer wieder las er in dem Buch und fand neue und interessante Dinge. Sein zweiter Lieblingsautor war Jules Verne. Er bestand darauf, daß ich alle Werke Jules Vernes aufmerksam läse. Eines Tages sagte er zu mir: »Die Leute glauben, daß Jules Vernes Bücher Phantasiegebilde wären. Das ist ein Irrtum. Verne ist ein Prophet. Alles, was er schreibt, wird sich erfüllen. Aber die Menschen lesen ihn wie eine Reiselektüre.«

Ich glaubte damals nicht recht an seine Worte, aber ich widersprach nicht. Heute jedoch, immer wenn ein »Sputnik«, ein »Lunik«, ein »Mariner« um die Erde zu kreisen beginnt, wenn ein neuer Luftrekord aufgestellt wird und man die Erde in 40 Stunden und nicht in 80 Tagen umreisen kann, denke ich an seine Worte.

Neutra schreibt in einem seiner Bücher: »Was hätte Loos zu den neuen Materialien gesagt, die Amerika jetzt hervorbringt? Er, der über die Klosettsitze aus Eichenholz so begeistert war, was würde er über die heutige Industrie des plastischen Materials, der Kunststoffe, sagen?« – Und ich frage mich: Was würde er über die Atombombe sagen, über das Radar, über das Fernsehen, den Tel-Star? Und über alles, was noch nicht entdeckt ist? Er, dem zwei Mistkäfer, die ihre Eier bergauf rollten, fast Tränen entlockten!

29 Von Loos eingerichtete Wohnküche im ersten fertiggestellten
Haus der Lainzer Siedlung, 1921.

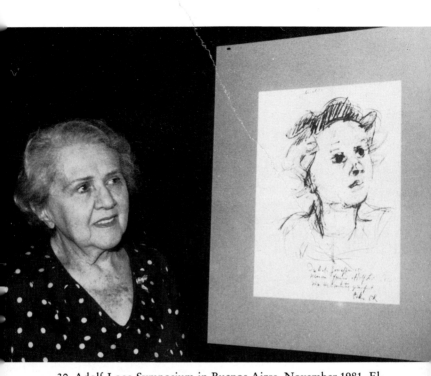

30 Adolf Loos-Symposium in Buenos Aires, November 1981. Elsie Altmann-Loos neben ihrem Kokoschka-Porträt aus dem
Jahre 1919.

31 Kostümaufnahme von 1929, Foto von d'Ora.

32 Elsie Altmann-Loos, Foto von d'Ora.

33.

Der letzte Frack

Der Mensch ist gestorben, der Künstler ist tot. Sein Werk ist geblieben, seine Bauten, Pläne und Schriften. Aber er selbst ist nicht mehr da. Die Menschen beginnen ihn zu vergessen, sowohl Freunde wie Feinde. Neue Generationen wachsen heran, die seinen Namen kaum kennen. Seine Bauten haben sich in das Stadtbild eingefügt, und die Bürger haben sich an sie gewöhnt. Kriege brechen aus, die Völker bekämpfen einander. Bomben zerstören die Städte. Viele Menschen sterben, andere wandern aus, bald ist niemand mehr da, der sich an die Vergangenheit erinnert.

Nach dem Krieg werden die Städte langsam wieder aufgebaut. Die neue Architektengeneration baut modern, und in Wien entdeckt man, endlich, den großen Meister Adolf Loos. Seine Zeitgenossen sind fast alle tot oder schon so alt, daß sie für neue Aufträge kaum mehr in Frage kommen. Man gräbt seine Schriften, seine Pläne aus, man veröffentlicht sie, man stellt sie aus, damit alle Architekten der Welt sie studieren können.

Aber an den Menschen Adolf Loos erinnert sich niemand mehr. Alles ist zu lange her, es ist zuviel Unheil seither geschehen, jeder hat seine eigenen Erinnerungen zu überleben und nimmt sie schließlich mit ins Grab. Wie seltsam ist es, daß ich noch lebe, denke ich manchmal. Alle sind schon gestorben, nur ich bin übriggeblieben und lebe in einem fremden Land. Aber es begleiten mich meine Erinnnerungen an Loos, an unsere glückliche Zeit, an sein großes Herz, seinen Charakter. Diese Erinnerungen kann mir niemand stehlen.

Oskar Kokoschka hat einige Porträts von Loos gemalt. Sie sind alle sehr bedeutend, und der ganze Zauber der Persönlichkeit Adolf Loos' strömt aus ihnen auf den Betrachter. Auch gibt es sehr gute Photographien, jene von Trude Fleischmann sind vielleicht die besten. Und wenn ich zu seiner äußeren Beschreibung noch seine kleinen Eigenheiten hinzufüge, die ihn so liebenswert machten, gelingt es mir vielleicht, aus dem »Monument Adolf Loos« einen lebendigen Menschen zu machen.

Loos war sehr groß und gut gebaut: breitschultrig, mit schmalen Hüften und langen Beinen. Seine Hände waren stark, richtige Arbeiterhände, die zugreifen konnten, wenn es notwendig war. Sein Gesicht war gut geschnitten, die hohe Stirn, die gütigen Augen, die kleine, feine Nase und der schmallippige Mund. Seine Persönlichkeit war so stark, daß sich unwillkürlich alles um ihn drehte, wenn er mit anderen Menschen im selben Raum war. Die Leute scharten sich um ihn, wenn er sprach, aber er konnte auch sehr gut zuhören, wenn Interessantes erzählt wurde. Er war immer bereit, neue Ideen zu unterstützen, außer wenn es sich um architektonische Erfindungen handelte, mit denen er nicht einverstanden war.

Da gab es zum Beispiel einen Zeitgenossen, Josef Matthias Hauer, der eine Theorie über die Relation von Tönen und Farben aufgestellt hatte. Hauer wies jeder Note der Tonleiter eine bestimmte Farbe zu, do-re-mi-fa-so-la-si-do, eine war weiß, die andere grün, la war rot und so weiter. Das war natürlich nur ein Versuch, die verschiedenen Vibrationen der Farben und Töne in Einklang zu bringen, aber in Wirklichkeit war die ganze Sache weder wichtig noch neu, noch interessant. Hauer hielt unzählige Vorträge über diese Theorie, Vorträge, die aus Mangel an Stoff immer sehr kurz und ziemlich langweilig waren, denn niemand widersprach ihm, alle bejahten seine Erfindung, und die ganze Sache hatte wenig Sinn und Zweck, sie führte zu nichts. Loos unterstützte Hauer sehr, wir gingen zu allen seinen Vorträgen, und Loos versuchte, Leute für ihn zu interessieren. Eines Tages sprach ich meine Meinung über seine Theorie aus, so wie ich es jetzt getan habe. Loos dachte eine Weile nach, dann meinte er: »Ja, du hast recht, das Ganze ist ziemlich zwecklos, aber wenn ein Mensch eine Idee hat, muß man ihm helfen, auch wenn es zu nichts führt; manchmal genügt ja eine Idee, um leben zu können. Aber wenn der Mensch die Idee nicht richtig verkraften kann, kann sie ihn auch töten. Der Hauer wird mit der Zeit schon von selbst draufkommen, daß seine Idee nichts Großartiges ist und keinen wirklichen Wert hat. Aber mittlerweile muß man ihm helfen, sich mit dieser Idee herumschlagen zu können. Mit der Zeit wird er darüber hinwegkommen.«

Ich denke auch an den Maler Sebastian Isepp, »Wastl« für uns, er malte nur Schneebilder, sie waren meistens sehr groß, man konnte sich nicht satt sehen an all der Weiße. Mir gefielen seine Bilder gut, er malte den Schnee so schön, beinahe so schön wie Breughel – beinahe! Ich bat Loos immer, er möge doch ein Bild von Isepp verlangen und bei uns aufhängen – aber er wollte nichts davon wissen. Er war zwar ein guter Freund von Isepp und sprach nie schlecht von seinen Bildern, aber bei uns zu Hause war nur Platz für Oskar Kokoschka.

Eine kurze Zeit lang hatten wir eine Zeichnung von Gustav Klimt an der Wand, aber auch die verschwand eines Tages. Marietta Lydis – von der heute ein Bild im Louvre hängt – war mit uns befreundet. Wenn ich arbeitete, ging Loos häufig mit ihr abends aus, denn ihr Mann, der Grieche Lydis, war oft auf Reisen und so hatten sie beide Gesellschaft. Loos führte sie ins Theater und ins Nachtlokal – aber von ihrer

Kunst wollte er nichts wissen, da war er unerbittlich. – Mit den Musikern war Loos nicht so streng wie mit den Malern. Bela Bartok war auch ein Schützling von ihm, er besuchte uns öfters, wenn er aus Ungarn oder Paris nach Wien kam. Er unterhielt sich mit Loos laut und lustig, worüber sie redeten, weiß ich nicht, denn ich hörte niemals zu, wenn Loos mit seinen Schützlingen sprach.

Wenn Arnold Schönberg zu uns kam, begrüßte er mich zwar, doch er sprach niemals mit mir. Er kam immer mit Alban Berg und Anton Webern, diese beiden setzten sich mit mir zusammen in einen Winkel und er nahm Loos für sich allein in Anspruch, redete auf ihn ein, immer sehr eindringlich und bekümmert. Währenddessen unterhielt ich mich mit Berg und Webern, Alban war immer lustig und erzählte etwas Komisches, Webern war viel ernster. Keiner von ihnen hatte diese tragische Ausstrahlung, die von Schönberg ausging. Er hatte aber auch seine Gründe dafür. Arm waren wir ja alle, so arm, daß wir es uns schon nicht mehr zu Herzen nahmen. Doch Schönberg hatte außerdem eine kranke Frau, die Arme starb nach wenigen Jahren an Krebs. Ich glaube, was ihm am meisten fehlte, war Optimismus. Er war immer verzweifelt.

Dann arrangierte Loos ein Konzert für Schönberg, seine »Kammersymphonie« wurde im Großen Musikvereinssaal aufgeführt. Es war kein Mißerfolg so wie einst die »Gurrelieder«, aber es war auch kein Erfolg. Applaudiert wurde nicht, aber es wurde auch nicht gepfiffen. Doch das Schlimmste war der finanzielle Mißerfolg. Und eines Tages, es war im Jahre 1918, hatte Loos eine großartige Idee: da Schönbergs Musik so modern war, daß niemand sie richtig verstand, organisierte Loos zehn Konzerte mit der »Kammersymphonie«, von denen jedes eine Orchesterprobe war. Er ging von der Idee aus, daß man bei den Proben die verschiedenen Passagen der Symphonie sehr oft hören würde, so daß sich unsere Ohren an die neuen Harmonien gewöhnen und diese uns schließlich gefallen müßten. Außerdem mußte man ein Abonnement für alle 10 Konzerte lösen, so daß größere Einnahmen zu erwarten waren. Loos wählte den Kleinen Konzerthaussaal und begann mit dem Unternehmen.

Schon nach 14 Tagen fand das erste Konzert statt, der Saal war gut besucht, wir saßen in der ersten Reihe. Alles hörte aufmerksam und mit Respekt zu, Schönberg dirigierte, die Musiker waren meistens seine Schüler. Es war auch interessant, Schönberg arbeiten zu sehen. Plötzlich hatte er ein zufriedenes, beinahe heiteres Gesicht, ich glaube, diese Proben gaben ihm den Glauben an die Menschheit wieder. Das Ganze war ein Erfolg, wurde aber nicht wiederholt. Die meisten Leute waren Loos zuliebe gekommen. Loos ging tagsüber zu Hause herum und sang die verschiedenen Passagen der »Kammersymphonie« nach: Sicher wollte er beweisen, daß Schönbergs Musik mit der Zeit populär sein würde. Er sagte immer: »Man muß nur ein bißchen Geduld haben, plötzlich klingt alles schön und einfach.«

Oft frage ich mich, warum Loos Richard Strauss so heftig haßte und keinen guten Faden an ihm ließ. Er liebte Wagner, seine Lieblingsoper war »Tristan und Isolde«. Ravel, Debussy, die ließ er leben; Reger mochte er nicht; aber von Richard Strauss durfte man ihm nicht reden. Vielleicht trug der rasche Erfolg Strauss' auch mit Schuld daran, daß er ihn nicht gelten ließ.

Loos war unerbittlich, wenn ihm ein Kunstwerk unbedeutend erschien. Aber er gab sein letztes Hemd, seinen letzten Bissen Brot für den wahrhaft schaffenden Künstler, er lief von Tür zu Tür, um für ihn zu bitten, um Hilfe für ihn zu finden. Und einmal sagte er mir folgenden denkwürdigen Satz: »Was ich am meisten hasse, was am widerlichsten ist in der Kunst, ist das Mittelmäßige. Ich ziehe einen schlechten

Maler, einen schlechten Schriftsteller tausendmal einem mittelmäßigen vor. Die Mittelmäßigen töten die wahre Kunst, denn die meisten Menschen können nicht zwischen ihnen und den wirklich Großen unterscheiden, und so sterben die Großen vor Hunger. Denn das Mittelmäßige ist meistens hübsch, und das ist es, was die Menschen von der Kunst verlangen. Sie soll hübsch sein. Die wirkliche Kunst ist aber weder schön noch hübsch, sie ist eben Kunst. Der schlechte Maler ist also keine Gefahr für den wirklichen Künstler. Aber die, die bewußt Kitsch erzeugen, das sind die größten Sünder.«

Loos hatte einen Traum, der sich leider nie verwirklichen ließ. Er wollte ein »Hausgreuelmuseum« gründen. In diesem Museum wollte er alle Gegenstände ausstellen, die man damals in verschiedenen Häusern fand: Vasen, Büsten, Lampen, Nippsachen aus den achtziger Jahren und natürlich alle Erzeugnisse der Wiener Werkstätte. Er pflegte zu sagen: »So ein Museum wäre sehr wichtig, es würden wenigstens die meisten Hochzeitsgeschenke, die die Leute einander machen, aus dem Umlauf verschwinden. Denn wenn jemand einen richtigen Hausgreuel geschenkt bekommt, wartet er nur auf die nächste Hochzeit, um ihn loszuwerden.« Er liebte es, über das Hausgreuelmuseum zu sprechen, und der Gedanke an all den Kram, der sich da ansammeln würde, unterhielt ihn beinahe so wie der Gedanke an das »fehlerhafte Pferd«. Leider wurde das Museum nie gegründet. Es blieb ein Traum mehr in seinem Leben.

Loos war ein heiterer Mensch. Er war fast nie schlechter Laune, und wenn er einmal Grund zu schlechter Laune hatte, legte er sich einige Minuten nieder, erzählte mir seinen Kummer, und dann schlug er meistens vor, in den Wienerwald zu fahren oder in ein Konzert zu gehen. Er mischte Unbill nie mit dem wirklichen Leben. Der Wienerwald, ein Schönberg-Konzert, ein Bild von El Greco oder von Kokoschka heilten ihn sofort von seiner üblen Laune. Natur und Kunst sind positive Dinge und dürfen keinem menschlichen Übelstand unterworfen werden. Ja, Loos war immer heiter und gut aufgelegt, das war sein ständiger Gemütszustand. Jedoch war er kein guter Witzeerzähler, und meistens verstand er auch die Witze, die man ihm erzählte, nicht. Er war eben zu heiter und rein im Gemüt, um an Witzen Freude zu finden, Was er am meisten haßte, war, was die Wiener »Frotzeleien« nennen. Er war nicht imstande, jemanden zu frotzeln (»hochzunehmen«, sagen die Deutschen). Er verachtete diese Einstellung der Menschen zueinander. Auch konnte er Frotzelei nicht verzeihen. Für ihn war sie gleichbedeutend mit Mangel an Respekt. Einmal reisten wir durch die Schweiz, von einem See zum andern, natürlich 4. Klasse. Der Waggon war ganz voll von »Schwyzern«, die alle laut redeten, lachten und rauchten. Loos haßte das »Schwyzerdütsch«, er behauptete, es täte seinen kranken Ohren weh. Aber er ließ es natürlich ruhig über sich ergehen. Plötzlich bot ihm sein Sitznachbar eine Zigarette an, und Loos nahm sie, obwohl er wenig rauchte, um nicht unfreundlich zu erscheinen. Der Schweizer reichte ihm auch eine Schachtel Zündhölzer. Jetzt waren alle Blicke auf uns gerichtet. Loos zündete ein Hölzchen an, und dabei explodierte die ganze Schachtel in seiner Hand. Loos erschrak fürchterlich und warf die Zünder auf den Boden des Zuges, wo die brennende Schachtel sofort erlosch. Es war ein »Jux«, den sich der Schweizer gemacht hatte, mit einer ungefährlichen Juxschachtel, aber Loos war furchtbar erschrocken und so wütend auf den Mann, daß ich Angst bekam, er würde ihn niederschlagen. Alle Reisenden lachten aus voller Brust und unterhielten sich großartig, und Loos wurde immer zorniger. Bis endlich einer der Männer begütigend eingriff und uns daran erinnerte, daß der 1. April war und daß man an diesem Tage nichts übelnehmen dürfte. Auch ich

247

hatte das Datum, das wir nie zur Kenntnis nahmen, vergessen, und es gelang mir, inmitten des großen Geschreis, es Loos verständlich zu machen. Er beruhigte sich zwar, aber wir wechselten den Waggon und suchten einen anderen Platz im Zug. Als wir schon am Ziel waren und im Hotel auspackten, war Loos noch immer böse auf den Grobian. Er selbst hat sich in seinem ganzen Leben nie einen Witz mit einem seiner Mitmenschen erlaubt.

Loos war immer sehr gut gekleidet. Er liebte englische Stoffe und einen guten Schnitt, nie kaufte er einen Anzug von der Stange, immer hatte er die besten Schneider. Aber so schön seine Anzüge waren, seinen Hosen fehlte immer die Bügelfalte. Er erlaubte nämlich nicht, ihm diese Falte in der Mitte zu bügeln, wie sie die anderen Sterblichen tragen, seine Hosen mußten auf beiden Seiten den Nähten entlang gebügelt werden. So trug König Edward von England die Hosen, als er und Loos noch junge Männer waren, und Loos fand die Bügelfalte in der Mitte des Hosenbeins ohne Existenzberechtigung. Obwohl Loos überall der am besten gekleidete Mann war, fand sich immer jemand, Mann oder Frau, der mir seine ungebügelten Hosen vorwarf. Loos war auch der erste Wiener, der plötzlich der Hüte überdrüssig wurde. Erst lachten ihn alle Männer aus, aber nach und nach entledigten sie sich der lästigen Hüte und verbrachten den Sommer hutlos. Loos schließlich trug nur noch auf Reisen oder bei Schneefall sein klassisches Stetsonmodell.

Woran ich mich nie gewöhnen konnte, waren die ewigen Streitigkeiten, die an den diversen Stammtischen und bei sonstigen Zusammenkünften stattfanden. Jeder hatte eine andere Meinung, jeder schrie, tobte und schlug auf den Tisch, und Loos tat fleißig mit. Ich erinnere mich an einen Streit zwischen Loos und Egon Friedell bei den Schwarzwalds. Es handelte sich um eine Nichtigkeit, ich glaube um das korrekte Vorgehen beim Essen einer Orange. Wir waren viele Leute beim Abendessen, plötzlich begannen die beiden zu streiten und zu schreien, sie beschimpften einander mit großem Haß. Friedell hatte irgendwie den Vorteil bei dem Streit, vielleicht, weil er nicht taub war und überhaupt zum Streiten mehr Begabung hatte. Ich stand weinend vom Tisch auf. Loos sagte mir später: »Elsili, daran mußt du dich gewöhnen. Wo ich bin, wird immer gestritten, meine Person fordert die Leute irgendwie heraus. Und das von heute ist noch gar nichts, denn bedenke, Friedell ist ein Freund.« Loos hatte recht. Wie oft hat er im Leben gestritten und gekämpft, wieviel Feinde hatte er, wie haben sie ihn gehaßt. Und das alles nur, weil er recht hatte.

Seine Vorträge sind unvergeßlich. Ich hörte sie Jahr um Jahr und wurde ihrer nicht müde. Er sprach vom Essen, Sitzen, Gehen, Stehen, Schlafen, er wollte den Menschen lehren, wie man zu leben hat. Er sprach vom Wohnen, vom Einkaufen, vom Haushalten, er lehrte uns, wie man sich zu kleiden hatte. Er sprach von Kunst, von Musik, von der Gegenwart, von der Vergangenheit. Er sprach von fremden Ländern, er sprach, und man vergaß alles um einen herum. Manchmal machte er plötzlich eine sehr lange Pause in seinen Vorträgen. Man sah, daß er über etwas nachdachte oder daß ihm etwas eingefallen war und daß er es gut überlegte, bevor er es uns vortrug. Diese Pausen waren oft sehr lang, aber trotzdem rührte sich während der ganzen Zeit kein Zuhörer im Saal, man hörte keinen Laut, so sehr hielt er alle im Bann. Und immer wieder hielt er uns die Amerikaner als Beispiel vor, für ihn das einzige Volk, das zu leben verstand. Er sagte: »Die Menschen halten die Amerikaner für ungezogen, weil sie die Füße auf den Tisch legen, während sie mit einem Klienten sprechen. Aber sie tun das, weil man so am besten ausruht und daher besser zuhören kann. Warum bekritteln wir das an den Amerikanern? Und«, pflegte er hinzuzufügen, »man soll es nur wagen, in Nordamerika mit seinem

Hinterteil sich an einen Eßtisch zu lehnen. Sofort warnt man den Tölpel: Achtung, auf diesem Tisch wird gegessen, lehne dich woanders an. Das ist wirkliche Kultur, deswegen sind die Amerikaner ein freies Volk, weil sie sich selbst untereinander kontrollieren.«

Adolf Loos sprach immer vom modernen und vom unmodernen Menschen. Der Unterschied beschäftigte ihn sehr: »Man lehrte uns, mit auswärts gerichteten Füßen zu gehen – das ist unschön. Der moderne Mensch geht einwärts, besser gesagt, seine Füße gehen parallel nach vorwärts. Seine große Zehe wird dadurch immer länger werden. Seine kleine Zehe wird mit der Zeit verschwinden, denn sie ist überflüssig. Beim unmodernen Menschen ist die mittlere Zehe die längste.

Der moderne Mensch kann nur liegend ausruhen.

Richard Wagner starb im Lehnstuhl.

Der unmoderne Mensch hat Angst vor dem Bett, weil er liegend ans Sterben denkt – sitzend glaubt er, dem Tod entrinnen zu können«

Loos spricht über das Bauen.

Ein Hörer fragt: »Herr Loos, was ist vorzuziehen, eine Marmortreppe oder eine Holztreppe?«

Adolf Loos: »Man soll niemals eine Marmortreppe verwenden. Eine Holzstiege ist zwar nicht so schön, aber sie ist nicht so gefährlich. Bei einer Feuersbrunst brennt natürlich eine Holztreppe leicht an, aber man sieht es, man sieht, ob sie brennt oder nicht. Eine Marmortreppe ist verräterisch, man sieht nicht, ob sie brennt oder nicht. Stolz und kühl steht sie da, inmitten der größten Flammen. Aber plötzlich bricht sie zusammen, zerfällt in Stücke und begräbt oft viele Menschen unter ihren Trümmern. Eine Holztreppe ist billiger und ehrlicher, man sieht, ob sie brennt, und wenn sie nicht brennt, kann man sie ruhig benützen.«

Loos spricht über Herrenmode.

Als er schon beinahe alles gesagt hat, was ihm wichtig erscheint, fallen ihm plötzlich die Knöpfe ein.

Adolf Loos: »Ein Knopf hat 4 Löcher. Ein guter Schneider näht die Knöpfe kreuzweise an. Das heißt, er macht ein Kreuz mit dem Zwirn und den 4 Löchlein. Der Konfektionsanzug, ob gut oder schlecht, hat die Knöpfe mit parallelen Stichen angenäht – denn die Knöpfe sind von einer Maschine angenäht, die keine andere Art kennt oder machen kann.

Was absolut verboten ist: die Knöpfe mit der Hand auf phantasievolle Weise anzunähen. Das ist schon ein Versuch, die Kunst zu schänden. Da versucht man schon, ein ›Ornament‹ zu machen.« (Und das ist, wie man ja weiß, ein Verbrechen!)

Der gute Schneider: Konfektion: Verboten:

Und dann wird plötzlich vom Sticken gesprochen, von den herrlichen Stickereien der ungarischen und rumänischen Bäuerinnen. Darauf erwidert Loos: »Ja, das Sticken ist auch ein Ornamentieren. Aber den Frauen ist es erlaubt. Die Frau darf Ornamente machen – so lange sie nichts von der Wiener Werkstätte weiß.«

Unter anderem hatte Loos auch der »Wiener Küche« den Krieg erklärt, er haßte gekochte Mehlspeisen, Einbrenn, Gulasch, und er sprach oft stundenlang über ausländische Kochkunst.

Seine Vorträge waren stets ausverkauft. Und wenn auch immer neue Leute hinzukamen, Jahr für Jahr sah man dieselben Hörer, die nicht müde wurden, Loos sprechen zu hören.

Wenn man durch das Durchhaus neben der Michaelerkirche ging, lag zur rechten Seite des Ausganges ein kleiner Gemüseladen. Dort war Loos Stammgast. Dieser Gemüsehändler führte nämlich Spezialitäten. Er verkaufte Stacchis, Topinambur, die erste Frühkartoffel, kleine süße Karotten und Zuckererbsen. Natürlich waren auch die Preise entsprechend, denn es waren ja Spezialitäten. Wir aßen oft Topinambur mit Bechamelsauce, und Loos erklärte wiederholt, welche Verschwender die Österreicher wären, weil sie sich nicht die Mühe machten, Topinambur zu züchten. Diese Pflanze ersetzt die Kartoffel, hat einen feineren Geschmack, und da sie eine Schlingpflanze ist, wächst sie ohne besondere Pflege und gibt Tausende Kilogramm Früchte.

Einmal sprach ich mit einem argentinischen Gutsbesitzer und fragte ihn, ob man hier die Topinambur nicht kenne, man sähe sie nie auf den Märkten. Die Antwort war: »Topinambur? Aber Señora, diese Pflanze benützen wir manchmal, um unsere Felder einzusäumen; denn sie bildet richtige Hecken, es besteht aber immer die Gefahr, daß sie das ganze Feld überwuchert. Man muß da sehr achtgeben.« – Nach einer Weile fragte der gute Mann: »Was züchten Sie eigentlich, Señora?« Ich sagte ihm, daß ich nichts züchte, daß ich nach Topinambur gefragt hätte, weil ich schon sehr lange keine mehr gegessen hätte. »Was«, rief der Mann, »Sie essen Topinambur? Verzeihen Sie, aber hier geben wir sie den Schweinen.« – Ich mußte sofort an Loos denken und fragte mich, was er wohl dazu gesagt hätte.

Ich liebte es sehr, den Gesprächen mit seinen Handwerkern zuzuhören. Mit niemandem sprach er so liebevoll wie mit dem alten Veillich und dessen Frau und mit seinem Tapezierer. Der alte Veillich war sein Sesseltischler, er war auch taub, aber die beiden verstanden einander ohne viel Worte.

Bei Veillich befanden sich alle Sesselmodelle aus dem Victoria-and-Albert-Museum. Sie waren entweder aus Eiche, Mahagoni oder Kirschholz. Ein Modell, das im Original in Eiche gearbeitet war, kann auch in Mahagoni hergestellt werden, aber nicht in Kirschholz. Ein Mahagonimodell kann jedoch auch in Kirschholz hergestellt werden. Das waren unwandelbare Grundsätze. Wer ein Speisezimmer von Loos haben wollte, mußte sich darauf gefaßt machen, auf jeden Sessel ungefähr einen Monat warten zu müssen. Nach sechs Monaten hatte er ein Speisezimmer für sechs Personen, nach einem Jahr für zwölf. Loos hätte es nie gewagt, den alten Veillich zur Eile anzutreiben. »Er weiß genau, wann er das Holz bearbeiten kann, ob es genügend trocken ist, ob man den Sessel zusammenfügen kann, ob man ihn beizen kann. Er ist der Meister, nicht wir.« Dasselbe pflegte er vom Schuster zu sagen: »Er allein weiß, ob der Leim getrocknet ist, wann der Schuh fertig sein kann. Niemand beklage sich nachher, wenn er den Schuster zur Eile angetrieben hat, daß der Schuh nach einem Monat aus dem Leim geht.« Wie gesagt, mit niemandem sprach er so liebevoll wie mit seinen Handwerkern. Aber ich erinnere mich an einen Fall, da ein Zimmermaler für das Ausweißen einer kleinen Kammer 50 Kronen verlangte. Es war dies im Hause eines Klienten. Loos sah den jungen Mann fassungslos an: »Ja, schämen Sie sich denn nicht«, fragte er, »so viel zu verlangen? Sie sind doch ein Handwerker und haben es doch nicht nötig zu stehlen! Sie wissen doch genausogut wie ich, daß diese Arbeit kaum 20 Kronen wert ist, wie können Sie sich erlauben, uns so übers Ohr hauen zu wollen?« Der Maler schwieg, dann meinte er: »Es ist mein erster Auftrag, ich war nicht sicher...« Loos gab ihm anschließend den Auftrag, und man zahlte ihm 25 Kronen. Aber ich glaube, der Mann wird dieses Debüt sein ganzes Leben nicht vergessen haben.

Loos sah die Welt mit anderen Augen als seine Mitmenschen. Seine Aussprüche waren nicht nur ausgesprochen, – sie waren gefühlt, seine Wahrheit, seine wirkliche Weltanschauung. Zum Beispiel sagte er oft: »Mönche und Nonnen ergreifen ihre Laufbahn nicht aus religiöser Überzeugung. Ihr Glaube ist nicht stärker als der anderer Menschen. Stärker ist ihre Angst, die Angst vor dem Kampf ums Dasein. Angst vor dem Leben, Angst vor Hunger, vor Arbeitslosigkeit, Angst vor der Unsicherheit. Eine Nonne, ein Mönch hat immer seine Zelle, sein Essen ist gesichert, seine Kleidung auch. Er muß den morgigen Tag nicht fürchten. Sein Glaube ist auf Feigheit aufgebaut, auf Angst vor dem Lebenskampf.«

Und von den kleinen Staatsbeamten sagte er: »Ja, sie verdienen schrecklich kleine Löhne – sie verdienen nichts. Aber dieses Nichts ist sicher, das ist ihnen die Hauptsache.«

Gegenüber Dienstboten war Loos meistens mißtrauisch. Wenn bei Freunden Huhn serviert wurde, überblickte er die Schüssel, und sofort merkte er, daß die saftigsten Stücke in der Küche geblieben waren. »Wo ist das avant-cuisse?« pflegte er zu fragen. »Das ist nämlich mein Lieblingsstück beim Huhn. Die Köchin scheint meinen Geschmack zu haben, denn sie hat es in der Küche behalten.« Alle lachten, aber es war wahr, die Hühner in der Schüssel schienen alle ohne Vorderschenkel aus dem Ei gekrochen zu sein.

Er hatte großen Respekt vor den wirklich großen Kokotten. Er bewunderte ihren Geschäftsgeist, ihren guten Geschmack für Kleidung und ihre Prinzipien. »Du mußt wissen«, sagte er zu mir, »daß Geschäftsleute, denen es nicht sehr gut geht, ihren Kredit heben können, wenn man sie mit einer teuren Kokotte in einem Restaurant sieht. Der Mann hat vielleicht gar keine Absicht, mit der Kokotte ins Bett zu gehen, was ihn interessiert, ist, mit ihr gesehen zu werden, damit die Leute sagen: ›Schau an, der Kerl muß doch wieder bei Kasse

sein.‹ Die Kokotte weiß das, und sie wird nicht gratis mit
ihm essen gehen. Auch das kostet Geld. Wenn das Mit-ihr-
Schlafen 1000 Kronen kostet, das Essen kostet 500. Und die
Männer wissen das und zahlen, das ist Geschäftsgeist. Auch
ich bewundere diesen Geschäftsgeist, denn er fehlt mir vollkommen. Aber jeder ist eben zu etwas Verschiedenem geboren.«

Ich erinnere mich an einen Nachmittag, es war vielleicht im
Jahre 1925. Wir lagen auf der Couch und ruhten uns aus.
Loos dachte über etwas nach, er war schweigsam und schien
zu rechnen. Plötzlich sagte er: »Elsili, ich glaube, ich muß
mir einen neuen Frack machen lassen. Ich bin dicker geworden, und der alte paßt mir schon nicht mehr richtig. Was
meinst du?« Ich war immer für neue Kleider. Loos dachte
wieder nach, dann meinte er: »Weißt du, das wird der letzte
Frack sein, den ich mir machen lasse. Ein Frack hält beinahe
immer sieben Jahre.« Er dachte wieder nach. »Ja«, sagte er,
»das ist der letzte Frack, den ich mir machen lasse.« Ich
widersprach ihm natürlich, aber er meinte daraufhin: »Mein
Gott, wenn man alt ist, zieht man an, was man hat«, um den
Eindruck, den seine Worte auf mich gemacht hatten, zu
verwischen. Aber er hatte richtig gerechnet. Es war der
letzte Frack.

Dokumentation

Der Kunstkritiker Ludwig Hevesi schrieb bereits über die frühen Arbeiten von Adolf Loos.

Fremden-Blatt, Wien, 22. November 1907

Adolf Loos.

Ein neuer Schmuckfedernladen der Kärntnerstraße erregt jetzt gelindes Aufsehen. Erdgeschoß und erster Stock zusammengefaßt in eine Mauernische mit tiefer Laibung aus poliertem Buntmarmor von Skyros. Goldschrift und gekräuselte Straußenfedern hineingraviert. Die Scheiben der Schaufenster rundgebogen, hinein zur Türöffnung. Messinggerahmtes Glas. Innen weißer Spritzwurf, auch an der Decke mit offenen Balken, die mit blondem Satinholz fourniert sind. Auch die Tische mit diesem Holz in heller oder dunkler wirkenden Rauten marketiert oder parkettiert, mit Glastafeln belegt. Die Schränke in Messing montiert. Alles rechteckig, scharf linear, nirgends eine Spur von Ornament. Und der Raum durch Spiegelbelag der Rückwand scheinbar verdoppelt. Ein Interieur von geometrischer Eleganz und haargenau klappender Sauberkeit, als wäre das Ganze ein stählernes »Safe« . . . Die Leute stehen und schauen. Von wem ist das? Von Loos. Na ja, der Loos! Das sieht ihm ähnlich.

Es sieht ihm wirklich ähnlich. Er ist auch so angezogen. Und Laden und Wohnung seines Schneiders, am Graben, sind auch wieder so eingerichtet. So klappend, einschnappend, mit förmlich mechanischer Korrektheit. Oder jene Wechselstube dem Stock-im-Eisen gegenüber. Und jene andere am Kärntnerring, und jene dritte auf der Mariahilferstraße. Er ist der geborene Wechselstubenarchitekt; was er natürlich als blutige Verbalinjurie auffassen wird. Übrigens nein; weil ich es vorhersage, er also widersprechen muß. Ein rechthaberischer Mensch und Künstler, der allerdings Recht behalten hat. Man erinnert sich ja, wie er vor acht Jahren das Café Museum einrichtete, das erste moderne im sezessionistisch werdenden Wien. Ganz anders als die von ihm gehaßten Sezessionisten es damals versuchten, in der Phantastik der lenzfrohschwelgenden Olbrichzeit. Dieser junge Mann, frisch von Amerika her, leugnete das Alles und betonte die reine Nützlichkeit, die Schönheit des Nurpraktischen, die Vornehmheit des Gewöhnlichen. Er vertrat diesen damals gar nicht zeitgemäßen Standpunkt auch mit der Feder. Er schrieb Feuer und Schwert, wie einer, der eine Sendung hat. Vernünftige, logische Anschauungen waren es, so daß man sie auslachte, denn sie stimmten nicht mit dem damaligen Kunstbegriff, weder mit dem alten noch mit dem neuen. Ich glaube, der Frack war sein Hauptwort. Noch jetzt sagt er:

257

»Gehen Sie denn zum Architekten, wenn Sie einen Frack brauchen? Sie gehen zum Schneider.« Und wenn er eine Wohnung einrichtet, versichert er: »Es ist immer dasselbe. Wie ein Frack nicht anders aussehen kann. Das Futter natürlich wird anders sein und die Taschen nach Bedarf variiert, aber Frack ist Frack. Das ist meine Kredenz, das ist mein Schreibtisch. Und doch sieht jedes Zimmer ganz anders aus. Die Mannigfaltigkeit ist unendlich.« Und sein Ideal ist, daß der Mann, der einen Schreibtisch braucht, wieder zum Tischler gehe, nicht zum Architekten. Denn den Architekten haßt er. So am Reißbrett sitzen, mit der Reißfeder, und alles Mögliche erfinden, bunt durcheinander, sogar Spitzen, sogar Sessel. Spitzen! Als ob man heute Spitzen erfinden könnte. Wenn er welche braucht, sucht er sich eine ihm geläufige Teneriffaspitze. »So webt die Spinne«, sagt er, »das fällt dem am Reißbrett nicht ein.« Und Sessel kann auch heute keiner machen. Richtige Sessel wurden in jedem Jahrhundert nur ein paar erfunden, die sind aber auch ewig. Heute will jeder Architekt jedes Jahr mehrere neue Sessel erfinden, für die nächste Ausstellung; die totgebornen Saisonsessel sucht jeder gleich wieder loszuwerden. In der Tat hat Loos noch nie einen Sessel gebaut; er zieht es vor, die englischen Originale des Österreichischen Museums vorzüglich kopieren zu lassen. Und Ornamente, sagt er, erfinden sie auch, gleich schockweise, ins Unbegrenzte. »Um aber ein Ornament zu erfinden, muß einer heute ein ganz mittelmäßiger Kopf sein; ein höher organisiertes Gehirn macht heute kein Ornament, es hat Besseres zu tun.« Wer ihm so nachschreiben könnte, wenn er so halblaut vor sich hin monologisiert; was er dann für Dialog hält. In lauter zwei Zentimeter langen Satzteilen; nie ein Punkt, lauter Strichpunkte gleichsam. Manches schlagende Epigramm und einleuchtende Gleichnis darunter. Und der Boden ist ringsum mit erschlagenen Architekten bedeckt. Wenn er einen Lehrstuhl hätte, würden ihm die Leute zuströmen. Sein Talent zum Räsonneur ist ersten Ranges. Eine Art Mißvergnügter zu seinem Vergnügen, wie das berühmte Geschlecht der Wiener Raunzer es in seiner klassischen Epoche, dem Vormärz, war. Auch in dieser Hinsicht ist er ein echter Wiener, obgleich grundsätzlich in Mähren geboren (übrigens auch Josef Hoffmann). Er beteuert auch nachdrücklich: »Ist das England? Ist das Amerika? Keine Spur, das ist altes Wien. Aber so sind die Leute,« sagt er. »Wenn sie in ein Zimmer treten und gelbes Kirschholz sehen: »Ah, Biedermeier!« Sehen sie aber braunes Mahagoni: »Ah, modern!« Um die Form kümmern sie sich gar nicht.
Zwar, wie es mir beim nächsten Zusammentreffen ergehen wird, nach allen diesen Indiskretionen, weiß ich nicht. Der Mann ist für sich allein ein Wespennest, und ich tue da Griff auf Griff in die stachligen Tiefen. Er hat sich mir in den letzten Wochen reichlich eröffnet; auf langen Fahrten durch alle Bezirke Wiens, wo ich mir einige Dutzende seiner Wohnungseinrichtungen zu Gemüte führte. Ich hielt das für Pflicht, denn ich hatte anno Café Museum geschrieben: »In einigen Jahren wollen wir sehen, was von alledem übriggeblieben ist.« Die begreifliche Skepsis eines Auges, an dem die

258

kunstgewerbliche Welt so unstet und buntscheckig vorübertreibt. Nun, er ist seinem Ideal wesentlich treu geblieben und hat es förmlich auf Eis konserviert. Das starre Einmaleins seiner Theorie hat nicht nachgegeben, aber das formelhafte Element hat denn doch gelernt, sich dem weich gewöhnten Wiener Leben gefälliger anzuschmiegen. Auch der Wiener Familie, deren Gewohnheiten er treulich beobachtet. Er schafft im Getäfel Unterkunft für die Radierungen des Hausfreundes William Unger, auf Gestellen für die silbernen Ehrengeschenke eines schwiegerväterlichen Veteranen, in der Fensternische plüschgefütterte Gehäuse für die kostbaren Instrumente eines Privatquartetts. Er rechnet mit der Marotte eines Hausherrn, der seinen Ofen nicht beseitigen will, und verbaut ihn bis zur Unkenntlichkeit mit dem weißlackierten Holz des Zimmers. Oder er steckt ihn, im Hause eines Kunsthistorikers, in ein schmiedeeisernes Gehäuse mit schmiedeeiserner Turmuhr, d. h. einem mächtigen Zifferblatt, das imaginär bleibt, indem es bloß durch die eisernen Ziffern und Zeiger angedeutet ist. Solche Allotrien kommen im Café Museum noch lange nicht vor.

Wie seine Einrichtungskunst heute dasteht, verfließt sie so ziemlich mit dem allgemein gewordenen Einfachheitsstil, der an unsere einstige Mahagoni- und Palisanderzeit anknüpft. Oder vielmehr, der Geschmack der Umwelt hat sich merklich dem seinigen genähert. Die allotriose Epoche hat sich selbst überwunden und dieser Außenseiter Loos kann in der geschichtlichen Rückschau schon fast als damaliger Schrittmacher zu neuen, vernunftgemäßen Entwicklungen betrachtet werden. Auch die geniale Fruchtbarkeit und alles versuchende Vielseitigkeit Hoffmanns hat die »groß' und kleine Welt durchstudiert« und alle neuen Möglichkeiten experimentell erschöpft, ehe seine Haupteigenschaft, die Logik, die ihr allein zukommenden Formen zum festen, einleuchtenden System ausbauen konnte. Der Glanz Olbrichs lag damals nicht umsonst in der Luft, er hypnotisierte auch Augen, die ihre eigene scharfe Sehkraft hatten. Loos schloß seine Augen luftdicht gegen alle Verführungen und pflanzte in das bunte Gestrüpp des Tagesschaffens eine harte, trotzige Formel von Opposition. Sie hat sich im Kerne nicht geändert, aber dann doch umgänglichere Formen angenommen. Chicago hat Wien besiegt, aber auch Wien Chicago. Die Römer unterwarfen die Griechen politisch, aber die Griechen die Römer kulturell. In einer reich strömenden Zeit des Neuschaffens mischen sich dann die Elemente und ein Ausgleich der Temperaturen und Temperamente stellt sich irgendwie her. Wer mag noch die einzelnen Regungen der vielverzweigten Bewegung bis zur Quelle verfolgen können?

Ich habe nun viele von Loos ausgestattete Wohnungen gesehen. Billige und kostbare, für Bewohner von sehr verschiedenen geistigen und physischen Bedürfnissen. Er ist der Schlichtheit wie der Pracht gewachsen, wird mannigfachem Bedürfnis in seiner Weise gerecht. Selbst die lyrische Note ist ihm nicht versagt. Wie reizend ist jenes ganz schneeweiße Schlafzimmer, das durch Behänge aus duftigem Battiste Rayé längs aller vier Wände, hinter denen sich die Möbel bergen, in ein appetitliches Schlummerzelt verwandelt ist. Und dann wieder wie reich jenes Speisezimmer aus Pavonazzo-Marmor, wie märchenhaft jener Wintergarten aus buntem Skyros-Marmor, dessen einziges Gassenfenster in ein Aquarium mit schwärmenden Fischen verwandelt ist, so daß das Tageslicht durch dieses Wasser hereinsickert. Der anregende Materialreiz findet auch bei Loos anregbare Sinne. Gar gut weiß er die Flecke des Marmors zu harmonisieren und ihnen ihre Heimlichkeiten abzugewinnen, die mitunter bis ans Abenteuer streifen. So wenn sie etwa einen ganzen Muskelmenschen aus dem anatomischen Atlas vortäuschen, der nun gemütlich in dieser Zaubergrotte mitspukt. Oder er verwendet für die Füllungen eines Salons ein Mahagoni, dessen »Pyramidenflader« (60 Zentimeter breit, 2,20 Meter hoch) in wundersamer Weise regelmäßig geraffte Wandbehänge nachahmt. Den Raum als solchen gestaltet er ganz nach Bedarf, beseitigt Wände, nützt Winkel aus, korrigiert durch optische Schlauheiten das Unregelmäßige, legt des Verhältnisses wegen Zimmerdecken niedriger, baut Möbel aus dem Grundriß heraus. Auch um kleine Überraschungen und Zweckmäßigkeiten ist er nicht verlegen. Wie er etwa am Schreibtisch einen neuartigen Papierkorb anbringt, der sich vorne füllt und auf der Gegenseite leert. Und dabei nirgends das verpönte Ornament. Selbst die helle Buchslinie, wohl auch mit Ebenholz gerändert, die noch vor fünf Jahren »das Auge verlangte«, spart er diesem anspruchsvollen Organ schon jetzt ab. Ausschluß alles Überflüssigen, das in einem solchen festgeschlossenen System nur störend empfunden wird. Störend wie so manches andere noch, allerlei Allerweltszeug, das als Gemeinplatz wirkt. So sucht er sich bäuerliche Webestoffe auf Reisen, stöbert von anderen verschmähte Biedermeiermuster auf, bezieht aus England einen Seidenstoff (»Halcyone«), den kein anderer verlangt. Sogar für Kerzenbeleuchtung sorgt er, die seinen geschliffenen Marmoren ein noch feineres Lüstre gibt. Und dabei passen alle echten alten Sachen hinein. Ein altes Klavier etwa in seiner schlichten Handwerklichkeit. »Nur was seinerzeit unmodern war, verträgt sich auch jetzt nicht. Und natürlich »was der Architekt gemacht hat.« Ob Makart-Architekt, ob Klimt-Architekt, gilt gleich. Der Tischler hat immer Recht, der verdirbt nichts.« In den illustrierten Kunstzeitschriften kommt Loos bisher soviel wie gar nicht vor. Das hat seinen guten Grund. Seine Räume sehen photographiert nach nichts aus. »Die Leute, die drin wohnen, erkennen sie nicht. Weil das nicht gezeichnet, sondern erlebt ist. Defregger wirkt auch in der Photographie, Klimt nicht, Carrière auch nicht. Was in einer Kunst empfunden ist, wirkt nicht in der anderen.« Das ist so die Art, wie er sich ausdrückt.

Und nun bedaure ich bloß noch, daß ich durch diesen Aufsatz mich für ewig mit ihm verfeindet habe. Obwohl ich doch eigens nicht erwähnt habe, daß ich durch seine neue Ladentüre in der Kärntnerstraße im Winterrock nicht durch kann und die konstruktive Bedeutung der Satinholzbalken nicht verstehe u. dgl. mehr. Hoffentlich bin ich nach weiteren acht Jahren noch in der Lage, den gekränkten Architekten (wieder eine Beleidigung) durch einen weiteren Aufsatz über seine weiteren Arbeiten zu versöhnen.

L. H.–i

Wiener
Allgemeine Zeitung.
6 Uhr-Blatt.

| Einzelne Exemplare: 10 Heller. | Abonnement: Wien: ... | Einzelne Exemplare: 10 Heller. |

Nr. 9295   Wien, Montag, 22. März   **1909**

Peter Altenberg schreibt über die 1909 eröffnete Kärtner-Bar, später »Loos-Bar« genannt.

Wiener Allgemeine Zeitung, 22. Februar 1909

[**Eine neue »Bar« in Wien.**] Ein winziges herrliches Lokal. *American Bar,* im »Kärntnerdurchgang«. Außen schwarz-weiß-rosige Marmorblöcke. Innen graugrüner Marmor und rotbraunes Korallenholz. Der Plafond aus weißgrauen Marmorplatten, kassettiert. Die Wand oberhalb der Tür ganz aus durchscheinenden gelbbraunen, wunderbar gezeichneten Onyxplatten, die milde erleuchtet werden durch elektrisches Licht. Das Ganze unerhört reich und dabei gar nicht überladen, sondern einfach wirkend wie die kostbaren Schätze der Natur selbst! Alles ist meisterhaft gefügt, das Geringste edel ausgesonnen, wie die in eine Korallenholzwand eingelassene Uhr und das große Bild. Durch wunderbar geschickt verwendete Spiegel erscheint der Raum dreifach so groß als er ist. Der Architekt ist Adolf Loos. In das Lokal haben nur Herren Zutritt. Eine Amerikanerin sagte zu mir: »Ein solches Verbot für Damen wäre in Amerika unmöglich. Es ginge so wie so keine Dame hinein!« Bei dieser Gelegenheit möchte ich einen meiner kleinen Kulturherzenswünsche anbringen: in Amerika gibt es in sämtlichen Sitzlokalen hohe schmale Fußschemel, in den Restaurants, Cafés, bei Friseur und Raseur etc. Der hohe Fußschemel wird die unentrinnbare Sache für die bequeme Lage des modernen kultivierten Menschen werden müssen. Es ist unhygienisch und unästhetisch, die Füße tief unten auf dem Fußboden zu haben, der Oberkörper büßt dadurch einen großen Teil seiner Elastizität ein. Wie herrlich kann sich eine junge edelgegliederte Frau biegen, bücken, strecken, drehen, wenden, wenn die Beine auf hohem schmalen Schemel ausruhen! Der hohe Schemel ist ein Bedürfnis für den *Wohlor-*

261

ganisierten. Man wird bei uns damit anfangen müssen, dünne leichte Klappschemel mit sich zu führen, bis die widerspenstigen und knauserigen Cafetiers, Restaurateure, Friseure *hohe* Schemel ihren werten Kunden zur Verfügung stellen. Der wohlausgebaute Leib erhält naturgemäß neue veredelte Bedürfnisse. Der edelgegliederte Hals zum Beispiel fordert offene Kleidung oder breite Halskrause. Der schöne Fuß will nicht mehr im engen Schuh eingesargt bleiben, er fordert die Sandale. So fordert der beweglich ausgeturnte Oberkörper beim Sitzen den hohen Schemel, damit die Beine nicht schlapp herunterbaumeln! Kainz, die Duse müßten immer mit hohen Schemeln sitzen. Das garantiert ihnen ihre heilige Bewegungsfreiheit. Nun zurück zur American Bar des Adolf Loos. Sie ist prächtig originell und einfach zugleich. Der Adel des Materials, das die Natur spendet, beginnt sich bei uns, wenn auch langsam, durchzusetzen! P. A.

Bericht über den wohl berühmtesten Vortrag von Adolf Loos.

Fremden-Blatt, Wien, 22. 1. 1910

(**Ornament und Verbrechen.**) Unter diesem allzu seltsamen Titel hielt gestern Architekt Adolf Loos einen Vortrag im Rahmen des Akademischen Verbandes für Literatur und Musik. Das Schlagwort sieht sich auf den ersten Blick ein wenig manieriert an, Begriffe, deren Affinität so gar nicht recht plausibel erscheinen will, werden durch ein kategorisches »und« verschwistert. Adolf Loos hat aber in einer knappen, überzeugenden Eindringlichkeit die Blutsverwandtschaft dieser beiden Begriffe nachgewiesen. Die reife, große Kultur und Zeitgerechtigkeit dieses Künstlers kam in seinem kaum eine halbe Stunde währenden Vortrag zum stärksten Ausdruck. Adolf Loos ist kein Redner im billigen Wortsinn, seinem Vortrag fehlt gewissermaßen das Ornament, das unorganische Beiwerk. Er wurzelt im Ästhetischen und strebt ins Monumentale. Der Fanatismus der Ehrlichkeit, den diesem streitbaren, durch und durch überzeugten Manne auch seine Feinde nicht schlankweg abzusprechen wagen werden, sichert seinem Wort die verständige Resonanz bei den Hörern, die Schlagkraft seiner wohlgebildeten Sätze und scharfen Argumentation, der Witz und die gescheite Taktik seiner offenen Ausfälle geben seinen Kunst- und Kulturpredigten die werbende Kraft der Lebendigkeit. *Evolution der Kultur,* sagt Loos, ist gleichbedeutend mit dem *Entfernen des Ornaments* aus den Gebrauchsgegenständen. Wir haben das Ornament überwunden. Das erste Ornament war ein Erotikum. Der Urmensch, der das erste erotische Ornament auf die Wände kleckste, schwebte in denselben Himmeln wie Beethoven, als er die Neunte schuf. Wer aber heute die Wände mit Ornamenten beschmiert, ist ein Verbrecher. Was natürlich symbolisch genommen werden will! Das Ornament hängt nicht mehr organisch mit unserer Kultur zusammen, es ist nicht mehr der Ausdruck unserer Kultur. Ornamentlosigkeit ist das Zeichen geistiger Kraft. Goethes Sterbezimmer ist herrlicher als ein verschnörkeltes Renaissancezimmer, seine Sprache schöner als alle Ornamentik der Pegnitzschäfer. Die Befreiung vom Ornament ist nicht Kasteiung, sie ist Bedürfnis, ist Selbstverständlichkeit. Das Ornament erhöht durchaus nicht unsere Lebensfreude. Unsere, wohlgemerkt! Der Schuster glaubt an das Ornament, er braucht es zur Verzierung seiner Schuhe. Der moderne Kulturmensch aber, der Beethovens Neunte anhört und am folgenden Tage Tapetenmuster entwirft, ist ein Hochstapler oder ein Degenerierter. Wer heute (als moderner Kulturmensch) im Samtrock herumrennt, ist einfach ein Hanswurst! Die Raschheit der kulturellen Entwicklung leidet unter den Nachzüglern. Der Querschnitt durch unsere Zeit zeigt Angehörige vieler Jahrhunderte. In volkswirtschaftlicher Hinsicht bedeutet das Ornament, das Rückschritt oder Degeneration darstellt, vergeudete Arbeitskraft, vergeudete Gesundheit, vergeudetes Kapital. Die Arbeit des Ornamentikers wird nicht mehr nach Gebühr bezahlt. Das Fehlen des Ornaments hat die Verkürzung der Arbeitszeit, die Erhöhung des Lohnes zur Folge. Die moderne Ornamentik ist ein Nachzügler. Sie hat keine Eltern und keine Nachkommen. Recht verstanden heißt das im Grunde: die *Ornamentik ist ein Atavismus*, wie das *Verbrechen* ein *Atavismus* ist. Man dankte dem Vortragenden, der auch viele aktuelle Streiflichter aufblitzen ließ, durch lauten Beifall. Eine oft recht belebte Diskussion, die sich an den interessanten Vortrag schloß, kam im großen und ganzen über müßige Timpeleien nicht hinaus.

Ein Vortrag, den Loos später in der Schwarzwald-Schule hielt

Illustriertes Wiener Extrablatt, 25. März 1911

(»**Vom Gehen, Stehen, Sitzen, Liegen, Essen und Trinken.**«) Daß sich über diese anscheinend höchst profanen und alltäglichen Dinge sehr anziehend und amüsant plaudern läßt, bewies kürzlich Herr Architekt Adolf Loos in einem im akademischen Verband für Musik und Literatur gehaltenen Vortrage. Das Auditorium, das den großen Hörsaal im elektrotechnischen Institute Kopf an Kopf erfüllte, kam aus dem Lachen nicht heraus, mit so unerschütterlichem Ernst gab der Vortragende seine originellen, oft bizarren, immer aber den Kern der Sache treffenden und eine ungemein scharfe Beobachtungsgabe verratenden Einfälle und Betrachtungen zum Besten. So behauptete Loos in dem »vom Sitzen« handelnden Kapitel seines Vortrages, daß die Wiener auf einem englischen Stuhle nicht sitzen können. Sie fallen einfach herunter, von diesen großen, breiten niedrigen Fauteuils. Und warum das? Aus Höflichkeit. Der Wiener, der Österreicher, bringt es nicht zuwege, sich breit und bequem in einen Stuhl zu setzen. Denn je unbequemer er sitzt, desto höflicher glaubt er seinem Gegenüber zu begegnen. Betritt er ein Geschäft, so nimmt er den Hut in die Hand. So sehr ihn dies bei Besorgung seiner Einkäufe belästigt, weil er den Besitzer des Geschäftes dadurch ehren will. Aber nicht nur Unbequemlichkeiten nimmt er aus Höflichkeit auf sich, auch wahre Torturen wie jene Damen, die auf von Loos entworfenen Fauteuils nicht saßen, sondern an der äußersten Ecke balancierten, trotz der furchtbaren Schmerzen, die ihnen die modernen Mieder bereiteten. Wie dieser Klub sich auflöste, weil die Mitglieder durch Stürze von den Fauteuils den Tod fanden, ist eine jener von wahrhaft Wilhelm Buschschem Humor erfüllten Übertreibungen, mit denen der Vortragende seine Behauptungen drastisch zu exemplifizieren pflegte. Im Kapitel »vom Essen« erklärte Architekt Loos von jenen »unglücklichen Hysterikern« absehen zu wollen, die den Bissen auf dem Messer zum Munde führen. Sie gleichen jenen hysterischen Frauen, die zum Öffnen einer Kiste um jeden Preis eine Nagelschere benützen wollen. Sonderbar sei es aber, daß die Österreicher beim Essen förmliche Turnübungen vollführen, indem sie die Arme bei jedem Griff in der Schulter bewegen, statt bloß im Ellbogen- oder Handgelenk. Loos richtet an jedermann die nachdrückliche Warnung, sich nur ja nicht ein von einem Kunstgewerbeprofessor entworfenes Eßbesteck anzuschaffen. Das allgemein gebräuchliche Eßbesteck sei das organische Produkt eines vielhundertjährigen Kulturprozesses, das an Vollkommenheit durch kein erfundenes ersetzt werden könne. Wenn ein Professor damit nicht umgehen könne, so liege dies darin, daß er eben nicht essen kann. Nur einer, der nicht fechten könne, werde an der Konstruktion des Säbelgriffes allerlei auszusetzen haben, die jeder Fechtmeister bewundere. In überaus scharfen Worten von köstlicher Satire nahm der Vortragende Stellung gegen jene Kunstrichtung, die jeden Gebrauchsgegenstand künstlerisch-originell zu gestalten suche, ohne sich um die Zweckmäßigkeit solchen Schmucks zu kümmern. Er beschrieb den unheilvollen Einfluß, den die Sezession in dieser Richtung auf das Kunstgewerbe genommen habe und stellte die Forderung auf, daß jeder Gegenstand in erster Linie möglichst vollkommen seinem Zwecke angepaßt sein müsse. Der englische Stil kommt dieser Forderung am nächsten. Deshalb beherrscht er die Welt.

Von Loos entworfenes Plakat für seinen Vortrag

»Arielse«. Kohlezeichnung von Oskar Kokoschka, 1919. Heute in der Loos-Wohnung im Historischen Museum der Stadt Wien.

J. S. 137. 016

HOTELES WASHINGTON IRVING
&
ALHAMBRA
—
GRANADA

Herrn Dr. Adolf Altmann
Wien

Ich erlaube mir
festzustellen, dass Sie
mir anlässlich unserer
letzten Unterredung
den Rat gegeben haben
bei Gericht den An,
trag zu stellen, dass
Ihnen die Vormund
schaft über Ihre
Tochter Else aber,
kannt würde, Sie
wären glücklich, mein,

len Sie, wenn Ihnen
von Rechtswegen die
Verantwortung über
Ihre Tochter abge-
nommen würde.
Ich täte Ihnen den
grössten Gefallen da,
mit

Auf meinen Ein,
wurf, dass der Richter
fragen würde, wie
ich nun dazu
käme, einen solchen
Antrag zu stellen, bon,
higten Sie mich sofort,
indem Sie mir
erklärten, dass ich
als der Zukünftige
Gatte Ihrer Tochter

dazu vollkommen
berechtigt bin.
Heute erzählt mir
Ihre Tochter, Sie
hätten sie gefragt, ob
ich schon die nötigen
diesbezüglichen Schritte
unternommen hätte.
Auf Ihre bejahende
Antwort hätten Sie
erwiedert, dass ich
mich fürchterlich
bei Gericht blamieren
würde, da doch der
Richter einwenden
dürfte, dass ich doch
viel zu interessiert
in der Frage sei.
Dieser Brief dient

Adolf Loos

Herrn Dr. Adolf Altmann
Wien

Ich erlaube mir festzustellen, daß Sie mir anläßlich unserer letzten Unterredung den Rat gegeben haben, bei Gericht den Antrag zu stellen, daß Ihnen die Vormundschaft über Ihre Tochter Else aberkannt würde. Sie wären glücklich, meinten Sie, wenn Ihnen von Rechtswegen die Verantwortung über Ihre Tochter abgenommen würde. Ich täte Ihnen den größten Gefallen damit.

Auf meinen Einwurf, daß der Richter fragen würde, wieso ich dazu käme, einen solchen Antrag zu stellen, beruhigten Sie mich sofort, indem Sie mir erklärten, daß ich, als der zukünftige Gatte Ihrer Tochter dazu vollkommen berechtigt bin.

Heute erzählte mir Ihre Tochter, Sie hätten sie gefragt, ob ich schon die nötigen diesbezüglichen Schritte unternommen hätte. Auf ihre bejahende Antwort hätten Sie erwidert, daß ich mich fürchterlich bei Gericht blamieren würde, da doch der Richter einwenden dürfte, daß ich doch viel zu interessiert in der Frage sei. Sie teile mir das mit um mich zu warnen.

Dieser Brief dient dazu, um die Genesis der Vormundschaftsaufhebung festzustellen. (wie Sie wieder versuchen mir eine Grube zu graben . . .)

Adolf Loos

Elsies Debüt als Tänzerin

Neues 8-Uhr-Blatt, Wien, 16. Mai 1919

Beim gestrigen Tanzabend der jungen Elsie *Altmann* lernte man eine ganz entzückende, musikalische, vor allem aber äußerst aparte Künstlerin kennen, die endlich davon überzeugte, daß Tanz doch die vollendetste Grazie bedeute, wenn er von solcher Anmut und solchem Frohsinn geschaffen wird. Die »Burletta« von Reger: Entzücken, musikgewordenes Leben, Grazie; die »Musenpolka« von Johann Strauß Vater: Charme, Jugend, Lachen, alle Tänze ein unsägliches Loblied auf die Fröhlichkeit und Lieblichkeit. Stürmisch wurden diese beiden Tänze und ein ungarischer Tanz von Brahms zur Wiederholung verlangt, aber am liebsten hätte man sich jedes Stück noch einmal, immer wieder vortanzen lassen. Kostüme, wie sie in ihrer Einfachheit, Apartheit und in ihrem Geschmack sorgfältiger nicht ausgesucht werden können, eine Begleitung, wie Sie durch Otto Schulhof mit aller Sorgfalt und Liebenswürdigkeit besorgt wurde, hoben noch die Kunst der Tänzerin und ließen den Jubel nicht verstummen. Man ging mit Bedauern, daß es schon zu Ende sei, und wußte, man werde diesen Genuß nicht vergessen. – Infolge des großen Erfolges wird der Abend Mittwoch, der 28. d. M., wiederholt.

Adolf Loos' Testament (Faksimile)

Rundgemacht   Wien, 5. April 1922

Mein letzter Wille!

Ich ernenne meine Frau
Elsie Loos, geb. Altmann
zu meiner Universalerbin.

Adolf Loos

Tanzabend Elsie Altman

Sie schreitet über die Bühne und alle Herzen fliegen ihr zu. Die keusche Rhythmik, gepaart mit geistvoller Mimik, stellen Elsie Altman mit einem Male in die Reihe unserer ersten Tanzgrößen. Ihr Vater Strauß "Musenpolka" löst die heitersten Empfindungen aus. Im "Ungarischen Tanz Nr. 7" von Brahms und dem "Persischen Marsch" zeigte Elsie Altman ihre brillant phrasierte Charakterisierungskunst.

wurde der Weg zur Höhe mit ihrem ersten Tanzabend eröffnet. — Zu ihren entzückendsten Tanzdichtungen zählt Regers "Burletta". Elsie Altmans reiche Mimik entfaltet sich hier in vollster Anmut.

Das Publikum ließ sich von ihrer jugendsprühenden Grazie hinreißen und dankte der jungen Künstlerin durch herzlichsten und stürmischen Beifall. Wiederholungen und ein Blumenregen gaben dem Abend ein festliches Gepräge. Diese Lieblichkeit, inmitten eines Blumenhaines tanzend — ein herrliches Symbol von Jugend und Liebe

Gerolf

Regers Burletta.

(Getanzt von Elsie Altmann)
Von Peter Eng

Was ist ihr denn gescheh'n?
Sie lächelt wie verweint,
So sanft und blond.
— Das Kind muß schlafen gehn.
Durch's dunkle Fenster scheint
Der liebe Mond — —

Sie eilt zum Spielzeugschrank
Und öffnet ihn entzückt,
— Rings ist es Nacht —

Und hat den Wurstel bang
Ans warme Herz gedrückt.
Der aber lacht!

Ei, sieh! Auf einmal hüpft
Sie schmollend weg. — Gekränkt
Läßt sie ihn stehn.
— Ein Kind im Hemdlein hüpft —
Ob es wohl auch dran denkt,
Daß wir es sehn?

Die Theater- und Kinowoche Wien, 25.–31. Mai 1919

270

Skizzenblatt von Adolf Loos mit Schriftentwurf für Elsie Altmann, 1919.

```
TANZABEND

G                                                    G
R   DONNERSTAG, 11 DEZEMBER    R
O                                                    O
S                                                    S
S         E L S I E                             S
E       A L T M A N                        E
R                                                    R

S                                                    S
A      MITWIRKEND                        A
A    DAS ALTWIENER                    A
L     KAMMERQUARTETT             L

        AM KLAVIER
     OTTO SCHULHOF

        KARTEN AN DER
  KONZERTKASSE GUTMANN,KÄRNTNERRING Nᴿ 3

KONZERTHAUS
```

DRUCK DER GESELLSCHAFT FÜR GRAPHISCHE INDUSTRIE WIEN VI

Von Loos entworfenes Plakat für einen Tanzabend seiner Frau Elsie Altmann am 11. Dezember 1919

272

Neues Wiener Journal, 2. März 1924

Unsere Eliteveranstaltungen.
Zu Marischkas großem Erfolg.
»Gräfin Mariza«, Kalman-Premiere am Theater an der Wien.

Von Mizzi Neumann.

Gutsverwalter Hubert Marischka im Kreise der Dorfkinder.

Diesmal hat Direktor *Marischka* einen vielfachen Erfolg zu verzeichnen: als Sänger, Schauspieler und Direktor. Er entflammt dermaßen an seiner Rolle, daß man den Gedanken nicht los wird: fast zu gut für die Operette. Sein hingebungsvolles überzeugendes Spiel adelt die banalen Sünden, die sich jede Operette, und wäre sie die beste, zuschulden kommen läßt. Seine plastische Gestaltungskunst formt einen wirklichen Menschen von Fleisch und Blut und befördert ihn ohne viel Umstände mitten auf die Bretter. Welch kleine entzückende Züge, den Mann mit dem Herzen am richtigen Fleck scharf skizzierend, verrät gleich zu Anfang der reizende Reigen mit den Dorfkindern, dieses hübsche an sich belanglose Entree, das ausklingt in dem warm empfundenen Lied: »Grüß mir mein singendes, klingendes Märchen, mein Wien«, bei dem sich wohl in jedem echten Wiener jenes unaussprechliche undefinierbare Etwas, das uns alle bindet, rührt. Wenn er sich dann später als unübertrefflicher Shimmykarikaturist, als feuriger Java-tänzer entpuppt, um das Mitleid über sein eigenes Schicksal im Rausche heißer Zigeunerweisen zu ertränken, so tut er all dies so meisterhaft, daß man die Empfindung hat, er verausgabe sich in jeder einzelnen Szene. Das Brüderlein-Schwesterlein-Duett mit dem Refrain »Schwesterlein, du sollst

273

fein glücklich sein« steigert das Interesse für die herzige Persönlichkeit der reizend temperamentvollen *Elsie Altmann* die erfreulicherweise nichts von dem Talent, das ihr ihre Tanzkunst mitgegeben, auf dem Wege zur Operette eingebüßt hat. Endlich einmal sieht man wieder einen echten Backfisch, einen, der sich seines Backfischtums nicht schämt, sondern mit der ganzen Natürlichkeit und Frische seines Wesens für ihn eintritt. Von der Modewarte gesehen, gibt's einen hübschen Anblick! Farbenfroh die tolle Tennisschar in weißen Sommerkleidern, mit farbigen Apachentüchern flott umgürtet, diese nonachalante, mit spezieller Vorsicht zu genießende Mode diesmal besonders hübsch repräsentierend. Den Schlagershimmy »Ich möchte träumen von Dir, mein Puzikam« tanzt Elsie Altmann in einem flotten Tenniskleid: Plissiertem Rock, buntgestickte Kasakbluse und hochroten Apachentuch (Bild 2). Sämtliche hier beschriebenen und im Bilde reproduzierten Toiletten sind ebenso wie die Toiletten des gesamten Ensembles Originalschöpfungen des Hauses *G. & E. Spitzer* (Kärntnerring). Das sagt wohl alles! . . . Entzückend ist das weiße Jugendkleid aus Tüll mit drei Volants und bunter Petitpointsstickerei (Bild 1). In einem fraise Taftkleid mit blütenbesetzter Tunik und gobelinblauen Kreuzbändern über rückwärts, die das schlichte Leibchen vorn graziös abbinden, verkörpert sie einen appleblassen Typ, wie man sich ihn rosiger und frischer kaum vorzustellen vermag! Das Finale des zweiten Aktes bietet dem Auge eine herrliche Symphonie blanche. Gigantische Straußfächer, Tunikas aus weißem Strauß, feenhafte Pleureusen wogen und wellen in einem Meer von Weiß – kurzum, man glaubt sich mitten ins Feenreich versetzt. Im Mittelpunkt der ebenmäßig schöne Gestalt *Betty Fischers* in einer prachtvollen Silbertoilette mit Doppelpaniers und Straußfedern und einem aus Straßsteinen und herrlichen Kronenreihern gebildeten hochaufstrebenden feenhaften Brillantenkopfschmuck, eine weiße Taube aus Brillanten kunstvoll geformt, von der es aus tausend Fassetten funkelt und glitzert, ein märchenhaft leuchtendes Meisterstück der *»Perlkönigin«* (R. Fleischer, Mariahilferstraße 81), von der auch der Schmuck und Brillantkopfputz aller anderen Damen stammt. So fand Direktor Marischkas Traum, einen Ausschnitt Pariser Lebens mit seiner sprudelnden Laune, seinem verschwenderischen Luxus auf seiner Wiener Bühne zu sehen, schönste Verwirklichung! Ernst *Fischer* von der »modernen Propaganda«, dem das künstlerische Toilettenarrangement oblag, kann diesmal besonders befriedigt auf die Früchte seiner mühsamen Tätigkeit zurückblicken.

Die Schuhe.

Bekanntlich sprechen die Schuhmoden in der Operette eine beredte Sprache, die in leichtbeschwingten Tanzgesten zum Ausdruck kommt. Dem Bühnenschuh obliegen zwei wichtige Aufgaben: Erstens muß er den Superlativ an Eleganz, Elastizität und Grazie darstellen, zweitens sich in das Milieu des Ganzen stilvoll fügen – zwei Forderungen, die nicht immer leicht vereinbar sind. Da heißt es eben Kompromisse schließen, um beiden gleich wichtigen Postulaten gerecht zu werden. Tennisschuhe sind bekanntlich stöckellos; welche Soubrette ließe sich jedoch zumuten, in einem solch echten Tennisschuh ihre Tanzpflichten zu erfüllen? Das Tennisensemble trägt daher schicke weißbraune Leinenschuhe mit Absätzen. Dies nur von ungefähr die Feinheiten, die der Schuhkünstler bei Herstellung von Bühnenschuhen beobachten muß. Zum ungarischen Nationalkostüm – das übrigens ein bedenkliches »Trop« aufweist, ein weniger wäre mehr gewesen! – trägt Betty *Fischer* entzückende Röhrenstiefel aus Silberchevreaux. *Hansen* erscheint als Warasdiner Zsupan in prunkvoll gestiefelt und gespornter Galatracht mit echten hohen Goldlederstiefeln. Entzückend sind die handbemalten Silhouettenschuhe aus Brokat, in denen Elsie *Altmann* über die Bühne schwebt. Geschmackvoll abgestimmt zum buntgestickten weißen Kleid des ersten Aktes ihre zierlichen grünen Chevreauxschuhe mit echten Goldlederspangen. An Verwalter Hubert *Marischka* fallen tadellose rotbraune Accachauxstiefel zum Reitanzug, weißbraune Nubukschuhe beim Tennis, elegante Havanna-Pariserschuhe zum braunen englischen Anzug und endlich tadellos geformte Lackpumps zum Frack auf. Auch die weißen grazilen Brokatschuhe des Ensembles in der berühmten symphonie blanche sind wunderhübsch und scheinen direkt aus dem Märchen über die Bretter zu schweben. Das Modeproblem »Bühnenschuh« fand glücklichste Lösung. Kein Wunder, Schuhmodellhaus *Leopold Jellinek* (gegenüber dem Deutschen Volkstheater) war darum bemüht; auch die Schuhe verrieten ein dem Standard der gesamten Prachtausstattung würdiges Niveau.

275

Bild 1. Elsie Altmann in einem entzückenden Jungmädelkleid mit drei Volants und Petitpointsstickerei. Modell: G. & E. Spitzer.

Bild 2. in einem flotten Tenniskleid mit buntgestickter Kasakbluse und hochrotem Apachentuch. Modell: G. & E. Spitzer.

Bild 3. in einem fraise Taftkleid mit Blütenbesatz und gobelinblauen Kreuzbändern über rückwärts. Modell: G. & E. Spitzer.

Bild 4. in einem duftigen gobelinblauen Stilkleid mit gemalten Rosen, dazu Florentinerhut mit Rosenkopf. Modell: G. & E. Spitzer.

Bild 5. Betty Fischer in einer imposanten weißen Silbertoilette mit reichen Doppelpaniers aus Straußfedern. Modell: G. & E. Spitzer.

Herrliche Taubencoiffüre aus Brillanten. Modell: »Perlkönigin«. R. Fleischer

*Erstpublikation des d'Ora-Fotos von Elsie Altmann anläßlich ihres erfolg-
reichen Debüts im Theater an der Wien. 60 Jahre später wurde dieses Foto
anläßlich der d'Ora-Ausstellung in Wien wiederentdeckt, als Plakat affi-
chiert und in zahllosen Zeitungen reproduziert – allerdings anonym, unter
dem Titel »Tänzerin, 1924«.*

Die Bühne, Wien, 14. Januar 1929

Die Tänzerin Elsie Altmann

An den ersten Tanzabend Elsie Altmanns erinnere ich mich genau. Es war
damals noch etwas Besonderes, daß ein junges Mädchen aus der Gesellschaft als Tänzerin selbständig vor die Öffentlichkeit trat, und die sech-
zehnjährige Tochter des bekannten Theateradvokaten hatte daher im Kon-
zerthaus ein von vornherein interessiertes Publikum, das dieses Tanzdebut
als ein gesellschaftliches Ereignis betrachtete. Man erzählt sich, daß Papa
und Mama Elsie das Tanzen verboten hatten, als die temperamentvolle,
junge Dame ihre kindlichen Vorstudien beim Ballett gar zu ernst nahm.
Man wußte, daß die Schwestern Wiesenthal das Talent Elsies erkannten und
sie sozusagen hinter dem Rücken ihrer Eltern unterrichtet und ausgebildet
hatten. Und man war sogar ein wenig neugierig.
Als Elsie Altmann in lustigschönen Kostümen die »Musenpolka« von
Strauß, die »Burleske« von Reger tanzte, waren alle von der überaus lie-
benswürdigen Begabung der Tänzerin, deren Kunst mehr mit dem lieben
Gesicht eines Fratzen und den spielerischen Schnippfingern eines kecken
Backfisches, als mit den Beinen zu tun hatte, aufs angenehmste überrascht.
Wie sie nun aber dann den Radetzkymarsch mit den spitzbübischsten

Augen, mit jungmädchenhaftem Übermut, mit beredter Drolligkeit ihres hellfreudigen Gesichtes in anmutigster Weise über das Podium marschierte, voll Humor, wienerischer Heiterkeit und parodistischem Witz, da tobte das Publikum vor Begeisterung, und eine Tänzerin ursprünglichster Wiener Note war entdeckt. Man wollte immer wieder von ihr den Radetzkymarsch getanzt sehen, und man sah ihn in der nächsten Zeit von fast jeder neuen Tänzerin unter irgend einem Titel wieder. Elsie Altmann war eine Marke geworden, der Klang ihres Namens hatte die Melodie eines Johann Strauß-Marsches und es gab lange kein Wiener Fest, das auf die Tänze Elsie Altmanns verzichten konnte.

In Nizza und in Paris hat die Wiener Tänzerin dann ganz ungewöhnliche Erfolge gehabt. Sogar im Leitartikel beschäftigte man sich mit der graziösen Wiener Künstlerin, die einmal vor einem Parterre von Königen ihre berühmtesten französischen und englischen Kolleginnen ausgestochen hat.

Und warum Elsie Altmann ihren blendenden Aufstieg als Tänzerin selbst unterbrach? Sie sagt: »Ich habe plötzlich keinen Fortschritt mehr gesehen, weder bei mir, noch bei den anderen!« Mit Talent und Ehrgeiz und Arbeit, den einzigen Mitteln, denen sie ihre Erfolge verdankte, wandte sich Elsie Altmann den Künsten der Soubrette zu. Sie lernte singen und – das andere, viel mehr als manche langgeübten Operettenstars brachte sie ohnehin mit. Sie ist heute, obwohl sie zahllose Nachfolgerinnen hatte, noch immer die unerreichte Comtesse Lisa der »Gräfin Mariza« und die originellste Dolly des »Orlow«, unerreicht in dem noblen Charme graziösen Humors, in der heiteren Anmut der jungen Dame, deren Soubrettenübermut auf der Bühne die liebenswürdigste Linie wienerischen Temperaments einhält. Sie tanzt jetzt Shimmy, aber sie tanzt ihn so, wie Johann Strauß für eine Jazz-Band komponiert hätte. Es kommt nicht auf den Rhythmus der Musik an, wenn die Tänzerin eine Persönlichkeit, wenn ihre Kunst – Natur ist.   *Hll.*

Illustriertes Wiener Extrablatt, 21. April 1927

Das »Wiener Weh«
Ein stürmisch aufgenommener Vortrag von Adolf Loos über die Wiener Werkstätte

Adolf *Loos* ist bös auf Wien. Er kann es den Wienern nicht verzeihen, daß sie ihm das Haus auf dem Michaelsplatz nicht verzeihen können. Das ist psychologisch vollkommen begreiflich und kein Mensch kann es Adolf Loos verargen, daß er eine gewisse Bitterkeit im Herzen trägt. Wenn er sich aber durch diese Bitterkeit verleiten läßt, über den Rahmen sachlicher Kritik hinauszugehen und in öffentlichen Vorträgen zu kleinlichen Gehässigkeiten Zuflucht zu nehmen, sollte das die Öffentlichkeit entschiedener ablehnen, als es bisher geschehen ist.

Das Publikum in Rom oder in Paris würde es sich sicherlich nicht ruhig gefallen lassen, wenn einer vom Podium des Vortragssaales aus römische oder französische Kunst verhöhnte und dem heimatlichen Kunsthandwerk jede Daseinsberechtigung abspräche. In Wien hat sich gestern das Ungeheuerliche zugetragen, daß das Publikum die Verhöhnungen nicht nur ruhig hinnahm, sondern sie sogar zum Teil mit Hochrufen und Applaus quittierte. Nur ein kleiner Teil – es waren dies zumeist Frauen – fand den Mut zu energischen Protestrufen.

Einleitend sprach Loos unleugbar kluge und interessante Worte über den Zusammenhang zwischen Kunst und Handwerk. Er kam auf den Gebrauch von Kunstgegenständen im Alltag zu sprechen und erinnerte diesbezüglich an den Ausdruck »Indianerstandpunkt«, den er schon 1898 geprägt hatte. Sehr schnell ging der Vortrag dann zur Pariser Ausstellung über. Angeblich sollen die Pariser anläßlich dieser Ausstellung gefragt haben, wo der traditionelle Wiener Geschmack geblieben sei. »Der gute traditionelle Ruf ging für immer verloren« behauptet Loos. Ein Teil des Publikums setzte sofort mit lebhaftem Beifall ein, während wenige andere – meist Schülerinnen der Kunstgewerbeschule – mit lebhaften Pfuirufen gegen Loos und Hochrufen auf Professor Hoffmann antworteten.

Loos stellte die Behauptung auf, daß die modernen Gebrauchsgegenstände kollektiven Charakter tragen und daher vom Handwerker, nicht aber vom Architekten zu verfertigen seien. »Das Eßbesteck wurde auf Grund der Art des Essens kongruent geschaffen und jeder Mensch, der Kultur besitzt, weiß das Besteck zu benützen. Menschen, die nicht essen können«, so meint Loos, »essen verschieden und konstruieren daher verschiedene Bestecke.« Mit einem Wort, alle Gebrauchsgegenstände seien gleich und wenn es anders sei, so sei dies unsozial und unmodern. Und »Gott möge unsere Kindeskinder vor der Schmach bewahren, derartige Teller und Messer zu benützen . . .«

Zur näheren Erläuterung des Gesagten führte Loos Lichtbilder aus der Pariser Ausstellung vor. Er zeigte, wie er sagte, die besten Nummern aus dem Katalog. Es war ihm dabei, wie ganz deutlich zum Ausdrucke kam, nur darum zu tun, die Kunst der Wiener Werkstätte, die er das »Wiener Weh« nannte, verächtlich zu machen. Wie man aus empörten Zwischenrufen einzelner Zuhörer erfuhr, waren viele der im Bilde gezeigten Objekte gar nicht Erzeugnisse der Wiener Werkstätte. Außerdem waren viele Bilder – unter anderem gerade Bilder von Schöpfungen Hoffmanns – so dunkel gehalten, daß man ihre Wesen kaum zu erkennen vermochte.

Mit scharfem Sarkasmus besprach Loos die einzelnen Lichtbilder und ließ dabei seinem Unmut freien Lauf. Der einzige Künstler, der bei dieser Kritik gut wegkam, war Professor Hannak, der eine Jünglingsstatue ausgestellt hatte. Allerdings betonte Loos, daß diese Statue nicht in eine Werkkunstausstellung passe. Es folgte dann im Bilde eine von Hoffmann entworfene Messingvase, dann eine Teekanne, dann ein Silberservice, an dem die meisten Zuhörer sicherlich nichts anderes auszusetzen hatten, als daß es nicht ihnen gehört. Trotzdem spendeten sie Loos reichen Beifall, als er sich über das Kunsthandwerk lustig machte und auch den verstorbenen Dagobert Peche nicht schonte.

»Modern ist alles das, was dem Althergebrachten entgegengesetzt ist«, erklärte Loos ironisch. »Sie sehen hier einfach alles Althergebrachte ins Konträre übersetzt und das wird modern genannt.« In einem Atem mit dieser Behauptung aber verglich er ein Tor mit Arbeiten aus der Zeit Karls des Großen, einen österr. Adler mit ähnlichen Bildern aus Rothenburg an der Tauber, sprach einer Vase Rokokostil zu und nannte eine andere barock. So widersprach er sich eigentlich selber und hob im zweiten Satze das im ersten Gesagte auf. Nach einigen hämischen Bemerkungen über den wohl durch die allgemeine Stagnation bedingten schlechten Geschäftsgang im Wiener Kunstgewerbe und namentlich in der Wiener Werkstätte, schloß Loos mit dem edlen Wunsche, daß sein »Prankenhieb« stark genug sein möge, der Wiener Werkstättenbewegung auf ewig ein Ende bereitet zu haben. Derselbe Mensch, der es unsozial nennt, wenn ein Künstler für sich oder einen anderen ein anderes Eßbesteck anfertigt, als die Leute schlechthin gebrauchen, empfindet es nicht als unsozial, wenn er mit einer Bewegung die Erwerbsmöglichkeit von Tausenden zerstören will. Daß er sich dazu befähigt fühlt, ist allerdings Vermessenheit.

Adolf Loos ist kürzlich gegen die Wiener Küche zu Felde gezogen. Nun erklärt er auch der Wiener Werkstätte den Krieg. Es sei hierbei hervorgehoben, daß es sich hier nicht um sachliche Kritik handelt, die ja zu begrüßen wäre, sondern um gehässige Bekämpfung ohne Logik und stichhaltige Argumente. Nichts in Wien ist Loos recht. Es erübrigt sich nur die Frage: Warum ist Herr Loos überhaupt nach Wien gekommen und nicht in Paris geblieben?   Th.

Neues Wiener Journal, 23. April 1927

Ich – der bessere Oesterreicher.
Aus einer Abschiedsunterhaltung mit Adolf Loos.

Adolf Loos hört bekanntlich nicht gut. Aber auch mit besserem Gehör würde ihn das akustische Phänomen des vorgestrigen Sturmes im Musikvereinssaal kaum besonders irritiert haben.

Er hat, wenn der Titel seines vor drei Jahren in Paris erschienenen Buches nicht bloß bissige Koketterie ist, zwanzig Wiener Jahre »Ins Leere gesprochen«. Da ist es immerhin ein Fortschritt, daß er sich nun mit seinen zwei Abendunterhaltungen über das Wiener Wohlgespeisthaben und das Wiener Ornament, das ihm noch zuwiderer als unsere Marillenknödel zu sein scheint, mit halb Wien stürmisch verfeindet hat. Er wird diese Stadt übermorgen in wesentlich gebesserterer Laune verlassen, als es die war, mit der er den Abstecher zu uns gemacht hat.

»Von allem, was in diesen Wochen über mich gesagt und geschrieben wurde«, führt er aus, »ist mir nur ein einziger, nicht ehrlicher, aber geschickt konstruierter und als Agitationsmaterial gegen mich äußerst brauchbarer Vorwurf näher gegangen. Daß ich mit meinen Vorträgen, Schriften und nicht nur hier, sondern natürlich auch im Ausland vorgebrachten oder dort wenigstens gehörten Anklagen meinem Vaterland, im besonderen aber Wien schade! Ausführungen wie die meinen seien geeignet, das österreichische Exportgeschäft wie den Fremdenverkehr nachteilig zu beeinflussen. Mit einem Wort: ich gefährde mit meinem »Schimpfen« das erworbene oder kreditierte Renommee, das Oesterreich im Ausland genießt. »Ich bin kein Patriot ...«

Darauf erwidere ich, daß jede Zeile, die sich zustimmend oder ablehnend mit meiner Person und meinen Argumentationen befaßt, mit »Der Patriot« überschrieben sein müßte. Vorausgesetzt allerdings, daß der Schreiber ehrlich ist. Denn das dürften alle jene Leute, die für oder gegen mich Stellung nehmen, ziemlich genau wissen, daß ich mit meiner jahrelangen Opposition ausschließlich jenen Personen, Einrichtungen und Zuständen die Existenzmöglichkeit zu schmälern versuche, denen wir es zu verdanken haben, daß Oesterreichs Ansehen in der Welt und die Geltung österreichischer Arbeit auf dem Weltmarkt nicht zu-, sondern abnimmt!

Ich mache, um beim Thema meines zweiten Wiener Vortrages zu bleiben, das Wiener Kunstgewerbe vor aller Welt lächerlich und unterbinde ihm sein Auslandgeschäft! Wer das in einer solchen Verallgemeinerung und mit der Unterschlagung des Wesentlichen sagt, begeht einfach eine Unanständigkeit. Denn er sagt es gegen sein besseres Wissen.

Immer und immer wiederhole ich, hier in Wien und ebenso draußen: es ist mir darum zu tun, der anständigen, hochwertigen Leistung des Wiener Arbeiters hier wie im Ausland die Geltung zu verschaffen, die sie verdient und schon besessen hat, ehe die »Wiener Werkstätte« mit ihrer sogenannten Edelarbeit auf den Plan getreten ist. Edelarbeit war seit jeher einer der meistverlangten und am höchsten geschätzter Exportartikel Wiens. Um sie bei uns einzuführen, brauchte kein Mensch Architekten, Kunstgewerbeschüler und malende, stickende, Keramiken verfertigende, edles Material dilettantisch vergeudende Hofratstöchter oder sonstige Fräuleins aus gutem Hause, die sich unter Kunstgewerbe etwas vorstellen, mit dem man sich sein Taschengeld verdient oder freie Zeit vertreibt, bis man unter die Haube kommt.

Ich bezeichnete und bezeichne es als eine niederträchtige Beleidigung unserer alten Wiener Edelarbeit, wenn ein bestimmter, relativ winzig kleiner und schauderhaft versnobter Kreis von Kunstgewerblern mit dem Anspruch auftritt, Oesterreich zur Edelarbeit erst erzogen zu haben! Meines Wissens erfreuten sich die Wiener Ledergalanteriewaren, unsere gebogenen Möbel, österreichische Glaswaren – die Liste ließe sich fortsetzen – in aller Welt eines ausgezeichneten Rufes und wurden gekauft, ehe die Architekten auf den Plan traten und unsere Arbeiter belehren zu müssen glaubten, wie man zu arbeiten hat!

Der Wiener Arbeiter und Handwerker bedarf dieser Belehrung nicht. Er stammt fast immer, wie etwa die Schweizer Uhrmacher, die böhmischen Glasbläser, aus Familien, in denen sich Liebe und Verständnis für das Material, das man verarbeitet, von Generation zu Generation weitervererbt hat. Was diese Leute aus eigenem, ohne Anleitung durch den modernen und snobistischen Kunstgewerbler, zu leisten vermögen, darf den Anspruch erheben, in seiner Art mustergültig, unübertrefflich zu sein und überall in der Welt geschätzt zu werden.

Diese echte Wiener Edelarbeit, der ich im Ausland bei jeder Gelegenheit Propaganda mache, wird aber künstlich zurückgedrängt und unsichtbar gemacht, wenn man zu Repräsentationszwecken so gut wie ausschließlich die Leute aus dem Kreis der »Wiener Werkstätte« heranzieht. Wie ist es nun in Wahrheit mit meinem »Schimpfen« und angeblichen Verkleinern dessen, was in Wien und Oesterreich geleistet wird, bestellt? Ich sage den Leuten draußen, daß die Wiener Kunstgewerbler, über die sie entsetzt sind, zu Hause nur über den denkbar kleinsten Anhang verfügen. Daß sie zwar im Ausland aus unerfindlichen Gründen Oesterreich repräsentieren dürfen. In Wien und Oesterreich fällt es aber keinem vollsinnigen Menschen ein, ihnen etwas abzukaufen. Nichts von dem, was Oesterreicher draußen als österreichische Arbeit, österreichischen Geschmack, österreichischen Stil ausgeben, findet zu Hause wirklichen Anklang. Mit einer bis zum Aeußersten getriebenen Materialvergeudung werden kostspielige Luxuswaren hergestellt, mit denen kein Mensch mit normalen Einkommensverhältnissen und normalen Bedürfnissen etwas anzufangen vermag, für die sich bestenfalls ein paar engere Freunde interessieren, für die niemand sein Geld ausgibt und mit deren Förderung Mäzene zugrunde gerichtet werden.

Wenn es unpatriotisch von mir ist, gegen das Kunstgewerbe der Snobs aufzutreten – wie steht es dann mit dem Patriotismus der Wiener und Oesterreicher, die schließlich zu allererst dafür verantwortlich sind, daß dieses moderne Kunstgewerbe geschäftlich längst so gut wie abgewirtschaftet hat und sich nur mehr künstlich über Wasser zu halten vermag!

Man möge mir doch den guten Oesterreicher und kultivierten Wiener zeigen, der aus Patriotismus dahin zu bringen wäre, sich für sein teures Geld ausgerechnet von den Wiener Luxusgewerblern und Ornamentschwindlern seine Wohnung einrichten zu lassen . . .

Ich schädige den guten Ruf, den die Wiener Edelarbeit im Ausland genießt? Im Gegenteil. Ich bin ein Patriot. Ich bin unermüdlich damit beschäftigt, die Ausländer aufzuklären, ihnen verständlich zu machen, daß es schon noch Wiener Edelarbeit gibt und daß es eine Falschmeldung ist, wenn man ihnen auf Ausstellungen allen jenen österreichischen Luxusgschnas vorführt und als österreichischen Stil deklariert, über den wir zu Hause bloß lachen und der so ziemlich das Unvolkstümlichste ist, was sich je der Förderung durch amtliche österreichische Stellen erfreut hat.

Wenn die »guten« Oesterreicher finden, daß ich ein »schlechter« Oesterreicher bin, dann mögen sie doch vor allem dazusehen, daß die »Wiener

Werkstätte« zunächst einmal im eigenen Lande etwas mehr prosperiert, als es bis jetzt Gott sei Dank der Fall ist! Wenn die Patrioten den Patriotismus aufbringen werden, sich von den modernen Kunstgewerblern ihre eigene Wohnung verschandeln zu lassen – dann, aber nur dann mögen sie mich für einen schlechten Oesterreicher halten. Vorderhand bin ich allerdings ein besserer als sie. Denn ich werde mich auch in Hinkunft nicht abhalten lassen, meine ausländischen Freunde darüber aufzuklären, daß österreichische Arbeit und der Snobismus eines gewissen, winzig kleinen Kreises nicht dasselbe sind!«

Neues Wiener Journal, 28. Juni 1927

Loos und die Wiener Küche.

(Das »Marillenknödel-Derby« des Herrn Adolf Loos.) Herr Adolf Loos ist ein Wiener Architekt, der auf seine Vaterstadt bös ist, weil sie seine künstlerische Tätigkeit seiner Meinung nach nicht genug hoch einschätzte. Seit zwei Jahren lebt er in Paris, und wenn er, wie vor ein paar Wochen, in seine Vaterstadt kommt, so tut er dies nur, um den Wienern zu sagen, daß sie nicht kochen und nicht essen können, vom Bauen ganz zu schweigen und was gar die Wiener Werkstätte betrifft, so dürfe kein Hund einen Bissen Brod von ihr nehmen. Nachdem er sich mit einem solchen Vortrag in Wien eine gründliche Abfuhr geholt hat, ist er mit ihm auf Reisen gegangen, um eine ausgesprochene »Anti-Wien-Propaganda« zu treiben. Berliner Blätter berichten nämlich über einen Vortrag, den Adolf Loos dort hielt, und in dem er selbstgefällig von den »Verheerungen« erzählte, die »sein Vortrag in Wien angerichtet hat«. Daß man in Berlin, der Stadt, in der man bekanntlich gut arbeiten, aber meist weniger gut essen kann, sich gern erzählen läßt, daß die Wiener Küche »rückständig und für einen Kulturmenschen unmöglich« sei – der Referent eines Berliner Blattes benutzt die Besprechung dieses Vortrages, um zu berichten, daß ein internationaler Gourmet ihm einmal gesagt habe, die Wiener Küche sei keine Küche, sondern ein Dialekt, also etwas Unverständliches –, ist begreiflicher als die mit apodiktischer Sicherheit vorgebrachte Erklärung des Redners, daß durch diese »ausgiebige Mehlschwitze« die Menschen wohl voll, aber nicht satt würden. Wobei Loos ganz übersah, daß seine schlanke körperliche Erscheinung, die sich fast vierzig Jahre lang durch die Wiener Küche erhielt, seine Behauptung ad absurdum führt: es ist sicherlich immer satt und doch nicht voll geworden. Er erzählt dreist von in Wien unbekannten »Knödeltagen«, an denen alle Möbel mit Teigfetzen bedeckt sind (in was für merkwürdigen Familien muß Herr Loos in Wien verkehrt haben!) und wo wettgegessen wird. Er entblödete sich nicht, den Berlinern zu erzählen, daß es in Wien »zur Hebung des Fremdenverkehrs ein *Marillenknödel-Derby* gäbe, das die Wiener mehr interessiere als das Freudenauer«. Man weiß

wirklich nicht, ob man Herrn Loos mehr bedauern soll, der solche Geschichten erzählt, oder die Berliner, die sie nicht nur glauben, sondern sie in
ihren Blättern mit besonderem Behagen als »ein Zeichen für das Kulturni-
veau« unserer Stadt vermerken! Natürlich kam Herr Loos auch auf die
Wiener Werkstätte zu sprechen, die ja zur fixen Idee bei ihm geworden ist.
Er erzählte den staunenden Berlinern, daß der Teller, auf dem der Knödel
ruht, von der W.W. ornamental sein müsse, sonst schmecke er nicht,
während in der ganzen übrigen Welt der Mensch nur von einem glatten
weißen Teller esse, was aber nur beweist, daß Loos entweder an »ornamen-
talem Verfolgungswahnsinn« zu leiden beginnt oder daß er in Wien nie ein
anständiges Restaurant besucht hat. Er schloß seinen Vortrag, jeder Zoll ein
Meisterschimpfer von Wien, ein Raunzergigant, ein Nest-dekorateur von
seltener Eindringlichkeit, mit den Worten: »Was ist für den Wiener ein
Gedicht? Eine Mehlspeis! Was ist für den Wiener eine Mehlspeis? Ein
Gedicht!« Hinzuzufügen wäre noch: Und was ist den Wienern die Meinung des Herrn Loos? Wurst! . . . (Um bei der Küche zu bleiben.)

Wiener Allgemeine Zeitung, 7. September 1928 (Titelblatt)

Architekt Adolf Loos leugnet jede Schuld
Die Beschuldigungen stammen von einem acht- und einem zehnjährigen
Mädchen

Wohl keine Verhaftung hat in der letzten Zeit derartiges Aufsehen erregt,
wie die des vielumstrittenen Architekten Adolf Loos, der unter der *schwe-*
ren Beschuldigung, das Verbrechen der Schändung begangen zu haben
gestern dem Landesgerichte eingeliefert worden ist.
Präzise Beschuldigungen gegen ihn liegen seitens der zehnjährigen Tochter
eines Postunterbeamten und der achtjährigen Tochter eines Arbeiters vor.
Sonst hat Loos noch zwei kleine Mädchen im ungefähr gleichen Alter in
seiner Wohnung, 1. Bezirk, Bösendorferstraße 3, empfangen und auch
nackt gezeichnet, ohne daß er aber sich, soweit festgestellt, auch an ihnen
vergangen hätte.

Die erzählungslustigen kleinen Mädchen

Aufgekommen ist der Skandal durch die Erzählung der beiden Kinder, die
Opfer des Architekten Loos geworden sein sollen. Sie haben von ihren
Erlebnissen ihren Freundinnen Mitteilung gemacht und ihnen auch erzählt,
daß sie nach Paris kommen würden und sich die Reisekosten dadurch
verdienen, daß sie einem Herrn in der Inneren Stadt für Aktzeichnungen
Modell säßen.
Ein Kind sagte es dem anderen, und schließlich erzählte ein Kind seiner
Mutter davon, daß die Freundinnen solches »Glück« hätten. Die Frau, die
dadurch von der Sache hörte, ohne zu ahnen, um welche Person es sich
handelte, schöpfte Verdacht, daß der Mann, der den Kindern die Reise nach

Paris verspreche ein Mädchenhändler sein könnte. Ihr schwebte das spurlose Verschwinden der kleinen Polna und ein ähnlicher Fall von Windsbach in Oberösterreich vor, und sie hielt sich für verpflichtet, der Polizei die Anzeige zu machen. Diese ermittelte, daß die beiden Mädchen, die zu dem Herrn in der Inneren Stadt gingen, die Tochter des Postunterbeamten und die Arbeiterstochter seien.

Der Sicherheitsreferent des Stadtkommissariates vernahm – die Sache wurde Montag nachts angezeigt – die beiden Mädchen in Gegenwart ihrer Mütter ein. Die Verhöre mußten sehr behutsam geführt werden, um die ohnehin aufgeregten und verschüchterten Kinder nicht noch mehr durch die Fragestellung sittlich zu gefährden. Der Referent ließ die Kinder erst mit ihren Müttern unter vier Augen sprechen, und von dem Grade des Vertrauens, das die Kleinen in ihre Mütter setzten, hing die Art ihrer Aussagen ab.

Was die Kinder bei der Polizei angaben

Durch die Verhöre wurde denn auch ermittelt, auf welche Art Loos dazu gekommen ist, die kleinen Mädchen in seine Wohnung zu bekommen, ohne daß es unliebsames Aufsehen erregt hätte. Der Vater der Zehnjährigen, der pensionierte Postunterbeamte, verdient sich eine Zubuße zu seiner Pension durch Modellstehen an der Akademie. Ihn hat Loos vor etwa vierzehn Tagen angesprochen und ihn gefragt, *ob er nicht kleine Mädchen wüßte, die ihm zu Zeichnungen Akt stehen wollten.*

Der Unterbeamte sah in der Frage nichts Bedenkliches, da ja Künstler öfters Kinder nackt malen, und brachte seine Tochter zu Loos. Bei den ersten Sitzungen war der Vater dabei. Im Anfang ist auch nichts Sträfliches vorgegangen.

Als dann der Vater die Tochter im Vertrauen auf die Ehrenhaftigkeit des Künstlers allein zu ihm gehen ließ, fragte er das Kind, ob es nicht noch unter seinen Freundinnen kleine Mädchen wüßte, die zu ihm kommen wollten. Er sprach auch den Kindern davon, daß er sie im Zuge einer Aktion »Kinder nach Frankreich« nach Paris bringen wolle und daß sie sich das Reisegeld durch das Modellstehen verdienen müßten. Loos zahlte den Kleinen zwei Schilling für die Stunde des angeblichen Aktsitzens.

Das Kind des Pensionisten brachte dann seine siebenjährige Schwester und zwei Freundinnen in ungefähr dem gleichen Alter mit.

Alle vier Kinder mußten sich nackt ausziehen, sich in der Wohnung des Architekten, der sie im Pyjama empfing, baden, und Loos tat so, als ob er sie zeichnete.

Dabei soll er sich aber an zwei der Kinder, der Postunterbeamtens- und der Arbeiterstochter schwer vergangen haben.

Die Verhaftung
Wie sich Loos verantwortet

Als die Beschuldigungen gegen Loos konkrete Formen annahmen, verfügte der Sicherheitsreferent am Dienstag die Verhaftung des Architekten Loos.

Sie wurde um halb 11 Uhr vormittags vorgenommen. Um 2 Uhr nachmittags hätte Loos nach Paris, wo er seinen ständigen Aufenthalt hat, abreisen sollen. Loos war sehr gedrückt. Er gab jedoch nur seelische Umstände zu, die strafrechtlich nicht zu verfolgen sind. Als ihm die bestimmten Beschuldigungen der Mädchen vorgehalten wurden, gab er wohl zu, daß sich die Kinder bei ihm entkleiden und bei ihm baden mußten, daß sie ihm zu Aktzeichnungen Modell gestanden sind; er bestritt jedoch entschieden, daß er sich an ihnen vergangen habe, und blieb dabei, daß es sich *vielleicht um rein zufällige Berührungen handle.*

Die Beschuldigungen der Kinder bezeichnete er als lügenhafte Entstellungen. In seiner Wohnung wurde eine Hausdurchsuchung vorgenommen, bei der *nicht weniger als 2271 Photographien im Stereoskopformat gefunden wurden, die durchwegs pornographische Szenen darstellen.*

Die dargestellten Personen sind durchwegs Kinder vom zartesten Alter von fünf bis sechs Jahren bis zum Alter der heranreifenden Frau. Die Bilder scheinen älteren Datums zu sein und sind augenscheinlich nicht Aufnahmen des verhafteten Architekten.

Loos wurde gestern abends im Einvernehmen mit der Staatsanwaltschaft, nachdem schon vorher über ihn die Verwahrungshaft wegen Flucht- und Wiederholungsgefahr verhängt worden ist, dem Landesgerichte eingeliefert.

Auf direkte Weisung der Staatsanwaltschaft

Die Einlieferung des Architekten Loos in das Landgericht erfolgte über direkte Weisung der Staatsanwaltschaft.

Der Leiter des Kommissariats Innere Stadt, Hofrat Dr. Tauß, hatte ursprünglich die Absicht, von Loos nur das Gelöbnis zu verlangen, daß er Wien nicht verlasse und sich zur Verfügung der Behörden halten werde.

Die Staatsanwaltschaft aber, der dann der Sachverhalt unterbreitet wurde, verfügte die Einlieferung des Beschuldigten mit der Begründung, daß Loos fluchtverdächtig sei. Es wurde auch die Stellung einer Kaution in Erwägung gezogen, doch erklärte der Anwalt des beschuldigten Architekten, daß sein Klient nicht in der Lage sei, eine derartige Kaution zu leisten. Von den vier Mädchen, auf die sich die Anklage gegen den Architekten stützt, sind zwei die Töchter eines Briefträgers, der früher an der Akademie der bildenden Künste Modell gestanden hat und aus jener Zeit mit Loos bekannt war. Er brachte sein 10jähriges Mädchen und später seine 7jährige Tochter zu Loos. Die zwei anderen Mädchen sind die Kinder von Nachbarsfamilien des Briefträgers. Beide sind Arbeitertöchter, die eine ist acht Jahre, die andere zehn Jahre alt.

Von den vier Kindern haben die zehnjährige Briefträgerstochter und das achtjährige Arbeitermädchen die schweren Beschuldigungen gegen Loos ausgesprochen, wonach er sich an ihnen vergangen haben soll.

Die beiden anderen Mädchen erklären, daß der Architekt sie nur abgezeichnet habe.

Die Untersuchung wird beschleunigt

Unser Gerichtssaalredakteur meldet: In der Strafsache gegen den Architekten Adolf Loos, dessen Verhaftung und Einlieferung ins Landesgericht großes und peinliches Aufsehen erregte, ist man, wie wir von authentischer Seite erfahren, bemüht, mit der größten Beschleunigung volle Klarheit zu schaffen. Die Untersuchung leitet Landesgerichtsrat Doktor R. F. Wagner, und es steht zu erwarten, daß schon in den allernächsten Tagen entscheidendes Licht wird in die Sache gebracht werden können, wobei es sich, wie bei allen derartigen Anzeigen, darum handelt, *ob den Behauptungen des Anzeigers oder der Verteidigung des Beschuldigten mehr Glauben beizumessen ist.*

In den Kreisen der vielen Anhänger und Freunde des Architekten Loos hat die gegen ihn erhobene Beschuldigung und seine Inhaftnahme große Niedergeschlagenheit hervorgerufen.

Die aufgefundenen Photographien

Wie wir erfahren, hat der Verhaftete die schwere Beschuldigung, die wider ihn erhoben wird, mit der größten Entschiedenheit in Abrede gestellt; er bezeichnet die Angaben der Kronzeuginnen als Ausgeburt kindlich-frühreifer Phantasie, und hat nur zugegeben, daß er Aktzeichnungen von den Mädchen angefertigt habe, die für ihn bei baulichen Arbeiten verwendbar seien. Von den beiden Wiener Kindern hat er keinerlei photographische Aufnahmen gemacht. Es wurden wohl Bilder unbekleideter kleiner Mädchen bei der Hausdurchsuchung vorgefunden; *diese Photographien sind jedoch stereoskopische Aufnahmen, stellen auch gar nicht die in Betracht kommenden Modelle dar und dürften in Paris angefertigt worden sein, wobei es noch höchst zweifelhaft ist, ob Loos selbst die Bilder aufgenommen hat.*

Gleichwohl soll der Architekt, da die Aussagen der von der Polizei einvernommenen Mädchen Adolf Loos schwer gravieren, heute bereits dem Landesgerichte I eingeliefert worden sein. Die Erhebungen, die erst teilweise abgeschlossen sind, werden noch fortgesetzt.

Vor allem hat die Behörde ein Interesse daran, in Erfahrung zu bringen, ob der Achtundfünfzigjährige, gegen den die Anklage wegen Schändung erhoben wird, außer den beiden kleinen Zeuginnen noch andere minderjährige Mädchen bei sich empfangen hat.

Loos heute neuerdings verhört

Der Architekt Loos, der sich seit gestern im Landesgericht in Untersuchungshaft befindet, wurde heute vormittags einem längeren Verhör unterzogen. Loos trägt sein Schicksal sichtlich gefaßt und hat den Untersuchungsrichter gebeten, ihn mit seinem Rechtsanwalt Dr. Gustav Scheu in Verbindung treten zu lassen. Dr. Scheu hält sich zu diesem Zwecke im Grauen Hause auf. Mittags hat er mit dem Untersuchungsrichter, Landesgerichtsrat Wagner, in der Angelegenheit seines Klienten gesprochen.

Es sind heute auch die Einvernahmen von Zeugen erfolgt, insbesondere der
halbwüchsigen Mädchen, an denen sich der Architekt vergangen haben soll.

Auf dem Modellmarkt

Architekt Loos kam tatsächlich zu wiederholtenmalen auf den Modell-
markt in die Akademie der bildenden Künste, wo er sehr gut bekannt war.
Kinder, auf die die Personsbeschreibung der beiden kleinen Zeuginnen
zutrifft, sind in den letzten Wochen hier nicht zu sehen gewesen, auch Loos
selbst kam während dieser Zeit nicht auf den Markt.
Im März dieses Jahres wurden zwei auffallend schöne kleine Mädchen von
einen hiesigen Maler als Modell verwendet und es ist wahrscheinlich, daß
diese Kinder mit den Mädchen, an denen sich Loos vergangen haben soll,
identisch sind.

Der Künstler Adolf Loos

Adolf Loos, dessen Verhaftung so ungeheures Aufsehen erregt, hat es
verstanden, sich viele Feinde zu machen. Der heute 57jährige war einer der
Getreuen Peter Altenbergs. Seine erste Frau, die Schauspielerin Lina Loos
vom Deutschen Volkstheater, war die Tochter des Kaffeehausbesitzers
Obertimpfler, unter dessen Obhut sich im Casa Piccola die Wiener Kunst-
und Literaturgrößen zusammenfanden.
Loos war in erster Linie Innenarchitekt, und schon um die Jahrhundertwende bestaunte man die damals so eigenartig wirkenden, scheinbar nüch-
ternen Linien seiner Zimmerausschmückung. In unzähligen illustrierten
Zeitungen wurde damals der Entwurf für das Schlafzimmer seiner ersten
Frau gebracht. Weißgetünchte Wände, der Boden mit weißen Kaninchen-
fellen bedeckt, die fortlaufend an den vier Seitenteilen des großen diwanar-
tigen Ruhebettes ansteigen, die wenigen Möbelstücke mit weißen Tüchern
behangen. Diese Sachlichkeit war bei der damaligen Überfüllung der
Wohnräume eine staunenswerte Neuerung.
Loos bekanntestes Bauwerk, das Wohn- und Geschäftshaus auf dem Michaelerplatz, in dem die Firma Goldman und Salatsch heute noch ihre
Geschäftsräume untergebracht hat, führte im damaligen Wien zu einer
allgemeinen Empörung, obwohl diesem Entwurf eine großzügige Linien-
führung nicht abzusprechen war. Die glatte Fassade ist aus edlem Material,
die Proportionen durch schöne Abmessungen gelöst. Die Baubehörde befahl, an der Fassade die heute noch sichtbaren Blumenkörbe mit Pelargo-
nien anzubringen, um die nüchterne Außenseite durch einige Formen und
Farben zu beleben. Vom Kaiser Franz Joseph, der so zäh am Althergebrachten festhielt, erzählte man sich damals in Wien, daß er über den Bau
auf dem Michaelerplatz zu seinen Vertrauten geäußert habe: »Jetzt kann ich
nicht einmal mehr beim Fenster hinausschauen.« In Hietzing und Döbling
stehen einige Villen, nach Entwürfen des Architekten Loos.
Der Künstler war zweimal in Amerika. Sein Verdienst war es, daß der
junge Kokoschka drüben so glänzende Erfolge und die weitestgehende

Popularität erringen konnte. Seine oft gehässig klingenden Äußerungen hat man oft auf die Leiden zurückgeführt, die den magenkranken, schwerhörigen, äußerst schmächtigen Künstler mit dem fahlen Gesichte das Leben erschwerten. In guter Erinnerung ist den Wienern noch sein Kampf gegen die Wiener Küche ... Mit viel Enthusiasmus behauptete er in einem Vortrage, daß man die Nockerln nicht schupfen dürfe und daß die mehlhaltigen Speisen den Magen zu sehr beschweren. Daher käme nämlich die Wiener Unschlüssigkeit und auch die Wiener Faulheit. F. W.

Die Stunde, Wien, 8. 9. 1928

Bleibt Architekt Loos in Haft?

Die Ratskammer entscheidet heute nachmittags über den Enthaftungsantrag der Verteidigung

Die »Reichspost« findet es angebracht, einzelnen Wiener Blättern, und darunter insbesondere der »Stunde«, einen höchst gestrengen Verweis zu erteilen, da sie unsere Einstellung zur Affäre Loos als Stimmungsmache für den so schwer beschuldigten Künstler bezeichnet. Es gehört schon eine gewisse absichtliche Blindheit und vor allem eine nun einmal nicht von allen Menschen geteilte Überzeugung von der Unfehlbarkeit der Behörden dazu, um aus unserem objektiven Bericht eine derartige Absicht herauszulesen. Es wird uns vor allem vorgeworfen, daß wir die in die Angelegenheit verwickelten Kinder als »angebliche« Opfer, die von der Modellbörse stammen, »herabgesetzt« hätten.

Daß Adolf Loos die Kinder auf dem Wege über die Modellbörse kennengelernt hat, steht fest und ist eine Tatsache, die auch die »Reichspost« nicht leugnen wird. Und daß die Opfer, solange der Tatbestand nicht absolut erwiesen ist, nur als »angebliche« Opfer gelten können, muß jedermann klar sein, der nicht aus irgendwelchen anderen Gründen bereit ist, über einen bisher unbescholtenen Menschen, mag er nun ein Künstler oder ein Straßenkehrer sein, von vornherein den Stab zu brechen.

Es ist uns niemals eingefallen, dafür einzutreten, daß die Polizei sich nicht mit aller Energie der Aufklärung des Falles widmen solle.

Wenn wir von einer auffallenden Energie der Behörden sprachen, so betraf dieser allerdings sehr deutliche Einwand nur die Tatsache, *daß im Gegensatz zu anderen, analogen Fällen die Affäre Loos sofort, noch vor ihrer endgültigen Klarstellung, an die große Glocke gehängt und in die breite Öffentlichkeit getragen wurde.*

Wenn Adolf Loos sich wirklich gegen das Gesetz vergangen hat, so wird und darf ihn sein Künstlertum gewiß nicht vor Strafe schützen. Anderseits darf es aber auch nicht sein, daß jemand nur deshalb, weil er einen bekannten, ja berühmten Namen trägt, gewissermaßen von Amts wegen der öffentlichen Diskussion ausgeliefert wird, ehe sich ein noch so schwerwiegender Verdacht zur Gewißheit eines tatsächlichen Vergehens verdichtet hat. Zu dieser Einstellung, die übrigens von der überwiegenden Mehrheit der Wiener geteilt wird, eine Sucht nach Sensation zu erblicken, war den offenbar auch in diesem Falle nicht sehr objektiven Gedankengängen der »Reichspost« vorbehalten.

Zelle Nr. E 2 105

Der verhaftete Architekt Adolf Loos verbrachte nunmehr zwei Nächte und einen Tag im Landesgericht. Wie wir erfahren, ist ihm dort die Zelle E 2 105, eine sogenannte Intelligenzzelle, zugewiesen worden. In der Zelle befindet sich ein einfaches Eisenbett, ein Tisch, ein Stuhl und eine eingebaute Schrankeinrichtung. Dem Häftling wurden seitens des Landesgerichtes alle Erleichterungen gewährt, die einem Untersuchungshäftling gebühren. Er kann sich selbst verköstigen, was bei ihm sehr ins Gewicht fällt, weil er schwer magenkrank ist, so daß vor Jahren bereits ein operativer Eingriff vorgenommen werden mußte. Die Nächte verbringt Loos verhältnismäßig ruhig und der erste Wunsch, den er gestern früh geäußert hatte, war, man möge ihm Odol und Zahnbürste aus seiner Wohnung bringen lassen.

Ein dreistündiges Verhör

Nachmittags um zwei Uhr wurde bewilligt, daß der Häftling mit seinen beiden Verteidigern, den Rechtsanwälten Dr. Gustav Scheu und Dr. Hans Stieglandt, spreche. Dr. Stieglandt erzählt uns über den Eindruck, den Loos auf ihn gemacht hat, folgendes:
– Wir fanden unseren Klienten in einer ziemlich ruhigen Verfassung vor. *Er macht den Eindruck eines Mannes, der seiner Sache sicher ist und die Überzeugung hegt, im Recht zu sein und dieses Recht auch durchsetzen zu können.*
Entschieden wies er alle Anschuldigungen zurück und erklärte, daß bereits das erste Verhör mit den Kindern im Landesgericht, das heute vormittags stattfinden soll, seine völlige Unschuld an den Tag bringen werde.
Noch vor unserer Aussprache mit unserem Klienten wurde Architekt Loos dem Untersuchungsrichter Wagner vorgeführt, der ihn *einem dreistündigen Verhör* unterzog. Diese lange Dauer erklärt sich daraus, daß Loos sehr schwerhörig ist und sich nur mit Hilfe eines Hörrohrs, das er seit Monaten bei sich trägt, verständigen kann. Heute vormittags verhört der Untersuchungsrichter zunächst die vier Kinder, die das Atelier des Architekten regelmäßig besucht hatten, dann abgesondert ihre Mütter und den Postunterbeamten, der seine Tochter selbst zum Architekten Loos geführt hatte. Von diesen Aussagen hängt vieles ab. Die Verteidigung hofft, daß eine ruhige Einvernahme der Kinder, die bei der Polizei von der Gegenwart ihrer Mütter beeinflußt waren, die Wahrheit ans Tageslicht bringen werde.

Die heutige Sitzung der Ratskammer

Nach diesen Verhören setzt sich die Ratskammer zusammen, um über den Enthaftungsantrag der Verteidiger zu beraten. *Der Untersuchungsrichter wird in dieser Sitzung das ganze belastende Material unterbreiten und über seine Eindrücke, die er im Laufe der Verhöre, besonders mit den Kindern, erhalten hat, berichten.*

Im Enthaftungsantrag bietet die Verteidigung auch eine höhere Kaution für die Freilassung des Architekten an. Diese Kaution wird der Verhaftete, der vollkommen mittellos ist, nicht aufbringen können, sondern eine Anzahl von Freunden hat sich bereits im Laufe des gestrigen Tages bereiterklärt, die Kaution für ihn zu erlegen.

Sollte dem Enthaftungsantrag nicht entsprochen werden, so ist die Verteidigung entschlossen, gegen den Beschluß der Ratskammer an das Oberlandesgericht zu rekurrieren.

Adolf Loos

Zeichnung von *Carl Josef*

Und daß er auf die Zwetschkenknödel geschimpft hat, ist gar nix . . .?!

291

Architekt Loos verläßt das Graue Haus. Links: Adolf Loos, begleitet von seinen Rechtsanwälten Dr. Scheu und Dr. Stieglandt, verläßt das Landesgerichtsgebäude. – Mitte: Die erste Unterredung des Haftentlassenen mit seinen Freunden. – Rechts: Die beiden Rechtsfreunde des Architekten Loos auf dem Weg zum Gericht, um die Kaution zu erlegen (Photos Scazigino)

Die Stunde, Wien, 11. 9. 1927

Neue Freie Presse, Wien, 9. September 1928

Adolf Loos über seine Einstellung zu Künstlern und Kindern.
Ein Gespräch mit dem Architekten.

Im Laufe der Unterredung, die Adolf Loos nach seiner Enthaftung gestern mit einem unserer Mitarbeiter hatte, äußerte sich der Künstler wie folgt: »Die Untersuchungshaft war für mich anfangs begreiflicherweise sehr schwer zu ertragen. Aber mit der Zeit ist auch das leichter geworden. Sowohl bei der Polizei, als auch im Landesgericht wurde ich gut behandelt, und konnte mich davon überzeugen, wie gutmütig die Vollzugsorgane bei beiden Behörden sind. Der Gefangenhausdirektor stellte mir frei, mein eigenes Bettzeug zu benützen. Aber ich habe schon in schlechteren Betten geschlafen, als jenes war, das mir zur Verfügung gestellt wurde. Nur daß ich mich schon um 7 Uhr abends zur Ruhe begeben mußte, war mir etwas ungewohnt.

Die Bilder, die man bei mir gefunden hat und mit meiner gegenwärtigen Affäre in Zusammenhang bringen will, habe ich vor 15 Jahren von einem

292

Literaten, der damals gestorben ist und nicht gewünscht hat, daß man sie in seinem Nachlaß findet, in einem versiegelten Päckchen geschenkt bekommen. Ich möchte gleich betonen, daß Peter Altenberg, mit dessen Nachlaß ich überhaupt nichts zu tun hatte, dieser Literat nicht gewesen ist. Wenn ich wirklich Sammler von Bildern dieser Art wäre, so würde ich in den 15 Jahren neue Exemplare hinzugefügt haben. Das ist aber nicht der Fall, ich wußte gar nicht, wo das Paket liegt. Vielleicht war es ein Fehler von mir, die Bilder nicht verbrannt zu haben.

Was nun meinen angeblichen Anstand mit der Polizei im Prater betrifft, so muß ich mich dagegen verwahren, daß man behauptet, ich hätte mich an ein Kind »herangemacht«. Ich habe dem Kind, das mir durch sein bemitleidenswertes Aeußere aufgefallen ist, die Adresse einer hilfsbereiten Person auf meiner Visitenkarte gegeben. Mit dieser Visitenkarte ist die Mutter des Kindes zur Polizei gegangen, doch die Polizei hat damals erklärt, daß an der Sache gar nichts Bedenkliches ist. Und jetzt wurde diese alte Sache aufgegriffen und tendenziös entstellt wiedergegeben. *Kinder sind meiner Ueberzeugung nach dazu da, daß man ihnen hilft, wenn sie Hilfe brauchen.* Ich habe mich lange bemüht, eine Aktion einzuleiten, durch die es Proletarierkindern ermöglicht wird, nach Frankreich zu kommen und dort die rationelle Lebensart, die sparsame und doch so bekömmliche Ernährung der Franzosen kennenzulernen. Im Laufe eines Jahres hätte ich selbst 24 Kinder nach Paris bringen können, mein Beispiel wäre nachgeahmt worden und eine große Aktion im Interesse unserer Kleinen wäre zustande gekommen, die jetzt, wenn nicht für immer zerstört, so doch auf lange Zeit unmöglich gemacht worden ist.

So wie ich jederzeit bereit bin, für Kinder mit allem, was ich habe und was ich vermag, einzutreten, so habe ich es auch in Wien mit Künstlern getan, die heute Weltruhm genießen und die damals hier nicht ernst genommen worden sind. Kokoschka wurde, als ich ihn kennenlernte, dazu mißbraucht, Spielkarten und Fächer zu bemalen. Das war nichts anderes, als wenn man ein Rennpferd als Ackergaul gebrauchen wollte. Ich habe ihm die ersten Aufträge verschafft, immer unter der Garantie, sie selbst zu übernehmen, wenn der Besteller anderen Sinnes wird. So habe ich damals viele Bilder erworben, die ich heute an Galerien verkaufe.

Die ersten Schönberg-Konzerte habe ich finanziert. Damals durfte darüber nichts verlautbart werden, um den Künstler nicht zu kränken. Bei einem dieser Konzerte habe ich die Haftung in der Höhe von 4000 Goldkronen übernommen und diese Summe dann auch erlegen müssen. Für Altenberg bin ich öffentlich eingetreten, als man noch nicht ahnte, welch ein großer Dichter er war. Diese drei wirklich wertvollen Menschen habe ich davor bewahrt, verhungern zu müssen, und ich bin schließlich selber zum Bettler geworden, der heute nicht einmal Frau und Kind erhalten könnte. Nie hätte ich selbst über diese Sachen gesprochen, aber heute muß ich das alles erwähnen, um der Öffentlichkeit zu erklären, warum ich die Kaution, der ich meine Freiheit verdanke, von Freunden erbitten mußte.

293

Keine Bauaufträge in Wien.

Ich habe in Wien ein großes Haus gebaut und dann 18 Jahre lang nichts mehr. Man könne mir keine Aufträge erteilen, hieß es, denn wenn ich baue, ergeben sich Unannehmlichkeiten mit der Baubehörde. Nun, jedenfalls braucht man die Wohnungen, die ich eingerichtet habe, nicht 20 oder 30 Jahre später renovieren zu lassen. Ein Fabrikant, der eingesehen hat, was er durch die Qualität meiner Inneneinrichtung ersparte, hat mir 20 Jahre, nachdem ich ihm seine Wohnung entworfen und ausgeführt hatte, das Architektenhonorar noch einmal überwiesen und dies damit begründet, daß seine Freunde ihre Einrichtungen nach dieser Zeitspanne als unbrauchbar oder abgenützt hinauswerfen mußten. Ich bin mir bewußt, bleibende Werte und nicht Dekorationskitsch zu schaffen. Das ist aber keine private künstlerische Angelegenheit, sondern eine volkswirtschaftliche Frage erster Ordnung. In Österreich wurde und wird noch teilweise aus erstklassigem Material und mit erstklassigen Arbeitskräften für zwei oder drei Jahrzehnte gebaut. Das ist ebenso eine Verschwendung des Volksvermögens als die Art der Ernährung, die die kleinen Leute in Wien und Österreich bevorzugen. Was nützen alle Lohnerhöhungen, wenn die Arbeiter so viele Fleisch- und Mehlspeisportionen vertilgen, daß ihnen kaum Geld für ein reines Hemd und einen neuen Anzug bleibt.

Als ich in den schlimmsten Kriegs- und Nachkriegsjahren gefragt wurde, wie ich mit der Ernährung zurechtkomme, konnte ich immer antworten: »Ausgezeichnet!« Denn ich lebte von dem, was die Österreicher wegwarfen oder geringschätzten, wie Tomaten, Zwiebeln und die nicht alltäglichen Gemüse.

Obwohl ich bekanntlich nicht davor zurückschrecke, mich kritisch mit den Zuständen und Lebensgewohnheiten in diesem Lande auseinanderzusetzen, mache ich kein Hehl daraus, daß es mir immer eine große Freude bereitet, in Wien und in meinem hiesigen Heim zu weilen. Ich liebe meine Wohnung, die ich mir selbst gebaut habe, und da sie nebenbei so gut wie nichts an Miete kostet, habe ich sie auch behalten, als mich mein Beruf von Wien wegführte. Es war mir eine große Genugtuung, daß ich im Auslande viel höher gewertet und ungleich stärker beschäftigt worden bin als in Wien, in der Stadt meiner hitzigsten Kämpfe und gleichwohl meiner schönsten Jahre.«

Neue Freie Presse, Wien, 30. November 1928

Der geheime Prozeß gegen Adolf Loos
Neun Zeugen.

Die Affäre Loos, die Anfang September die Wiener Öffentlichkeit in hohem Maße erregte und in der Tagespresse vielfach besprochen und kommentiert worden ist, gelangt heute zur gerichtlichen Austragung. Ein Schöffensenat unter dem Vorsitze des Oberlandesgerichtsrates *Hellmer* wird über die Anklage der Staatsanwaltschaft, vertreten durch Staatsanwalt Doktor Scheiberth, zu entscheiden haben. Die Anklage gegen Loos lautet auf das *Verbrechen der vollbrachten und versuchten Schändung* sowie der vollbrachten und versuchten Verleitung zur Unzucht dreier Schulmädchen, und zwar der am 16. Juni 1919 gebornen Marie F., der am 23. August 1920 gebornen Erika P. und der am 25. Mai 1918 gebornen Ida F. Nach dem seinerzeit herausgegebenen Polizeibericht soll Loos die erstgenannten zwei Mädchen unzüchtig betastet und sie dann veranlaßt haben, als Zeichenmodell unzüchtige Stellungen einzunehmen.

Der Angeklagte Adolf *Loos* ist mit seinen drei Verteidigern Dr. Gustav *Scheu*, Dr. Hanns *Stieglandt* und Dr. Valentin *Rosenfeld* erschienen. Da Loos sehr schwerhörig ist, wird seine Einvernehmung mit Hilfe eines elektrischen Hörapparates, den Loos selbst mitgebracht hat, vorgenommen werden. Es sind *elf Zeugen* vorgeladen, unter ihnen die drei Mädchen, Polizeikommissar Dr. *Röder* und Dr. *Cadek* sowie der Arzt Erwin *Spiegel*, der eines der Mädchen untersucht hat. Im Schöffensenat befinden sich zwei ältere Frauen.

Nach Eröffnung der Verhandlung gibt Loos seine Personaldaten an. Er ist 57 Jahre alt, in Brünn geboren und dahin zuständig, römisch-katholischer Religion, geschieden. Der Vorsitzende sagt zu ihm: Achten Sie auf die Anklage und auf den Gang der Verhandlung und verantworten Sie sich der Wahrheit gemäß. Der Gerichtshof erwartet von Ihnen, daß Sie der Wahrheit die Ehre geben werden. Ja? – Der Angeklagte nickt und nimmt dann Platz.

Der Vorsitzende verkündet, daß das Verhör mit dem Angeklagten etwa bis Mittag dauern wird, worauf die Hauptbelastungszeugen, die zehnjährige Mitzi F. und deren Vater, zum Verhör gelangen. Alle übrigen Zeugen werden erst in der um 3 Uhr nachmittags beginnenden Verhandlung einvernommen werden.

Verteidiger Dr. *Rosenfeld* beantragt hierauf, die *Öffentlichkeit nur für einen Teil* der Verhandlung *auszuschließen*. Der Fall Loos sei in den Zeitungen auf Grund der Polizeiberichte ausführlich besprochen und vorwiegend seien die Beschuldigungen gegen Loos mitgeteilt worden. Es sei ein Gebot der Gerechtigkeit, nunmehr auch die Verteidigung des Angeklagten der Öffentlichkeit bekannt zu geben, denn es wäre geradezu grotesk, das alles, was vor der Verhandlung geschehen, veröffentlicht wurde, während nunmehr über gar nichts mehr eine Verlautbarung erfolgen dürfe. Das Urteil muß ohnehin in öffentlicher Gerichtssitzung mit der Begründung bekannt gegeben werden.

Der Gerichtshof beschließt jedoch, *die Öffentlichkeit für die ganze Dauer der Verhandlung auszuschließen.* Als Vertrauensmänner werden von der Verteidigung zwei Vertreter der Wiener Tagespresse und der Schriftsteller Dr. Raoul *Auernheimer* namhaft gemacht. Der Verhandlungssaal ist trotzdem dicht besetzt, da viele dienstfreie Richter und Rechtsanwälte, die nach den Bestimmungen der Strafprozeßordnung einer nicht öffentlichen Verhandlung beiwohnen dürfen, sich eingefunden haben.

Arbeiter-Zeitung, Wien, 1. Dezember 1928

Architekt Loos vor den Schöffen.

Vom Verbrechen der Schändung freigesprochen, wegen Verführung zur Unzucht verurteilt.

Die Verhandlung gegen *Adolf Loos* ist gestern zu Ende gegangen. Loos wurde von den Verbrechen der teils vollbrachten, teils versuchten *Schändung freigesprochen*, hingegen wegen *Verführung zur Unzucht von ihm anvertrauten Kindern bedingt zu vier Monaten Arrest verurteilt.* Die Verführung zur Unzucht hat das Gericht, wie aus der Urteilsbegründung hervorgeht, vor allem deshalb für erwiesen angenommen, weil *Zeichnungen* vorgefunden wurden, *die die Kinder in obszönen, unzüchtigen Stellungen* darstellen. Loos hatte die Anfertigung dieser Zeichnungen, wie man gleichfalls aus der Urteilsbegründung entnehmen kann, nicht bestritten.

Der Freispruch von den andern Delikten erfolgte, weil das Gericht den Kindern, die als Zeuginnen einvernommen wurden, keinen rechten Glauben schenkte.

In der *Urteilsbegründung* wird unter anderem gesagt:

Dem Angeklagten liegt zur Last, er habe den berufsmäßigen Modellsteher A. F. in der kritischen Zeit dazu veranlaßt, daß er ihm seine Tochter, die neunjährige M. F., in seine Wohnung oder in sein Atelier bringt, damit er sie zeichnen könne, und allenfalls auch noch andre Kinder im Alter von elf bis dreizehn Jahren. In der Folge hat dieser Modellsteher sein Kind in die Wohnung des Angeklagten gebracht und in rascher Aufeinanderfolge kam dann ebenfalls, von diesem Manne begleitet, ein *zweites* und *ein drittes Mädchen* hinauf und ein und das andere Mal kam eines dieser Kinder auch *ohne Begleitung* hinauf. Diese Kinder wurden nach der Modellstunde größtenteils von einer erwachsenen Person abgeholt. Nach diesen Umständen meint der Gerichtshof, daß diese Kinder als dem Angeklagten *zur Aufsicht anvertraut* zu gelten haben.

Diese dem Angeklagten anvertrauten Kinder wurden dann in der Folge bei wiederholten Besuchen gezeichnet. Sie standen *Aktmodell, vielfach, um nicht zu sagen ausschließlich, in ausgesprochen unzüchtigen Stellungen,* die die Kinder, wie der Gerichtshof angenommen hat, entweder auf Befehl des Angeklagten oder von selbst eingenommen und beibehalten haben, damit er die Zeichnungen anfertigen könne, wie sie sich in dem *Skizzenbuch, das dem Gerichtshof vorlag,* vorfinden. Hier hat der Gerichtshof eine weitgehende Übereinstimmung zwischen den Angaben der Mädchen, dem Zugeständnis des Angeklagten und dem förmlich einen *Urkundenbeweis* bildenden Skizzenbuch festgestellt.

Diese Skizzen dürfen vom Gerichtshof aus nicht auf ihren *künstlerischen* Wert oder Unwert geprüft werden. Es genügt für die Beurteilung dieses Straffalles, daß sie jedenfalls *ganz augenfällig* und *ganz unbestreitbar Unzüchtigkeiten, unzüchtige Positionen darstellen.* In diesem Sachverhalt hat der Gerichtshof den *Tatbestand der Verführung zur Unzucht* als gegeben erachtet.

In den übrigen Anklagepunkten wie Schändung und der durch diesen Schändungsakt begangenen Verleitung zur Unzucht hat der Gerichtshof einen *Freispruch* gefällt, weil der Angeklagte hier ganz *entschieden und nicht unglaubhaft bestritten* hat, daß die Aussagen der drei Mädchen der Wahrheit entsprechen. Bei den Erhebungen über die *Glaubhaftigkeit der Aussagen der Mädchen* und im Hinblick auf das von den Gerichtspsychiatern über diese Jugendlichen abgegebene *Gutachten* hat sich der Gerichtshof nicht genug sicher gefühlt, den Sachverhalt so anzunehmen, wie ihn die Anklage darstellt.

Bei der Strafbemessung hat der Gerichtshof von dem *außerordentlichen Milderungsrecht* Gebrauch gemacht. Der Gerichtshof hat aber noch ein übriges getan und hat auch das Gesetz über die *bedingte Verurteilung* angewendet, weil er die Überzeugung hegt und der sicheren Erwartung ist, daß der Angeklagte nach allem, was über ihn bekannt ist, auch eine Androhung der Strafe sicherlich schmerzhaft genug empfinden und daß es keines Vollzuges der Strafe bedürfen wird, um ihn in Hinkunft von gleichen oder ähnlichen Übergriffen abzuhalten.

Die Verteidiger des Angeklagten und der Staatsanwalt hielten sich zur Ergreifung eines Rechtsmittels *Bedenkzeit* offen.

Der Tag, Wien, 4. Dezember 1928

Dr. Gustav Scheu über den Prozeß Loos.

Rechtsanwalt Dr. Gustav *Scheu* empfängt Sonntag nachmittags in seiner Hietzinger Villa. Einer Villa, mit harter, eckiger, schmuckloser Fassade, mit einem warmen gemütlich-eleganten Interieur. Ein Loos-Haus; eines jener vieldiskutierten Loos-Häuser, die eine Revolution in der Geschichte des Baustils eingeleitet haben.

»Ich habe,« erklärt Dr. Gustav Scheu, »in diesen zwei Prozeßtagen als Verteidiger des Architekten Loos einen kleinen Teil meiner Dankesschuld, die ich ihm als Erbauer dieses Hauses schulde, zurückzahlen können und bin glücklich darüber. Adolf Loos ist von einer sehr schweren Anklage freigesprochen worden. Da das Urteil noch nicht rechtskräftig ist, kann ich mich nicht darüber äußern; auch über jenen Teil nicht, durch den mein Klient, wenn auch bedingt, verurteilt wurde. Aber gewisse Tatsachen kann

Verurteilung vom 23. Juli 1920 St.g.Bl. Nr. 373 wird die Strafe
vorläufig nicht vollzogen, haben die mit der Verurteilung ver-
bundenen Rechtsfolgen vorläufig nicht einzutreten und wird dem
Verurteilten eine Probezeit von drei Jahren bestimmt.

G r ü n d e !:

Der Angeklagte bestreitet, die Mädchen geschlechtlich miss-
braucht zu haben und wird dessen durch die Ergebnisse des Be-
weisverfahrens nicht überwiesen. Die Aussage der Mädchen eignet
sich hiezu nicht; denn es kann zumindeste nicht ausgeschlossen
werden, dass sie über die erotische Situation in die sie als
Aktmodelle gerieten, spielerisch übertreibend berichten, zumal
die Fiedler, die die andern zu führen scheint, nach dem Gutachten der Jugendpsychiater, aber auch nach der Aussage der
Eltern eine geradezu krankhafte Neigung besitzt, Wahrheit und
Wirklichkeit zu verdrehen. Der Angeklagte ist daher von der Anklage wegen Schändung freigesprochen worden, folgerecht auch
von der Anklage wegen Verführung zur Unzucht, soferne er die
Mädchen verleitet haben sollm die von ihnen behaupteten Schän-
dungshandlungen zu dulden.

Dagegen steht verlässlich genug fest, dass er
die Mädchen zu sonstiger Unzucht verführt hat, indem er sie ver-
anlasste, gewisse Stellungen einzunehmen und sich in ihnen
zeichnen zu lassen. Das Skizzenbuch, das er dabei benützte, liegt
vor und damit der sichtbare Beweis, dass diese Stellungen fast
ausnahmslos grob unzüchtiger Art gewesen sind. Die Absicht,
in der sie gewählt wurden, ist unverkennbar bei allen dieselbe:
die Geschlechtsteile der Mädchen zur Schau zu stellen. Ein
Blatt zeigt gar zwei der Mädchen in einer Gruppe, die dadurch
gebildet wird, dass jedes seinen Kopf zwischen die Beine des

Der Loos-Prozeß: das Urteil (Auszug)

ich, ohne gegen das gesetzliche Verbot vor der Wiedergabe von geheimen
Verhandlungen zu verstoßen, doch erörtern. Vor allem den Ausschluß der
Öffentlichkeit. Es ist ja klar, daß diese Maßnahme ergriffen werden mußte,

weil viele Dinge erörtert wurden, die bestimmt nicht zur Publikation geeignet sind. Aber Loos selbst und mit ihm auch seine Verteidigung hat den Ausschluß der Öffentlichkeit sehr schwer empfunden, da die Beschuldigungen gegen ihn ja in breitestem Licht der Öffentlichkeit vorgebracht wurden und weil schon damals der Verteidigung mit Rücksicht auf das Prozeßinteresse die größte Reserve zur Pflicht gemacht war. Es sind, als Loos verhaftet wurde, über ihn Mitteilungen gebracht worden, die als verleumderische Entstellungen der damals in den Akten niedergelegten Behauptungen – ob diese jetzt wahr oder nicht wahr sein mögen – erklärt werden müssen. Den Ursprung dieser Unwahrheiten, die weder durch die Erhebungen der Polizei, noch durch irgend welche Äußerungen beteiligter Personen gedeckt waren, aufzuklären, wäre eine wichtige Aufgabe. Um so mehr, als ja schließlich jedermann in eine Situation kommen kann, daß er von Kindern beschuldigt wird, und schon mit der Widerlegung dieser Beschuldigungen genug zu tun hat. Wie erst dann, wenn diese Beschuldigungen in maßlos vergröberter entstellter Form in die Öffentlichkeit gebracht werden?

Der Kampf zwischen einem erwachsenen Beschuldigten und einem Kind oder auch mehreren Kindern als Zeugen ist immer ein sehr ungleicher. Es widerstrebt jedem, ein Kind als Zeugen so zu behandeln wie einen erwachsenen Zeugen; alle Argumente, die gegen einen erwachsenen Zeugen vorgebracht werden können, versagen gegenüber einem Kind. Abweichungen in der Darstellung von früheren Aussagen desselben Kindes werden nicht nur vom Staatsanwalt, sondern auch von der Verteidigung als selbstverständlich empfunden. Das Verantwortlichkeitsgefühl, an das man beim erwachsenen Zeugen appellieren kann, versagt bei einem acht- oder neunjährigen Kind ebenso wie die sonst über dem Zeugen wegen unwahrer Aussage schwebende Strafdrohung. Die Phantasie schon des normalen Kindes arbeitet in reichstem Maße. Ernst und Spiel, Phantasie und Wirklichkeit vermengen sich so in seiner Vorstellung, daß weder das Kind selbst, noch die Erwachsenen, die seine Aussage überprüfen, imstande sind, die Grenzen zwischen Wirklichkeit und Erfindung zu ziehen. Darum verbietet zum Beispiel das schwedische Gesetz überhaupt, Kinder unter 16 Jahren als Zeugen zu vernehmen.

Besonders gefährdet ist die Wahrheitsliebe des Kindes bei Vorfällen, die von dem Kind als »erotische Situationen« empfunden werden. Vielfach besteht beim Kind die Tendenz, Situationen nachträglich zu erotisieren oder sexualisieren, wie William *Stern,* der bekannte deutsche Aussagenpsychologe, sagt. Am allergefährlichsten aber wird die Situation dann für den Beschuldigten, wenn solche Kinder selbst schon erotische oder gar sexuelle Situationen in anderer Umgebung mitangesehen oder – und dies ist das fürchterlichste – vielleicht selbst schon erlebt haben. Man braucht nur festzustellen, wie das Milieu eines solchen Kindes beschaffen ist, das als Zeuge befragt wird.

Es war eine dankenswerte Vorbereitung des Prozesses Loos, daß das häusliche Milieu der als Zeugen in Betracht kommenden Kinder von den Organen der Jugendgerichtshilfe festgestellt wurde. Diese Jugendgerichtshilfe, die, nebenbei bemerkt, trotz ihrer segensreichen Wirksamkeit und trotz ihrer Unentbehrlichkeit für die Strafrechtspflege gerade in solchen Fällen immer mit den größten Schwierigkeiten zu kämpfen hat, weil sie in dem ganzen Organismus der Strafrechtspflege nicht entsprechend vorgesehen ist, hat sich in dem vorliegenden Falle vorzüglich bewährt. Die Aufdeckung der entsetzlichen Wohnungsverhältnisse, in denen diese Kinder leben, Wohnungsverhältnisse, die einen Goya zum Illustrator fordern, war allein schon ein wichtiger Behelf der Verteidigung. Es ist ein tragisches Schicksal von Adolf Loos, daß gerade er, der als ein Vorkämpfer der Dreischlafzimmerwohnung anzusehen ist, durch die Beschuldigungen von Kindern aus dem Elendsmilieu in diese Anklage verstrickt wurde. Als Chefarchitekt des Siedlungswesens von Wien berufen, stellte Loos bekanntlich die Forderung auf, daß jede Wohnung drei Schlafräume enthalten solle: einen für die Eltern und je einen für die Knaben und Mädchen der Familie. Statt dessen finden wir die Familie eines dieser Kinder-Zeugen, aus sieben Köpfen bestehend und noch mit einem Bettgeher belastet, in Zimmer, Kabinett und Küche untergebracht; das andere Kind in einer Souterrainwohnung, bestehend aus Zimmer, Kabinett und Küche, wobei noch ein Wohnraum an einen Untermieter vermietet ist. Es ist, als ob die Niedrighaltung der Mietzinse ganz wirkungslos auf diese Wohnungsverhältnisse geblieben wäre. Untermieter und Bettgeher stellen noch immer die alte Belastung der Proletarierwohnung dar.

Loos dürfte, sobald er hier seine künstlerischen Aufgaben als Architekt, an denen er gerade arbeitete, abgeschlossen hat, wieder nach Paris gehen, wo seiner große Aufgaben harren.

Auch für ihn gilt der alte Satz, den besonders jeder Österreicher – und Loos ist ja als geborener Brünner ein Alt-Österreicher – sich ins Herz schreiben sollte: Nemo propheta in patria.

Würdigungen zu Loos' 60. Geburtstag.

Wiener Allgemeine Zeitung, 11. Dezember 1930

Alfred Polgar über Adolf Loos

Aus der Festschrift »Adolf Loos«, die zum heutigen 60. Geburtstag des Künstlers im Verlag Lanyi, Wien, erscheint.
»Allen Anschauungen und Theorien des Adolf Loos liegt der einfach genialische, der genialisch einfache Gedanke zugrunde, daß nicht schön sein kann, was nicht wahr ist. Loos' Ästhetik ist auf die Welt der Sachen angewandte Ethik. Für Ornament dürfen wir setzen: Schwindel, für das Material, das ein anderes zu sein vortäuscht, Lüge, der Sessel, in dem man nicht ordentlich sitzen kann, ist unsittlich, und die Vermanschung von

Adolf Loos
Gezeichnet von Oskar Kokoschka

Kunst und Handwerk eine große Gemeinheit. Wenn Loos die Welt »einrichten« dürfte, befänden sich die Dinge in einem Zustand, in dem der Mensch sich befindet, wenn er ein gutes Gewissen hat. Aber er darf die Welt nicht einrichten und auch nur höchst selten ein Haus oder einen Laden, denn er ist den Zeitgenossen nicht geheuer. Er hat zuviel auf dem, bei ihm sicher schön gemaserten Kerbholz, besonders dieses, daß er mit seinen revolutionären Ansichten über Kunst, Handwerk, Mode, Lebensstil, die er schon vor dreißig Jahren verfocht, auf der ganzen Linie Recht behalten hat. Nur zu seiner Lästerung der Wiener Küche darf man sagen: hier irrt Loos. Er geht fehl mit seiner Behauptung, die Zwetschkenknödel seien Schuld an dem schweren Geist des wienerischen Menschen, denn der Geist ist es, der sich die Zwetschkenknödel baut, und nicht umgekehrt.«

An Adolf Loos, unseren Lehrer!
Zum 60. Geburtstag

»Ich kam als junger Mensch mit »Reifeprüfung« und Hochschulstudentendünkel zu Ihnen ins Seminar. Was Sie sagten, übte einen herben Reiz auf mich aus, war für meine Eitelkeit aber sehr schmerzlich. Wie, ich *sollte der Künstlerkrawatte und dem Samtrock abschwören und Handwerker werden? Die Titelfrage belangslos?* In der ersten Stunde sagten Sie uns das alles und so mancher von uns war innerlich empört. Auf die zweite Seminarstunde freute ich mich bereits insgeheim und am Ende dieses Vortrages war ich schon einer der Ihren. Wie Schuppen fiel es mir von den Augen. Ich fühlte

301

wie Peter Altenberg: »*Man kann nur das lernen, was man ohnehin tiefin-nerlich ahnt.*« Und alles, was ich ahnte, ohne es zu wissen, sprachen Sie klar aus.

Durch Sie lernten wir große Männer kennen und lieben: Karl Kraus, Peter Altenberg, Arnold Schönberg, Oskar Kokoschka. Wie sprachen Sie zu uns am Tage, da man Peter Altenberg zu Grabe trug. Die damals aus dem Gedächtnis zitierten Peter-Altenberg-Herrlichkeiten bleiben mir unvergeß-lich. Sie sprachen über Ihre Erlebnisse und das Leben in Amerika, über Kunst und Handwerk, über Keramik (es war das Spannendste, das ich je gehört habe), über den Sattlermeister, über Sparsamkeit, Wohnbau, Hotel-Theaterbau, Restaurants, über Holz, Metall, Marmor, über Farbe, über das Material, das eine Gabe Gottes ist. *Zu Hause aber gab es Sturm gegen alles Spießbürgerliche. Bei meiner ersten Exkursion in eine von Ihnen eingerich-tete Wohnung war ich erschüttert*, ich sah, wie das vom Ornament befreite Material dem Schöpfer durch Schönheit dankte. In einer Stunde bei Ihnen lernten wir fürs Leben mehr als in einem Jahrgang der Technischen Hoch-schule. Ihre Kritik, oft nur ein leiser Pfiff, war grausam beklemmend. Da nahm man sich lieber fest zusammen und kam nach Monaten mit einem neuen Projekt wieder. Sie verstanden es dann, wenn es Ihnen gefiel, es so pädagogisch zu loben, daß man Mut zu sich selbst bekam. Einen getadelten Fehler beging man nie mehr wieder. Sie gaben uns die Basis für unsere Arbeit, indem Sie über alle Kulturfragen des modernen Lebens sprachen. Sie duldeten keine falsche Originalität. Wir hatten Weltbürger zu sein. Sie anerkannten niemals mehrere Lösungen, immer nur eine: die beste. *Bei einer internen Konkurrenz Ihre Anerkennung zu finden, war die größte Ehre und Genugtuung, die es geben konnte.* Dabei waren Sie immer unser lieber Freund und der Jüngste von uns allen. Lehrer und Schüler? Das empfanden wir nicht. Wir gehörten zusammen. Und jetzt sollen wir Ihnen danken! Wie können wir das durch Worte? In geringem Maße nur dadurch, daß wir als Architekten Ihrem Namen keine Unehre bereiten!«

Heinrich Kulka

Der Mensch Adolf Loos

Anekdoten um Loos

Eine Frau fragte einmal: »Warum ich Loos bewundere? Er spricht mit einer Gräfin und mit einer Garderobefrau auf dem Graben in ganz gleicher Weise.«

Freunde dieser Frau in Paris haben einen Kater, den nennen Sie »Loos«, weil er elegant, nobel, weise und voll Weltverachtung ist.

Loos jagte zwei Tage hinter einem verlorenen Hündchen her. – Schickte alle Kinder, die er traf, in eine befreundete Schule. – Fand eines Tages, als er im Apollotheater war, daß eine Choristin schwindsüchtig aussehe. Er brachte sie um Mitternacht zu einer Freundin, um ihr sofort einen Platz in Alland zu sichern.

Loos beim Militär: Er meldet sich als Kriegsfreiwilliger, kommt ganz ernsthaft und sagt: »Bitte nehmen Sie mich zur Artillerie. Ich habe gehört, bei Ihnen wird man taub. Ich bin es schon. Da haben Sie eine fertige Sache.« Peter Altenberg sagte zu einer Freundin von A. L.: »Verkehren Sie nicht so viel mit ihm! Er macht jede Frau klug.«

Kokoschka sagt: Das war dumm, daß Gott Loos am sechsten Tag nicht um Rat gefragt hat. Er hätte ihn mit tödlichem Ernst auf alle Konstruktionsfehler aufmerksam gemacht.

Loos wird bei einer Bilderausstellung in Paris um sein Urteil gefragt. »Den armen Malern werde ich meine Meinung sagen, denn die tun mir leid, aber der Kerl, dem das schöne Auto gehört, der soll ruhig weiter klexen, dem sage ich nichts.«

Loos: »Ordinär ist das, was die ordinären Leute für fein halten.«

Loos: »Was dem ordinären Mann nicht gefällt, ist schön.«

Loos hatte während des Krieges als Oberleutnant in der Kaserne von St. Pölten die Zimmer zu inspizieren. Da bemerkte er, daß die Soldaten die Schuhe in eine Linie aufgestellt und die Schuhbänder parallel zueinander nach vorne gelegt hatten. Loos fragte: »Der Rhythmus und die Exaktheit sind die einzige Schönheit, die sich die ganz armen Leute noch erlauben können.«

Loos trifft Karin Michaelis auf dem Semmering. Sie hat keinen Sporthut, sondern ihren Stadthut auf. Er zieht sie in den nächsten Laden und kauft ihr einen Hut. »Ich kann eine so brave und talentierte Frau sich nicht blamieren lassen.«

Loos schrieb unter die Reproduktion seines Kokoschkaporträts: »Dieses Bild ist ähnlicher als ich selbst.«

Loos: »Die Mittelmächte haben den Weltkrieg verloren, weil es bei ihnen noch Zugstiefeletten gab. Bei der Entente gibt es nur noch Wickelgamaschen.«

Loos saß mit Freunden bei Tische. Eine Amerikanerin aus Washington rief ihm ins Ohr »Wie beklage ich Sie, Herr Architekt, daß Sie die geistreichen Gespräche, die hier geführt werden, nicht hören können.« Loos: »Sie hören ja auch nicht, was derzeit in Amerika, Australien und Asien gesprochen wird.«

Loos richtete in Paris das Herrenmodegeschäft Kniže ein. Er konnte damals zwar alles Eßbare in fließendem Französisch bestellen, sonst aber kein Wort sagen. Ein Arbeiter, der bei der Einrichtung mitmontierte und auf Loos' mündliche Angaben angewiesen war, wurde gefragt, wie er denn Loos verstehen könne. Er antwortete: »C'est plus facile qu'avec les autres architectes. Lui, il sait ce qu'il veut.«

Als Loos in einem Vortrag sagte, die Wiener Werkstätte sei eine krankhafte Erscheinung der jüdischen Dekadenz, und ihm entgegengehalten wurde, daß der leitende Künstler der Wiener Werkstätte ein Arier sei, antwortete er: »Der Schames (Tempeldiener) ist immer ein Goi.«

»Ein ekelhafter Mensch«, sagt Loos, »ihm schmeckt ein Sandwich nur, wenn es aussieht wie eine Landkarte.«

Loos: Mit Menschen, die sich an hors d'oeuvres au prix fix sattessen, kann man nicht verkehren.

Adolf Loos trifft bei Goldman und Salatsch einen prominenten Wiener Architekten. Er sagt zu ihm: »Welche Krawatte finden Sie am geschmacklosesten?« Dieser bezeichnet eine. Darauf sagt Loos zu dem Verkäufer: »So, die packen Sie mir ein, die werde ich tragen.«

In Paris: Loos, der nach dem Essen mit einem Stückchen Brot seinen Teller auswischt, sagt: »Dieses Stückchen Brot ist die Grundlage für die französische Kultur. Würde der Franzose nicht nach jedem Gang seinen Teller mit diesem Brot in der Hand auswischen, könnte er nicht fünf Gänge essen, denn er hätte nicht genügend Teller und die Frau nicht genügend Zeit, sie zu waschen.«

Das Bild der Woche
Architekt Adolf Loos †

„Dieſes langweilige Barock hier muß natürlich verſchwinden!"

Der Morgen, Wien, 23. August 1933

Grabrede
Von Nepos

Die ältere Frau (in der Straßenbahn zur jüngeren): Was sagst du, der Loos ist gestorben!

Die Jüngere (voll Mitgefühl): Der Arme, hat er sich doch umgebracht! Sie hätten ihn aber doch wirklich ans Burgtheater zurücknehmen können!

Die Ältere: Aber du verwechselst ihn doch. Das war doch der verrückte Baumeister!

Die Jüngere: Verrückter Baumeister? Kenn' ich nicht!

Die Ältere: Ja, hast denn du noch nie das Haus ohne Augenbrauen gesehen?

Die Jüngere: Nein! Aber »Haus ohne Augenbrauen« ist doch sehr interessant! Wo ist denn das?

Die Ältere: Ja bist du denn noch nie auf dem Michaelerplatz gewesen?

Die Jüngere: Dort, wo das Ringlespiel für die Auto ist?

Die Ältere: Dort steht das Haus ohne Augenbrauen!

Die Jüngere: So, welches denn?

Die Ältere: Das, wo der Goldman und Salatsch drin ist!

Die Jüngere: Das? Aber an dem ist mir nichts Besonderes aufgefallen? Wieso ist das ein Haus ohne Augenbrauen?

Die Ältere: Na hörst du? Das ist doch ganz nackt, das Haus. Wie's der Kaiser Franz Josef zum erstenmal gesehen hat, ist er sofort in die Burg übersiedelt, so empört war er. Und schließlich hat man Blumen in die Fenster gestellt, damit's nicht so grauslich ausschaut. Daß dir das noch nicht aufgefallen ist?

Die Jüngere: Nein. Ich finde, es ist ein Haus wie jedes andere. Doch: jetzt erinnere ich mich: etwas ist mir an diesem Haus aufgefallen, nur hab ich bis heute nicht gewußt, was? Jetzt weiß ich es: daß eben nichts Auffallendes an ihm zu sehen ist!

Die Ältere: Du kannst dir nicht vorstellen, was das damals für ein Aufsehen in Wien war. Der Loos hat sich übrigens noch mit einem anderen Narren zusammengetan. Der hat Altenberg geheißen oder so wie.

Die Jüngere: Peter Altenberg, das war doch ein Dichter, ich glaube, ich habe etwas sehr Schönes von ihm gelesen.

Die Ältere: Möglich! Ich weiß nur, daß er verrückt war und daß ihm die Kinder nachgelaufen sind. Und die . . . na, du weißt schon . . .

Die Jüngere: Die Prostituierten . . . das muß heute auch ein trauriger Beruf sein.

Die Ältere: Ich weiß nicht, wie du sprichst. Glücklicherweise seid ihr Jungen nur mit dem Schnabel so frech. Daran sind solche »Erzieher« wie der Herr Altenberg und wie der Loos schuld. Er soll auch ein freches Buch geschrieben haben. »Wahnsinn und Verbrechen« oder so wie.

Die Jüngere: Du meinst Lombroso.

Die Ältere: Nein, in der Zeitung steht's: »Ornament und Verbrechen«. Mein seliger Papa war Baumeister. Ich glaub', damals hat ihn der Schlag gerührt, wie dieses Buch herausgekommen ist.

Die Jüngere: Mir gefällt aber das Haus ohne Augenbrauen und soviel ich weiß, baut man heute in der ganzen Welt so.

Die Ältere: In Wien Gott sei Dank nicht. Nicht einmal die Roten haben ihm seine verrückten Häuser bauen lassen. Mir hat er nie gefallen. Aber ganz durchschaut habe ich ihn, als er einmal einen Vortrag über die Wiener Küche gehalten hat. Denk' dir, er hat gesagt: am dümmsten, unvernünftigsten, am unhygienischsten, am teuersten und am ungesündesten von allen Nationen kocht der Wiener. Und was er erst über die Knödel gesagt hat.

Der Knödel, hat er gesagt, ist eine sexualpathologische Angelegenheit, die Wiener Männer fressen so gerne Knödel, weil die Frau den Schweißgeruch der Hand auf den Knödel überträgt.

Die Jüngere: Brrr, so ein Schwein. Aber apropos Knödel: Mein Mann hat mir gesagt, daß er bei dir einmal so fabelhafte Marillenknödel bekommen hat. Wie machst du sie denn?

Die Ältere: Meine Marillenknödel, unberufen, macht mir niemand nach. Aber dir will ich's verraten: man nimmt einen halben Kilo Mehl, rührt ihn in einem halben Liter Milch, läßt Butter zergehen ...

Von Loos, dem Streiter und Kulturmenschen, ist weiterhin nicht mehr die Rede.

Wiener Allgemeine Zeitung, 25. Oktober 1933

Adolf Loos' Grabinschrift:

»Der die Menschheit von unnützer Arbeit befreite«
Oskar Kokoschka über den »Maurergehilfen«

Im kleinen Musikvereinssaal findet am kommenden Donnerstag die große Gedächtnisfeier für Adolf Loos statt, die der Österreichische Werkbund veranstaltet. Neben dem Architekten Professor Josef *Frank,* der einen Vortrag über Adolf Loos und die Zukunft hält, und neben Hans *Schweikart* vom Deutschen Volkstheater, der aus Schriften von Loos liest, spricht bei diesem Anlaß auch der bekannte Maler *Oskar Kokoschka.* Anschließend an die Vorträge und Vorlesungen stehen musikalische Darbietungen auf dem Programm.

Oskar Kokoschka der durch zahlreiche persönliche Bindungen Adolf Loos sehr nahestand, erzählt in einem Gespräch über den großen Toten:

Die Weggefährten von Adolf Loos haben mich gerufen, damit ich über ihn im Werkbund spreche. Für uns sind die wenigen schriftstellerischen Arbeiten von Loos, *»Ins Leere gesprochen«,* die Zeitschrift für Wiedereinführung abendländischer Kultur in Österreich, *»Ornament und Verbrechen«, »Die moderne Siedlung«* zum klassischen Ausdruck seiner großen und bahnbrechenden Persönlichkeit geworden. Wir wissen, daß er für uns das erste Haus mit Flachdach, das erste Terrassenhaus, das erste Haus mit Raumplan entworfen hat und daß diese Häuser – es sind leider nur wenige – zum *Modell für die ganze Welt* geworden sind. Aber man hat – natürlich – verschwiegen, daß Adolf Loos der Urheber dieser Bauart war, die uns heute allen geläufig ist.

Michaeler-Haus wird ein Wahrzeichen Wiens

Der Grundsatz, aus dem er schuf, lautete: »*Es ist der Geist, der sich den Körper baut.*« Mit diesem Grundsatz hat er fanatisch gegen die öffentliche

Meinung gekämpft. Am deutlichsten wird die Tragödie dieses Kampfes anläßlich der Erbauung des Hauses am *Michaelerplatz*, als die Behörde ihn zwang, die Baueinstellung zu verfügen, weil er sich weigerte, die Fassade des Hauses mit Ornamenten zu bekleben.

Dieses Haus am Michaelerplatz wird einst ein Wahrzeichen für Wien sein, wie es heute etwa der »Stock im Eisen« ist. Die breite Öffentlichkeit weiß heute nicht mehr, warum der »Stock im Eisen« für unsere Stadt ein Wahrzeichen ist – warum das Haus am Michaelerplatz ein Wahrzeichen sein wird, wissen wir noch nicht.

Außen hui – innen pfui

Adolf Loos wollte seinen Zeitgenossen wieder das lehren, was die Menschen seit der Steinzeit verstanden haben, aber zu seiner Zeit vergessen hatten: sich ein Obdach schaffen. Die Zeitgenossen von Adolf Loos haben das bauliche Bild Wiens, das auf eine tausendjährige Kultur zurückreicht, in wenigen Jahren plötzlich schrecklich verwandelt. Ohne eigenen Stil, kopierten sie im Rathaus die Gotik, in Kirchenbauten das Romanische und im Parlament das Griechische, während sie die Stadtbahn sezessionistisch anlegten. Loos wunderte sich immer, daß ein so reichbegabtes Volk wie die Österreicher und die Wiener plötzlich so voll *Unsicherheit, Unselbständigkeit und Unwahrhaftigkeit* sein konnten. Einer seiner beliebten Aussprüche war: »Außen hui – innen pfui«. Er wollte die Wiener wieder wohnen lehren und dazu gehörte, daß sie auch wieder essen, gehen, stehen, sitzen lernten.

Kein Diplom – nur ein Maurerfreibrief

Er erkannte die Notwendigkeit einer neuen Handwerkskultur. Er nahm den Spenglern, Schlossern, Glasern und all den anderen Handwerkern ihre Vorlagen und gipsernen Modelle weg und erzog sie zur *Selbstkritik*. Freilich, als öffentlicher Lehrer hat Loos niemals ein Amt bekleidet, er wurde nie vom Staat besoldet und er erwarb auch *nie den Titel eines Professors*. Ein Freibrief als Maurer, den er in Amerika bekommen hatte, genügte vollkommen.

Er mußte erst sechzig Jahre alt werden, bevor man ihm in Österreich und Deutschland Ausstellungen widmete. So lange mußte er auf seine Anerkennung warten!

Auf seinen Grabstein ließ er die Worte setzen: »*Adolf Loos, der die Menschheit von unnützer Arbeit befreite.*«

Vom Standpunkt des Künstlers ist aus dem Leben Adolf Loos' nur eine Konsequenz zu ziehen: Da Österreich nach dem Umsturz nur die Kunst als Weltprestige und wahren Wert vor der Kultur der Menschheit aus der Vergangenheit herübergerettet hat, muß die Jugend von heute zu einem verantwortungsbewußteren Leben in künstlerischem Sinne herangezogen werden, als unsere Väter es führten, die das Erbe verbraucht und das neue Schaffen gehaßt haben.«
ro

Der Morgen, Wien, 6. November 1933

Unter den Anwesenden fehlten . . .

Die Feier, der der Werkbund zum Gedächtnis des im Sommer dahingegangenen Adolf Loos veranstaltet hat, war schon an und für sich, rein künstlerisch, eine ungewöhnliche und bemerkenswerte Veranstaltung. Es sprachen Oskar Kokoschka und Josef Frank, man hörte Musik von Arnold Schönberg und Anton Webern und zum Schluß hörte man Loos selbst, drei Kapitel aus seinen beiden Büchern. Das ergab zusammen einen Abend von hohem und gleichem geistigen Niveau, also etwas nicht gerade Alltägliches im heutigen Wien. Aber davon haben die Zeitungen schon berichtet.

Trotzdem sind sie am Wesentlichen vorübergegangen. Denn die außerordentliche Bedeutung dieses Abends liegt außerhalb seiner Darbietungen. Da war zunächst das Publikum. Es füllte den Saal, an der Kasse war keine Karte mehr zu haben, nicht wenige mußten umkehren oder sich einschleichen. Das war nun gewiß erfreulich. Denn daß bei irgendeiner Sensation – Theater, Musik oder Zirkus – der Rummel losgeht, die Häuser gestürmt und die tollsten Preise gezahlt werden, ist in unserer materiell so schwierig gewordenen Zeit höchstens verwunderlich. Daß aber bei einer Totenfeier, der Feier für einen großen, aber ganz und gar nicht populären Architekten, unter den heutigen ungeistigen Verhältnissen ein Saal voll aufmerksamer, ehrfürchtiger Menschen zustande kommt, ist fast wunderbar. Es könnte denen, die an dem Kulturwillen unserer Stadt fast verzweifeln, wieder Mut, wieder Glauben und für die Zukunft wieder Hoffnung geben, wenn . . .

Nun ja, das Publikum war da, ein ausgezeichnetes Publikum, nicht die Premierenjäger und Adabeis, sondern wirklich gebildete und interessierte Menschen. Auch die Jugend war da, junge Leute aus allen, nicht immer befreundeten Schulen und Lagern. Und das, dieses bummvolle Stehparterre, das von dem Hader der Erwachsenen nichts wissen will und sich mit seiner besseren, feurigen Einsicht allem Edlen, also auch dem Künstler Loos zuwendet, das war vielleicht das Schönste. Denn es zeigte wieder einmal, wie stark und rein – trotz aller Verwüstungen der Politik – der Idealismus der neuen Generation geblieben ist, wie unbeirrt durch die Streitfragen, die mit dem Tag vorübergehen, und im Grunde wie unbeirrbar.

Aber außer den Anwesenden gab es auch Abwesende. Und gerade sie müßten mit Namen genannt werden, wollte man den Abend nach seinem ganzen Sinn, also auch nach seiner tragischen Seite, beschreiben.

Solange Adolf Loos gelebt und gestritten hat, konnte man es immer noch verstehen, wenn der oder jener, der sich durch das scharfe Wesen des Künstlers in Person oder in seiner Anschauung getroffen fühlte, Veranstaltungen aus dem Wege ging, die mit Loos irgendwie zusammenhingen. Aber jetzt ist Loos tot, nur sein Werk lebt weiter. Es gibt genug Männer unter uns, die mit dem Manne nicht auskommen konnten, die aber den Geist, die Größe und die Tragweite seines Werkes mit stiller Bewunderung anerkennen mußten. Warum sind sie der Totenfeier ferngeblieben? Ferner gibt es unter den Architekten sehr viele – vielleicht ist es die Mehrheit –, welche die tiefdringende und allgemeine Befruchtung sehr gut kennen, die von der Lebensarbeit Loos' durch die Welt gegangen ist, und es gibt unter ihnen nicht wenige, die diese belebende Wirkung an sich selbst, an ihrer eigenen Arbeit erfahren haben. Wo waren sie am letzten Donnerstagabend? Dann gibt es eine Wissenschaft der Kunst, der heute in unserer Stadt überaus viele, vor allem jüngere Menschen nachgehen. Sie lernen Kunstgeschichte. Aber Loos, nein, das paßt ihnen nicht. Wie wollen sie einmal Kunst verstehen, wenn sie sich ihren lebendigen Kräften entziehen? Und endlich gibt es in dieser Stadt zahllose Freunde oder gar Träger der Kultur, Männer der verschiedensten Interessen und Berufe, doch alle dem Künstler, dessen Andenken da geehrt wurde, unsagbar verpflichtet. Denn er war ja ein Freund, ein Träger der Kultur, gleich stark durch seine Einsicht in den Wert der überlieferten Güter wie durch seine Fähigkeit, sie, wo es nötig war, zu verbessern. Was hat sie, die natürlichen Verbündeten des Verstorbenen, davon abgehalten, ihm ein letztes Mal ihren Dank abzustatten?

Woher alle diese Lücken in dem gedrängt vollen Saale?

Man wird nicht lange fragen müssen, die Beweggründe liegen auf der Hand. Von denen, die einfach aus Indolenz nicht gekommen waren, soll weiter nicht die Rede sein. Denn dieser Typ ist ja nicht neu. Wichtig allein sind die anderen, die mit ihrer Abwesenheit der Situation unserer Zeit, dem gefahrvollen Augenblick, in dem wir leben, bewußt oder nicht ihren Tribut entrichtet haben. Die grundsätzlichen Gegner des toten Künstlers mögen dabei aus dem Spiele bleiben. Nicht aber diejenigen, die unter den neuen Verhältnissen, des Kampfes müde, die Waffen für die Sache des Fortschrittes aus der Hand gegeben haben –, nicht diejenigen, die durch die Unklarheit der Lage weder ein noch aus wissen und am wenigsten diejenigen, die nur auf den Tag warten, um mit allem anderen modernen Kulturgerümpel auch Adolf Loos auf den Schutt zu werfen. Denn sie vor allem stellen heute bei Anlässen wie die Totenfeier für Loos die Kerntruppe der Abwesenden. Und sie sind es, die dann dem traurigen Fall die peinliche Seite geben.

Man wird auf sie ein nächstes Mal noch genauer zurückkommen müssen, wenn von Adolf Loos, dem großen Österreicher und Europäer die Rede sein wird, durch dessen Werk eine Lebensfrage der Kunst von heute – Heimat- oder Weltkunst? – aufs klarste beleuchtet, aufs reinste gelöst wird.

Max Eisler

Loos-Symposium in Buenos Aires, Jornadas de la Critica '81, 2.–6. November 1981, in Anwesenheit von Elsie Altmann-Loos.

Argentinisches Tageblatt, 14. November 1981

Symposium über Adolf Loos

Im Rahmen einer gegenwärtigen, von Adolf Opel und Marino Valdez gestalteten Adolf-Loos-Ausstellung in den Räumen des »CAYC« (Viamonte 452) fand dieser Tage ein Symposium über diesen bedeutendsten österreichischen Baumeister statt. Den Auftakt bildete – in deren Beisein – ein Dokumentarfilm über Elsie Altmann-Loos, Witwe und Universalerbin des großen Architekten, die seinerzeit als Tänzerin und *Bühnenkünstlerin, mit* Hauptrollen »Gräfin Mariza« und »Zirkusprinzessin«, sowie in *Granichstädtens »Orlow«,* Triumphe gefeiert hat und vor kurzem durch Verleihung des Großen Ehrenzeichens für Verdienste um die Republik Österreich geehrt wurde; dieser Streifen zeigte die Künstlerin – Autorin eines Buches betitelt »Adolf Loos, der Mensch – in Phasen ihrer Karriere sowie in der Jetztzeit, mit Aufnahmen von Wien, Buenos Aires, Tigre und dergleichen mehr; da dieser von Adolf Opel kreierte Film in der spanischen Synchronisierung nicht leicht verständlich war, schaltete man bald auf die klare deutsche Originalfassung um.

Anschließend sprach der aus Wien zu Gast gekommene Adolf Opel in spanischer Sprache über die Persönlichkeit des großen Baumeisters Adolf Loos, der nun endgültig und unwiderruflich den Rang eingenommen hat, der ihm schon zu Lebzeiten gebührt hätte: als einer der originellsten Reformatoren der Baukunst unseres Jahrhunderts anerkannt zu werden; doch auch über den eigentlichen Fachbereich hinaus erweist sich das Loos'sche Gedankengut plötzlich als von brennender Aktualität: als Vorkämpfer gegen das Überflüssige, gegen leeres Ornament und gegen das Klischee der Phrase stößt sein Wirken in alle Bereiche des praktischen Lebens vor. »Loos' Ästhetik ist auf die Welt der Sachen angewandte Ethik . . .« schrieb einst Alfred Polgar, und Oskar Kokoschka hielt die beiden Bücher Adolf Loos', »Ins Leere gesprochen« und »Trotzdem« für die klassischen Lesebücher unserer Zeit, die man in allen Schulen einführen sollte.

Zum Thema sprachen ferner, einleitend, Botschaftsrat Dr. Hans Brunmayr, sowie, später, der Kunstkritiker Martin Müller. Ein vom österreichischen Bundesministerium für Unterricht herausgegebener Film, betitelt »Ins Leere gesprochen«, zeigte sodann den großen Baumeister sowie zahlreiche der von ihm geschaffenen Werke, Gebäude und Innenräume, alle gemäß seiner Maximen des »Sachlichen Bauens«, der vollen Raumausnützung, und der Verzierungen, die nur durch Nutzanwendung Berechtigung haben; allen Wienern geläufig sind die *»Loos-Bar«,* die Geschäftslokale der bekannten Firmen »Knize« sowie »Goldman & Sallatsch«, und vor allem das auf dem Michaelerplatz exponiert stehende »Loos-Haus«, dessen schmucklose, quadratische Fenster von Loos' Gegnern als »Kanalgitterbau« be-

311

zeichnet wurden; denn wie viele große Männer hatte sich auch Loos schwer durchgesetzt, nachdem er sich anfangs als Opernstatist und Tellerwäscher den Lebensunterhalt verdienen mußte.

Das Symposium schloß mit einem Vortrag der – gleichfalls ad hoc nach Argentinien gekommenen – Architektin Ilse Henning, die in extenso über ihre seinerzeitige Mitarbeit mit Loos berichtete. Es fehlt uns hier der Raum, näher darauf einzugehen; soviel sei gesagt, daß der kränkliche, stark schwerhörige Meister – Vorläufer von Gropius, Le Corbusier und anderen – um seine Anerkennung ringen mußte, bis er, heute in aller Welt hochgeschätzt, seinen Ehrenplatz in der Geschichte der Baukunst – und sein Ehrengrab der Stadt Wien – erringen konnte. Als Groteske sei erwähnt, daß Loos den damals noch kaum bekannten Maler Kokoschka sehr schätzte, und daß er viele seiner Kunden überredete, Bilder dieses Künstlers in ihren Wohnungen anzubringen, ein Ratschlag, den die Hauseigentümer »contre coeur« befolgten, für den sie ihm jedoch später, als Kokoschka berühmt wurde, zu großem Dank verpflichtet waren.

Sowohl der Vortrag Ilse Hennings als auch die Quintessenz des gezeigten Tonfilms über Loos, beides in deutscher Sprache abgefaßt, wurden von Botschaftsrat Dr. Brunmayr in bester Weise simultan ins Spanische übersetzt. Die Hörerschaft spendete reichen Beifall.   *G. K.*

An die Graphische Sammlung Albertina, Wien

Sehr geehrter Herr Direktor,

               ich erfahre heute durch österreichische Zeitungen,
daß die Graphische Sammlung Albertina das sogenannte "Loos-Archiv" gekauft hat.
Deswegen erlaube ich mir, mich an Sie zu wenden und meine berechtigten Ansprüche
auf dieses Archiv geltend zu machen. Ich war mit Adolf Loos verheiratet (1919-
1927), hieß Elsie Altmann und war Tänzerin. Nach dem Tode von Loos fand sich
ein Testament vor, in welchem er mich als Alleinerbin aller seiner Güter ein-
setzte. Ich trat im Jahre 1933, gleich nach Loos' Tod, die Testamentsdurchführung
an. Da ich eine Reise nach Argentinien antrat, die auf 2 Monate berechnet war
(aber 33 Jahre dauerte), gab ich Herrn Dr. Ludwig Münz die Erlaubnis, während
meiner Abwesenheit den Loos-Nachlaß, der sich in der Loos-Wohnung, Bösendorferstraße 3, befand, zu ordnen. Loos hatte eine Unmenge von Plänen, Skizzen, Briefen, Fotos etc. Dr.Münz wollte ein Buch über das Werk von Adolf Loos schreiben.
Jedoch gab ich ihm weder eine schriftliche oder mündliche Erlaubnis, etwas aus
der Wohnung wegzutragen. Dazu hatte ich ja auch damals keine Berechtigung, da
ich die Erbschaft zwar antrat, aber ihre Durchführung noch fehlte.
Nach dem Anschluß (1938) floh Dr. Münz nach London und nahm aus der Loos-Wohnung
alle Pläne und Schriften mit, unter dem Vorwand, sie retten zu wollen. Er hatte
keine Berechtigung dazu. Nach dem Kriege kehrte er aus England zurück und wollte
das Buch über Loos schreiben, starb aber eines plötzlichen Todes. Seine Witwe,
Frau Maria Münz, verweigerte die Rückgabe meines Eigentums, veranstaltete Ausstellungen und gab schließlich ein Buch im Schroll-Verlag heraus. Ich erfuhr zu
spät von der Sache und mein Wiener Rechtsanwalt, Dr.Komaier, konnte absolut nichts
erzielen. Frau Münz antwortete auf keine Einladung zu einer gütlichen Regelung
und ich war zuweit weg, um zu prozessieren. Frau Münz starb vor wenigen Monaten
und ich nehme an, daß ihre Erben das Loos-Archiv an Sie verkauft haben.
Um Ihnen zu beweisen, daß ich die Wahrheit sage, können Sie jederzeit bei den
österreichischen Gerichten (Erbschaftsangelegenheiten) Einsicht nehmen. Ich
figuriere dort als die einzige berechtigte Erbin von Adolf Loos. Die Erbschaft
ist rechtsgültig durchgeführt.
Im Jahre 1955 kaufte mir die Stadt Wien die Einrichtung des Loos-Zimmers ab,
das ins Historische Museum der Stadt Wien, Karlsplatz, übertragen wurde. Ich
glaubte immer, daß der ganze Nachlaß in der Wohnung geblieben war und erfuhr
erst vor 2 Jahren von der Entwendung der Pläne etc. Obwohl im Loos-Archiv Teile
enthalten sein mögen, die nicht aus meinem Besitz stammen, weiß ich aus bester
Quelle, daß die Hauptmasse des Archives die seinerzeit bei Loos in der Wohnung
Gefundene ist und diese gehört mir, als rechtmäßige Erbin. Für mich ist die
Übergabe an Sie irgendwie ein Glücksfall, denn endlich kann ich mich an die
Leiter eines weltberühmten Institutes wenden, die meine Rechte sicherlich aner-
kennen werden. Bisher hatte ich mit Schatten zu kämpfen.
Ich mache nochmals meine berechtigten Ansprüche auf das sogenannte Loos-
Archiv geltend, es ist mein Eigentum und ich erwarte von der Direktion der Al-
bertina eine rechtsgültige Erledigung dieser Angelegenheit. Ich habe das größte
Vertrauen in Ihre Institution.
In der Hoffnung, baldige Antwort zu erhalten,
verbleibe ich hochachtungsvoll Ihre sehr ergebene

                              Elsie Loos-Altmann de Gonzalez Varona

Frau Elsie Altmann
calle Ayacucho 1474
Buenos Aires,Argentinien

Sehr geehrte gnädige Frau !

Auf Grund Ihrer geschätzten Zuschrift vom 21.
März d.J. habe ich unverzüglich die Erstellung eines
Rechtsgutachtens von meiner vorgesetzten Dienstbe-
hörde erbeten. Ich bin nach eingehender Prüfung der
vorliegenden Gegebenheiten mit Schreiben vom 28.Juni
1966 zur Durchführung des Ankaufes mit der Auszahlung
des Kaufpreises an die Erben nach Frau Maria Münz er-
mächtigt worden.

Indem ich mir gestatte, Ihnen dieses Ergebnis
der Überprüfung der Rechtssituation mitzuteilen,
zeichne ich mit dem Ausdruck

der besonderen Hochachtung

Dr.Walter Koschatzky

314

Nachwort

Im »Loos-Archiv«, das sich seit 1966 in der Graphischen Sammlung Albertina in Wien befindet, ist in einer Mappe ein Typoskript verwahrt mit dem Titel ADOLF LOOS – DER MANN. AUTOR: ELSIE ALTMANN-LOOS. Einzelne Passagen des Textes – die nicht zur Veröffentlichung bestimmt waren – sind rot unterstrichen, zwei ganze Kapitel rot umrahmt. Es ist die Urfassung des vorliegenden Buches. Ermuntert und gedrängt von Bewunderern des Werkes und der Persönlichkeit Adolf Loos', hat Elsie Altmann-Loos in den Jahren 1964 und 1965 ihre Erinnerungen an die mit dem großen österreichischen Architekten und Lebensreformer verbrachten Jahre und an seine Berichte über die Zeit davor niedergeschrieben. Drei Jahrzehnte waren bereits seit dem Tode von Adolf Loos vergangen, drei Jahrzehnte, die Elsie Altmann-Loos in ihrer zweiten Heimat Argentinien, im spanischen Sprachraum schon verwurzelt, zugebracht hatte. Trotzdem ist es ihr gelungen, die Sprache ihrer Jugend unversehrt wiederzufinden, die Unmittelbarkeit längst vergangener Begebenheiten und die Nuancen längst verhallter Gespräche über all die Jahre hinweg in unsere so nüchtern gewordene Zeit herüberzuretten. Die längst verlorene, gerade in Wien so hoch geschätzte (und natürlich auch verdammte) Kunst des Feuilletons, wie sie von Altenberg, Friedell oder Polgar meisterhaft beherrscht und eingesetzt wurde – hier findet sie sich wieder und setzt fast nahtlos in Melodie und Duktus dort fort, wo die 24jährige Elsie Altmann – die sich mit ihren Erfolgen als Tänzerin und jüngste Soubrette am »Theater an der Wien« nicht zufriedengab, sondern auch noch als Feuilletonistin beim »Neuen Wiener

Journal« brillierte – die Feder aus der Hand gelegt hatte. Als sie ihre Erinnerungen niederschrieb, war Adolf Loos in weiten Kreisen noch kaum bekannt oder bereits wieder vergessen. Es ist das Verdienst von Dr. Wilhelm Lorenz, der damals den Wiener Verlag Herold leitete, daß das Buch im Jahre 1968 unter dem Titel *»Adolf Loos – der Mensch«* erscheinen konnte; er hatte sich bereits drei Jahre davor für Adolf Loos eingesetzt und dessen seit Jahrzehnten nicht mehr greifbare Schriften neu herausgebracht. Der Verschiebung des Schwerpunktes beim neugewählten Titel wies auch auf eine inhaltliche Veränderung hin: wie es dem Moralkodex der sechziger Jahre wohl entsprochen hat – damals zeigte man sich ja auch über die recht freizügigen Memoiren der Alma Mahler-Werfel schockiert –, war man übereingekommen, die Erinnerungen an Adolf Loos auf das »Menschliche« zu reduzieren, das Allzu-Menschliche aber pietätvoll zu beschneiden. Deshalb die rot umrandeten Stellen im Urtext. Die beiden Kapitel »Die Freudenmädchen« und »Die kleinen Mädchen« hatte man überhaupt gestrichen. Durch das Verschweigen dieser Kapitel mußte manches an der Biografie Adolf Loos' im Dunkeln bleiben.

Im Zuge der großen Adolf Loos-Renaissance, die sich – von Italien ausgehend – inzwischen auch auf den englischsprachigen Raum, auf Südamerika und sogar auf die Tschechoslowakei (die den in Brünn geborenen Loos bisher kaum zur Kenntnis genommen hatte!) erstreckt, hat man auch diese rot angezeichneten Passagen und »heiklen« Kapitel entdeckt; Loos-»Forscher« haben sie – unter Mißachtung der guten Sitten und der einschlägigen Gesetze – ohne Einwilligung der Autorin als Raubdruck veröffentlicht: aus dem Zusammenhang gerissen, daher entstellt und mit verlagerten Akzenten, mußten solche Publikationen ein falsches Bild des Textes und seiner Autorin vermitteln.

Es war der Wunsch von Elsie Altmann-Loos, den von ihr

geschriebenen Urtext in seiner Gesamtheit veröffentlicht zu sehen. Von ihr mit der Herausgabe der Schriften von Adolf Loos und ihrer eigenen Loos-Biografie betraut, habe ich den Text daher rekonstruiert. Die Autorin hat auf mein Ersuchen zusätzliche Kapitel geschrieben, teils aus eigenem Impuls, teils als Antwort auf gezielt gestellte Fragen. So entstand auch im Verlaufe mehrerer Besuche in Buenos Aires ein mehrstündiges Tonbandprotokoll mit Elsie Altmann-Loos, das noch der Aufarbeitung harrt.

Elsie Altmann-Loos hat die Arbeit an diesem Buch bis kurz vor ihrem Tod im Mai 1984 fortgesetzt und seine Publikation mit Ungeduld erwartet. Es ist ein *neues* Buch geworden, auch durch den Bildteil und den dokumentarischen Anhang, der anhand zeitgenössischer Zeitungsartikel, Polemiken und Karikaturen einen ergänzenden Überblick auf Werk und Leben des heute bereits legendär gewordenen Adolf Loos – und auch auf die Bühnenkünstlerin Elsie Altmann – geben soll.

Ihre eigene künstlerische Karriere hat Elsie Altmann-Loos im vorliegenden Buch nur ganz am Rande gestreift: Sie war ein gefeierter Bühnenstar in der letzten großen Epoche der Wiener Operette, die von ihr als Partnerin von Hubert Marischka, Betty Fischer, Max Hansen, Hans Moser, Willi Forst und Karl Farkas mitgestaltet worden ist. 1933 nahm diese Karriere ein plötzliches Ende: Elsie Altmann-Loos ging ins Exil nach Argentinien. Fast alle ihrer Wiener Angehörigen sind in den Gaskammern der Nazis ums Leben gekommen oder wurden durch die nach der Besetzung Österreichs einsetzende Diaspora in alle Welt verstreut.

Lange hat sich Elsie Altmann-Loos überlegt, ob sie ihrem Buch ein weiteres Kapitel beifügen sollte: BRIEF AN DIE ALBERTINA. Einen solchen Brief hat sie tatsächlich geschrieben, am 21. März 1966, um ihre Rechte an dem Nachlaß von Adolf Loos geltend zu machen, der sie zu seiner

Universalerbin eingesetzt hatte. Die Republik Österreich hatte in diesem Jahr den Nachlaß zu einem Spottpreis von Leuten angekauft, die zweifellos nicht die wahren Eigentümer waren: den Erben von Ludwig und Maria Münz, die lediglich mit der Sichtung und Ordnung dieses Nachlasses betraut waren. Bis heute haben sich die zuständigen österreichischen Instanzen geweigert, das Testament Adolf Loos' zu erfüllen.

Gebotene Rücksichten – man hatte mit Repressalien gedroht und in Aussicht gestellt, die seit kurzem gewährte staatliche Ehrenpension für Elsie Altmann-Loos zu streichen – fallen nunmehr weg, und es ist Zeit, ein Unrecht, das ein halbes Jahrhundert gedauert hat, endlich gutzumachen.

Das letzte Kapitel dieses Buches ist noch nicht geschrieben.

Ich danke Herrn Marino Valdez für seine wertvolle Mitarbeit bei der Herausgabe dieses Buches und der Zusammenstellung des Bildmaterials und des biografischen Anhanges. Für die Zurverfügungstellung von Bildmaterial danke ich der Graphischen Sammlung Albertina (Herrn Dr. Bösel), dem Bildarchiv der Österreichischen Nationalbibliothek (Herrn Dr. Kittler), Herrn Max Beck (1) und den Erben von Elsie Altmann-Loos.

Wien, August 1984   *Adolf Opel*